„Die aus dem Untergang der feudalen Gesellschaft hervorgegangene moderne bürgerliche Gesellschaft hat die Klassengegensätze nicht aufgehoben. Sie hat nur neue Klassen, neue Bedingungen der Unterdrückung, neue Gestaltungen des Kampfes an die Stelle der alten gesetzt."

Marx; Engels, Kom.Manifest, MEW 4, 463. 1848.

Inhalt

Der Brief 7
Die Pressekonferenz 9
Kein Tag wie jeder andere 13
Die Macht des Geldes 27
Das Gespräch 38
Das Marionettentheater 53
Wo ist Kathy? 62
Die Bestätigung 68
Lisa 72
Die Drohung 78
Der Anfang 85
Kontakt 89
Der Entschluss 95
Die Liste 98
Der Anruf 108
Das Date 110
Mord 114
Ein großer Schritt 120
In guten wie in schlechten Zeiten 124
Ankunft 126
Offene Karten 131
Die Vorbereitung 142
Die andere Sicht 148
Vor dem Abflug 156
Die Rückkehr 166
Das Treffen 171
Wettlauf gegen die Zeit 177
Das nächste Opfer 187
Zweifel 191

Der Tote	196
Rückblick	203
Die Arbeiterfront	208
Gefahr im Verzug	217
Umdenken	219
Die Mission	223
Wieder zurück	225
Die Fahrt	241
Die Theorie	247
Angst	253
Das Zerwürfnis	257
Neugierde	270
Kein guter Tag	278
Die Bekanntschaft	282
Vorahnung	285
Die Lage spitzt sich zu	289
Das Haus	292
Erwachen	295
Der Obelisk	304
Showdown	312
Die Geisel	316
Der Senator	318
Die Wahrheit	320
Die Jagd	325
Sekunden	329
Unerwarteter Besuch	333
Der Rückflug	339
Epilog	341
Über den Autor	343

Der Brief

Ihr Narren,
bezeichnet euch als Bürger des Informationszeitalters. Eure Nachfahren werden wissen, dass ihr in der Epoche des ‚Absurden Kapitalismus' gelebt habt. Ethische Grundsätze wie Moral und Gerechtigkeit habt ihr ebenso wie den Erhalt der Natur rücksichtslos der Gewinnmaximierung geopfert. Korruption zieht sich wie ein roter Faden durch die Führungsebenen aller Länder und unterscheidet sich allein durch die Höhe des Preises.

Ihr seid im Besitz von Technologien, die mehr zerstören können, als ihr jemals begriffen habt, und die Tatsache, dass eure Kinder in einer künstlichen Atmosphäre und mittels synthetischer Nahrungsmittel leben werden, ist das Resultat eures begrenzten Horizonts.

Eure Politiker kämpfen einzig und allein um persönlichen Reichtum gegen die Führer der Wirtschaft und haben dabei keine Scheu, das Ganze auf dem Rücken von euch Bürgern auszutragen. Sie haben vergessen, dass ihr euch ihrer Führung und ihrem Schutze anvertraut habt. Sie belügen euch schamlos und beuten euch auf subtilste Art und Weise aus.

Sie geben euch glänzende Autos und schöne Häuser. Die damit verbundenen Hypotheken ketten euch ein Leben lang an das System. Ihr zur Schau gestellter Reichtum vermittelt euch den Eindruck, jeder von euch könne den gleichen Wohlstand erreichen – solange ihr euch nur mit ganzem Herzen und all eurer Zeit dem System verschreibt.

Zugegebenermaßen sind die Methoden, mit denen sie für das Wachstum ihres eigenen Wohlstands sorgen, subtiler geworden, aber am Prinzip der Klassen hat sich über die Jahrhunderte hinweg nichts geändert.

Doch ihr Narren habt es nicht anders verdient, weil ihr bis heute nichts begriffen habt und die Dinge tatenlos geschehen lasst. Jedes Mal, wenn ihr in die Augen eurer Kinder seht, solltet ihr euch schämen und sie um Vergebung bitten!

Ein paar dieser ignoranten Verantwortlichen habe ich zur Rechenschaft gezogen, doch jetzt bin ich müde und fühle mich von euch allein gelassen. Deswegen überlasse ich euch künftig eurem Schicksal.

Fragt ihr euch eigentlich nie, wer letztlich über Recht und Unrecht entscheidet? Ich kenne eure naive Antwort. Aber glaubt ihr tatsächlich, diese biegsamen Worte des Gesetzes wissen im Nebel der verlorenen Moral noch, wo Gut endet und Böse beginnt?

Mit tödlicher Gerechtigkeit,
Der verkaufte Bürger

P.S.: Es ist längst an der Zeit, Verantwortung zu übernehmen.

****

Er steckte den Brief zurück in das Kuvert und klemmte ihn hinter die Sturmtür. Das Sirenengeheul klang jetzt ganz nah, und er wusste, dass die Zeit gekommen war. Er stieg in das Fahrzeug und startete den Motor. Obwohl die Nacht pechschwarz war, ließ er die Lichter ausgeschaltet und trat das Gaspedal bis zum Anschlag durch. Während das Fahrzeug die Einfahrt hinunter jagte, lachte er ein letztes Mal heiser auf.

Die Pressekonferenz

Joseph H. Warner hatte seinen Platz hinter dem Schreibtisch aus dunklem Schiffsholz bereits eingenommen, als die Schar von Reportern endlich leiser wurde. Nun stand er auf, um, wie die Anwesenden dachten, das offizielle Statement des Weißen Hauses zu verlesen. Dabei umklammerten seine zitternden Hände den Rand des geschichtsträchtigen Resolute Desk. Sein Gesicht war bleich, seine Augen hatten dunkle Ränder, und kalter Schweiß stand ihm auf der Stirn. Eine Zeit lang starrte er in die Runde, dann schweifte sein Blick über ihre Köpfe hinweg zur Decke. Er musste sich konzentrieren, um nicht das Gleichgewicht zu verlieren. Ungeduldig ergriff einer der Reporter das Wort und fragte mit unüberhörbar provozierendem Unterton: „Was ist hier los? Ist die Ernsthaftigkeit der Situation es immer noch nicht wert, dass sich der Präsident selbst herbemüht?" Doch die mahnenden Blicke der Sicherheitskräfte ließen den Mann wieder verstummen.

Die Erklärung des Weißen Hauses war ebenso gewissenhaft wie berechnend aufbereitet worden. Vier Männer und Frauen aus dem Medienteam des Präsidenten hatten letzte Nacht etliche Stunden damit verbracht, den Text zwar aufklärend, aber vor allem öffentlichkeitsverträglich zu verfassen. Die Anwesenden wussten dies natürlich, denn sie gehörten einem auserwählten Kreis an. Unter Insidern wurden sie auch die White-House-Getreuen genannt. Ihre Aufgabe war es, den Lesern die Version der Wahrheit zu präsentieren, die den regierenden Präsidenten stets ins rechte Licht rückte. Egal wie falsch sein eingeschlagener Weg sein mochte – es galt, diesen als den einzig richtigen darzustellen. Sie waren die Gehirnwäscher der Nation. Im Gegenzug genossen sie das Privileg, Antworten auf Fragen zu erhalten, die den ‚normalen' Reportern vorenthalten blieben.

Das heutige Treffen sollte ursprünglich der Präsident selbst halten, doch kurzfristig hatte er zugestimmt, dass Joseph H. Warner dies übernahm. Ein in der momentanen Situation riskantes Unterfangen, aber es bot die Aussicht, alle parteiinternen Rangeleien endgültig vom Tisch zu schaffen. Natürlich waren die üblichen Vorsichtsmaßnahmen getroffen worden. Denn auch wenn das gemeine Volk nicht wusste, dass diese Art von Pressekonferenz minutiös arrangiert und abgestimmt war, ließ sich dennoch nie ganz ausschließen, dass die eine oder andere Information ungeschönt nach außen dringen würde.

Anders als die öffentlichen Pressekonferenzen fand die heutige im Oval Office des Weißen Hauses statt.

Diesen Name verdankte der Raum seiner Form. Er war allerdings nicht immer im Westflügel gewesen. Präsident Roosevelt hatte sich seinerzeit aus verschiedenen Gründen an der zentralen Lage gestört und ihn deshalb im Jahr 1934 an die südöstliche Ecke des Westflügels verlegen lassen. Der Vorteil der ovalen Form bestand darin, dass sich alle Beteiligten in die Augen sehen konnten, der Raum dabei dennoch ein Kopfende besaß, an dem sich der Präsident postieren konnte.

Das war aber nicht der Grund, warum Warner auf diesem Raum als Veranstaltungsort bestanden hatte. Das Oval Office galt als Synonym der Präsidentschaft und zugleich als Zentrum der Macht. Mehrere Präsidenten hatten hier historisch wichtige Gespräche geführt oder Ansprachen an die Nation gehalten. Mit fast elf Metern Länge und neun Metern Durchmesser war es nicht der größte Raum im Weißen Haus, aber durchaus ausreichend für Pressekonferenzen dieser Größenordnung. Die drei Panoramafenster boten einen freien Ausblick auf die Grünanlagen des Weißen Hauses, die zu dieser Jahreszeit einen tristen Anblick boten.

„Meine sehr geehrten Damen und Herren." Als er das Wort ergriff, war Joes Stimme leise und zittrig wie die einer alten

Frau. Ein Raunen ging durch den Raum, denn die Reporter hatten bereits bemerkt, dass mit ihm etwas nicht stimmte.

„Der Präsident der Vereinigten Staaten von Amerika ist …" In diesem Augenblick ächzte er, den leeren Blick ins Nichts gerichtet. Dann nahm er einen neuen Anlauf, seine Ansprache zu beginnen: „Der Präsident der Vereinigten Staaten von Amerika ist ein Lügner und Verräter!"

Kaum hatte er die Worte gesprochen, glitt seine Hand von der Kante des Schreibtisches und griff in die Luft. Offenbar hatte er seine gesamte Kraft zusammengenommen, um den Zuhörern diesen Satz entgegenzuwerfen. Nun war das Ziel erreicht, und die Schwäche übermannte ihn. Er atmete laut und hörbar unregelmäßig. Es klang fast wie ein Röcheln. Er machte einen Schritt zurück, und für ein paar Sekunden sah es aus, als könne er sein Taumeln ausbalancieren. Seine Hand schien auf der Suche nach Halt den Tisch erneut greifen zu wollen, fuchtelte aber nur wild durch die Luft. Dann verlor er endgültig das Gleichgewicht, stürzte und schlug dumpf zu Boden. Niemand hatte reagiert, zu überrascht waren alle gewesen. Selbst die verdutzten Reporter verstummten kurzfristig. Den meisten stand der Mund vor Schreck offen. Doch dieser Zustand war nur von kurzer Dauer. Wenige Sekunden später herrschte Chaos: Wildes Stimmengewirr – ähnlich dem Lärm in einer Bahnhofshalle – dröhnte durch den Raum, und einige Reporter sprangen von ihren Stühlen auf in Richtung des Gestürzten, um einen neugierigen Blick auf den zuckenden Körper zu erhaschen. Allerdings wurden sie sofort vom Sicherheitsdienst gestoppt.

Zwei Männer, vermutlich FBI-Mitarbeiter, hatten sich vor dem viel zu schnell atmenden Körper postiert. Vier weitere Sicherheitskräfte waren inzwischen in den Raum gestürzt und knieten über dem Vizepräsidenten am Boden. Als sie sein Jackett öffneten, wurde das darunter liegende weiße Hemd sichtbar. Es war schweißnass. Obwohl den meisten Anwesenden die Sicht versperrt war, drängten sie dennoch so nahe wie möglich an das Zentrum des Geschehens heran.

Dann eilten noch mehr Sicherheitsleute herbei, rückten noch enger zusammen und verwehrten nun jegliche Blicke auf den Körper. Kameras waren bei diesen Veranstaltungen verboten, und folglich blieb auch das übliche Blitzlichtgewitter aus. Dinge, die offiziell nicht existierten, durften natürlich auch nicht fotografiert werden.

Einer der Anwesenden hatte allerdings genug gesehen und kehrte der Szene zutiefst bestürzt den Rücken. Die wahren Gründe für diesen Vorfall würde man ohnehin weder heute noch morgen aus dem Radio erfahren. Höchstwahrscheinlich würde überhaupt niemals etwas davon an die Öffentlichkeit gelangen. Länger hier zu bleiben, wäre zu gefährlich. Nachdem Joseph H. Warner seine schützende Hand offensichtlich nicht mehr über ihn halten konnte, war es in erster Linie wichtig, sich von feindlichem Terrain zurückzuziehen.

„Shit", murmelte er, während er zur Tür blickte. In diesem Augenblick packte ihn auch schon eine Hand und zog ihn mit nach draußen. Die beiden Männer nutzten die Verwirrung und verschwanden in Deckung der aufgebracht hin und her rennenden Reporter. Gerade als sie den Raum verließen, hörten sie noch eine Stimme kreischen: „Mein Gott … so tut doch etwas! Er … der Vizepräsident hat aufgehört zu atmen!"

Kein Tag wie jeder andere

Zwei Jahre zuvor. Eigentlich hätte es ein Tag wie jeder andere sein können. In den Straßen regierte noch die Ruhe der gerade vergangenen Nacht, und die Sonne blinzelte verschlafen über die Dächer. Sie war heute um 6:02 Uhr aufgegangen, hatte sich ihren Weg durch eine dichte Wolkendecke gebahnt und nunmehr diesen Tag eingeleitet. Einen Tag, an dem sich die Menschen – wie üblich von ihren Weckern aus den Träumen gerissen – unter Murren aus den Betten quälen würden und anschließend im Badezimmer ihren täglichen Ritualen wie Rasieren und Zähneputzen nachgehen sollten. Wenig später würden sie schnell einen Schluck Kaffee hinunterschütten und sich auf den Weg zur Arbeit machen.

Draußen war Vogelgezwitscher vom nahe gelegenen Park zu hören. Dort, wo ein anderer Teil der Gesellschaft seine Nacht verbracht hatte. Normalerweise drehten sich die Obdachlosen zu dieser Zeit noch einmal auf ihren Parkbänken, um den Beginn ihres deprimierenden Alltags noch etwas hinauszuzögern.

Steve war Teil dieser Gesellschaft aus dem Park. Er hatte seine Nacht zwar nicht auf einer Parkbank verbracht, aber die alte Decke, die am Eingang einer Unterführung lag, war kaum luxuriöser. Das schrille Heulen einer Sirene zerriss die trügerische Idylle dieser Szene. Steve murrte und wälzte sich auf die andere Seite. Nur langsam bemerkte er, dass die Sirene nicht Teil eines Traums war, und erschrak. Er setzte sich auf und hatte Mühe, das Gleichgewicht zu halten. Der Park schien sich um ihn zu drehen, denn nach dem ausgiebigen Alkoholgenuss am Vorabend kam sein Kreislauf nur mühsam auf Touren.

Letzte Nacht war er fast stündlich ohne erkennbaren Grund aufgewacht, und dementsprechend verkatert fühlte er sich jetzt. Obendrein war er unsanft aus dem Schlaf gerissen worden.

Während er noch gegen das Schwindelgefühl ankämpfte, drang eine barsche Aufforderung wie aus weiter Ferne an sein Ohr: „Hey Alter, was machst du hier? Warum bist du nicht im Obdachlosenasyl wie deine Kumpels?"

Ein dicker, kleiner Polizist marschierte quer über den Rasen des Parks auf ihn zu. Sein Partner, ein deutlich größerer, aber ebenso unförmig wirkender Typ, hielt den Gummiknüppel an seinem Gürtel mit der rechten Hand umklammert. Steve hievte sich auf die Knie und kniff die Augen zusammen. Sein Blick war noch etwas verschwommen, und er versuchte die beiden Gestalten zu mustern. Dabei konzentrierte sich seine Aufmerksamkeit auf den Knüppel. Der Polizist hatte ihn inzwischen aus dem Gürtel gezogen und hielt ihn in seine Richtung. Es wirkte bedrohlich, wie der bullige Polizist geradewegs auf ihn zuschritt.

„Was ist los? Habe ich etwas getan?", brachte Steve gerade noch hervor, bevor die Ordnungshüter sich über ihm aufbauten.

„Und ob, du hast hier nichts zu suchen!"

„Ich … ich … verstehe nicht."

Steve blickte verwirrt von einem zum anderen. Normalerweise war er nicht der ängstliche Typ, aber angesichts des Knüppels und seiner Verfassung fühlte er sich im Moment wie das Kaninchen vor der Schlange.

„Für heute wurde eine Ausgangssperre verhängt, und jeder, der sich ohne explizite Sondergenehmigung auf der Straße oder öffentlichem Gelände aufhält, macht sich strafbar und wird verhaftet!"

Steve blickte die beiden abwechselnd mit ungläubigen Augen an, dann fiel sein Blick wieder auf den Knüppel. Dieser war noch immer in der Hand des Polizisten. Allerdings hatte der Polizist den Arm sinken lassen, und der Knüppel zeigte nun in Richtung Boden. Die Situation wirkte dadurch weit weniger bedrohlich, und schließlich antwortete Steve mit tonloser Stimme: „Davon wusste ich nichts."

„Komm lass ihn, ich kenne den Penner von meiner Streife in der Gegend. Er hängt schon einige Monate hier rum und ist harmlos“, sagte der größere der beiden Polizisten.

Obwohl Steve sich über die Bezeichnung Penner ärgerte, atmete er erleichtert auf.

Da herrschte der Kleinere ihn an: „Mach dich vom Acker, und schau, dass du ins nächste Obdachlosenheim kommst, bevor ich es mir überlege!“

Jedes seiner Worte verriet die Verachtung, die er für Obdachlose empfand. Zu seinem Partner sagte er: „Keine Lust auf den Schreibkram. Komm, lass uns zurück zum Streifenwagen gehen.“

Der steckte den Knüppel in den Gürtel, und ohne Steve eines weiteren Blickes zu würdigen, drehten sich die beiden um und waren genauso plötzlich wieder verschwunden, wie sie gekommen waren.

„Verdammte Arschlöcher“, zischte Steve vor sich hin, als die Polizisten außer Sichtweite waren. „Ausgangssperre, so ein Quatsch … Die haben nichts anderes zu tun, als uns das Leben noch schwerer zu machen als es sowieso schon ist!“

Da er nun ohnehin wach war, konnte er seinen Tag auch wie üblich beginnen. Er wühlte in einer der Tüten, die sein ganzes Hab und Gut enthielten, und kramte eine Plastikflasche hervor. Er schloss die Augen, nahm einen tiefen Schluck und genoss, wie das lauwarme Wasser durch seinen Mund rann. Das ist das Problem mit billigem Fusel, dachte er, als die Flüssigkeit langsam seine Kehle hinab lief. Er schmeckt zwar gar nicht so viel schlechter als ein teurer Tropfen mit edlem Etikett, nur leider hat man am nächsten Morgen oft übelste Kopfschmerzen. Hinzu kommt dieses seltsam pelzige Gefühl im Mund. Möglicherweise, so dachte er weiter, liegt es aber weniger an der Qualität des Weins sondern einfach an der Quantität!

Auch wenn sein Leben in den letzten Jahren nicht gerade nach Wunsch verlaufen war, wehrte er sich – zumindest mittlerweile wieder – mit allen ihm zur Verfügung stehenden

Mitteln und einem Rest Stolz dagegen, dem Klischee eines obdachlosen Penners zu entsprechen.

Zu Beginn seiner Obdachlosigkeit hatte er alle Hoffnung verloren. Er hatte keinen Halt gefunden und mehr als einmal darüber nachgedacht, sich umzubringen. In der Zwischenzeit war es ihm aber gelungen, sein Kämpferherz wieder zu entdecken, und er hatte zumindest etwas Tritt gefasst. Nun versuchte er, ein den Umständen entsprechend geregeltes Leben zu führen. Jeden Morgen stand er zu einer ähnlichen Zeit auf wie seine berufstätigen Mitbürger, putzte sich die Zähne mit einer abgenutzten Zahnbürste, strich seine Haare glatt und zupfte und zog die abgetragene Kleidung so gut es ging zurecht.

Abends trank er allerdings noch immer aus der überdimensionalen Flasche mit dem Namen ‚Lebenslust' auf dem Etikett – der blanke Hohn. Aber immerhin bescherte ihm dieses Zeug einen relativ ruhigen Schlaf, und unter der Einwirkung des Alkohols wirkte die Welt außerdem etwas rosiger. Obendrein konnte er daran nichts wirklich Verwerfliches sehen. Nichts, was ihn prinzipiell vom Rest der Einwohner dieser Stadt unterscheiden würde.

Viele von ihnen kamen abends ebenso ausgelaugt wie aufgekratzt aus ihren Büros nach Hause, und einer ihrer ersten Handgriffe galt der Wein- oder Bierflasche. Diese Menschen hatten nicht den sozialen Abstieg zu verkraften, den Steve bereits durchlebt hatte. Sie hatten ihre Jobs – wenn auch oft ungeliebt oder gar gehasst –, sie hatten ihre Apartments und Häuser, in die sie sich nach getaner Arbeit zurückziehen konnten. Vor allem aber hatten sie ein bequemes und warmes Bett in einem trockenen und warmen Zimmer, das ihnen Nacht für Nacht Geborgenheit und Erholung bot. Bei diesen Gedanken erinnerte er sich wieder an die Schmerzen im Lendenwirbelbereich. Er streckte seine Hüfte nach vorne und bog dabei den Rücken durch. Diese Bewegung dehnte die untere Rückenmuskulatur und brachte ihm zumindest kurzfristig etwas Erleichterung. Währenddessen sinnierte er weiter. Die Schlafstörungen, unter denen viele der normalen Bürger litten, so wie auch er damals, waren nicht Folge einer unbequemen Schlafstätte. Sie kamen von den Ängsten: Ängste vor Ereignissen, die Steve inzwischen durchlebt hatte und die deshalb ihren Schrecken für ihn verloren hatten.

Trotz all der offensichtlichen Vorzüge, die der Lebensstil dieser Menschen mit sich brachte, hatte Steve ihnen dennoch eines voraus: Sie litten jeden Tag ihres Lebens unter der Angst vor einer Situation, in der Steve sich bereits befand!

Allein diese Erkenntnis legitimierte es in seinen Augen, sich fast jeden Abend eine Dosis Schlafmittel in Form des Fusels zu genehmigen. Dieses Ritual stand für ihn nicht im Widerspruch zu dem Versprechen an sich selbst, niemals ganz aufzugeben und immer eine gewisse Portion Selbstdisziplin zu erhalten. Er hatte bereits all das durchlebt, vor dem sich seine Artgenossen in ihrem tiefsten Innern noch fürchteten. Das war es auch, was ihn sich souverän fühlen ließ in Augenblicken, in denen sie ihn mit Verachtung ansahen oder beschämt zur Seite blickten, wenn er ihren Weg kreuzte.

Er kramte seine Waschutensilien aus einer weiteren Tüte, goss etwas Wasser aus der Flasche in einen alten, abgegriffenen Plastikbecher, tauchte die Zahnbürste ein und putzte sich die Zähne. Letztlich kam es ihm nur darauf an, seinen Lebensstil vor sich selbst rechtfertigen zu können. Und zu seiner Philosophie gehörte auch, seinem Körper die ihm mögliche Hygiene zukommen zu lassen.

Nun stand er an einer Fußgängerampel und wartete auf grünes Licht. Inzwischen konnte er wieder klarer denken. Jetzt bemerkte er den kühlen Wind, der an diesem Herbsttag durch die Straßen von Washington D.C. fegte und genoss, wie er über seine Wangen strich. Dann blickte er auf, drehte sich einmal um die eigene Achse. Schlagartig fiel ihm auf, wie verändert die Stadt an diesem Morgen war.

Das grüne Männchen an der Fußgängerampel signalisierte ihm schon zum zweiten Mal, dass er die Straße überqueren könne. Aber er hätte auch bei Rot gefahrlos über die Straße gehen können. Weit und breit war kein Auto zu sehen, nicht einmal ein anderer Fußgänger. Und das war selbst zu frühester Morgenstunde höchst ungewöhnlich.

Steve musste an seine Begegnung mit den Polizisten denken. Ursprünglich war er der Meinung gewesen, sie hätten sich einen Spaß mit ihm erlaubt und wollten ihn einfach nur anpöbeln. Es schien den traurigen Alltag der Gesetzeshüter zu versüßen, wenn sie ihre schlechte Laune auf dem Rücken der Obdachlosen austrugen. Oft schon hatte er beobachtet, wie sie Seinesgleichen das Leben schwer machten, ohne dass der Betroffene etwas getan hatte. Glücklicherweise war er dieser Unsitte bisher noch nie zum Opfer gefallen, doch an diesem Morgen hatten sie ihn überrascht und etwas von einer Ausgangssperre gefaselt. Er hätte geschworen, dass sie ihn auf den Arm nehmen wollten, aber nun kamen ihm Zweifel. Welcher Tag war heute? Nach einer Weile kam er zu dem Schluss, dass es ein Dienstag sein musste, also ein Arbeitstag. Wenn auch nicht für ihn, so doch für viele andere Bewohner dieser Stadt.

Um sicher zu gehen, zog er den dünnen Taschenkalender, den er immer bei sich trug, aus der Innentasche seines Mantels hervor. In ihm war jeder durchlebte oder durchlittene Tag durchgestrichen und mit ein paar Notizen versehen. In der Tat war Montag, der 15. September, durchgestrichen, und da er dieses Zeremoniell noch nie vergessen hatte, war er sich sicher, dass Dienstag sein musste. Es war auch kein Feiertag eingezeichnet. Die Polizisten hatten also offenbar die Wahrheit gesagt. Gedankenverloren ließ er seine Plastiktragetasche zu Boden sinken und steckte den Kalender zurück in die Manteltasche. Dann ging er über die Straße zu einem Uhrengeschäft. Die Ampel zeigte mittlerweile das rote Männchen an, was er in diesem Moment aber nicht bemerkte. Allerdings spielte es mangels Autoverkehr heute ohnehin keine Rolle. Er rüttelte hektisch an der Tür des Ladens. Nichts. Sie war verschlossen. Unsicher blickte er durch das Schaufenster auf eine glitzernd goldene Luxusuhr der Marke Tag Heuer. Das Ziffernblatt zeigte 7:55 Uhr an. Um sicherzugehen, schaute er auch auf die Taschenuhren im Regal darunter. Das Ergebnis war überall das gleiche. Es war 7:55 Uhr!

Nun wurde er nervös. Er stand frei auf offener Straße, und die Besatzung jedes zufällig vorbeikommenden Streifenwagens könnte ihn bereits von weitem sehen. Womöglich würde er wegen Missachtens der Ausgangssperre verhaftet. Er blickte hinüber zu seinen Habseligkeiten und lief los. Beinahe über seine eigenen Beine stolpernd hastete er zu den Sachen, um sie aufzusammeln und schnellstmöglich in der herbstlich bunten Vegetation des Parks unterzutauchen. Bereits nach wenigen Metern war er völlig außer Atem, was ihn daran erinnerte, dass fast zwei Jahre vergangen waren, seit er das letzte Mal durch den Park gejoggt oder irgendeiner anderen Art von sportlicher Aktivität nachgegangen war. In Anbetracht der zahllosen Glimmstängel, die er in der Zwischenzeit geraucht hatte, forderte ihm selbst diese kurze Strecke höchste Anstrengung ab.

Inzwischen hatte er das Rauchen allerdings aufgegeben. Die Methode, die viele seiner Gleichgesinnten praktizierten, nämlich alte weggeworfene Stumpen aufzurauchen, fand er widerlich, und neue Zigaretten konnte er sich nicht mehr leisten. Besser gesagt, er hatte sich eines Tages zwischen Alkohol und Zigaretten entscheiden müssen, und die Wahl war auf den Fuselwein gefallen.

Mit weichen Knien und einigen Schweißperlen auf der Stirn war er wieder am Eingang des Parks angekommen. Er ließ sich auf die nächste Parkbank hinter einem großen Rhododendron fallen. Die Blätter des immergrünen Strauches boten einen hervorragenden Sichtschutz. Während er dort saß und nach Atem rang, ließ er sich die Situation noch einmal durch den Kopf gehen. Dass die Polizisten die Wahrheit gesagt hatten, stand nunmehr außer Frage. Allerdings wunderte er sich jetzt über den Grund für die Ausgangssperre.

Jeden Morgen seit knapp zwei Jahren ging er diese Straße entlang, und selbst an Wochenenden war sie belebt gewesen mit Joggern, Spaziergängern oder Leuten, die sich zum Kaffeeklatsch trafen. Die Bürgersteige waren tagsüber stets überfüllt, auf der Straße reihten sich Taxen und andere Autos in Kolonnen eng aneinander. An den Wochentagen bahnten sich die Berufstätigen mit hektischen Schritten ihren Weg durch die Menge und fluchten bisweilen, wenn ihnen bewusst wurde, dass sie gerade ihre S-Bahn verpasst hatten.

Durch die Blätter des Rhododendrons sah er zu den Geschäftsgebäuden mit ihren schier endlosen Glasflächen auf der anderen Straßenseite. Langsam stand er auf und ließ seinen Blick auf und ab wandern. Vielleicht regte sich wenigstens dort drüben etwas, und er könnte ein Lebenszeichen ausmachen? Ohne seine geschützte Position zu verlassen, versuchte er zu erkennen, was hinter den Fenstern vorging. Doch das Glas war verspiegelt, und nirgendwo brannte Licht. Steve wartete noch einige Minuten in der Hoffnung, ein Lebenszeichen zu entdecken. Aber es war weder etwas zu sehen noch zu hören. Nach einer Weile fühlte er sich mutterseelenallein, und je länger er vergeblich nach anderen Menschen Ausschau hielt, desto größer wurde der Kloß in seinem Hals und desto unangenehmer die Leere in seiner Magengegend.

Gerade als er sich völlig verlassen vorkam, schreckte ihn ein hustendes, unregelmäßiges Klopfen auf, das kurz darauf verstummte. Es klang wie der Motor eines Autos, und als Steve den Kopf in Richtung dieses Geräuschs drehte, sah er durch die Zweige tatsächlich ein paar hundert Meter entfernt einen alten Buick LeSabre stotternd die Straße entlangrollen. Das ausgeblichene, einst mattrot lackierte Fahrzeug wurde immer langsamer und blieb nach weiteren hundert Metern mitten auf der Fahrspur endgültig stehen. Mit einem letzten Keuchen des Motors signalisierte das Gefährt, seinen Dienst für heute beendet zu haben. Neugierig beäugte Steve die merkwürdige Szene aus der Sicherheit seines Verstecks.

Die Tür der Fahrerseite öffnete sich, und eine Frau stieg aus. Sichtlich verärgert stapfte sie um ihr Auto. Sie schien etwa Mitte dreißig, hatte mittellange dunkelblonde Haare, war schlank und elegant gekleidet. Allerdings passte ihre Wortwahl bei dem folgenden Selbstgespräch ganz und gar nicht zu ihrer äußeren Erscheinung.

„Scheint wirklich sauer zu sein, die Gute", murmelte Steve leicht belustigt, während er in Betracht zog, sein Versteck aufzugeben und ihr Hilfe anzubieten. Seine Beherrschung hatte er wiedergefunden, und es freute ihn innerlich, dass auch sein Humor zurückgekehrt war. Die Frau hatte zwischenzeitlich ihr Mobiltelefon aus der Handtasche gefingert, wild darauf herumgetippt und es kurz ans Ohr gehalten. Letztlich war aber wohl keine Verbindung zustande gekommen, denn nun feuerte sie es fluchend zurück in ihre Tasche. Steve entschied sich, aus seinem Versteck hervorzukommen und ging auf sie zu. Als sie zum ersten Mal aufblickte, wich sie erschrocken einen Schritt zurück und rief: „Was wollen Sie hier?"

Die Frau hatte die Worte zwar laut und sichtlich wütend gerufen, aber Steve war das Zittern in ihrer Stimme nicht entgangen. Ein deutliches Signal, dass die Frau sich nicht annähernd so selbstsicher fühlte wie sie zu erscheinen versuchte. Im Gegenteil, dachte Steve, sie hat sichtlich Mühe, ihre Fassung zu bewahren. Wortlos ging er weiter in ihre Richtung. Er hatte nicht vor, eine Konversation über diese Distanz zu führen. Als sie sah, dass Steve stetig näher kam, stakste sie ein paar Schritte zurück und fauchte: „Bleiben Sie, wo Sie sind, oder …!"

Steve hatte den Abstand nun auf eine für ihn akzeptable Gesprächsdistanz verkürzt und blickte sie unvermittelt an: „Keine Angst, Lady! Mein Name ist Steve, und ich wüsste nur gerne, was heute hier in der Stadt los ist. Außerdem machen Sie den Eindruck, als könnten Sie etwas Hilfe gebrauchen!"

„Nein danke, ich habe gerade den Abschleppdienst angerufen, und der wird jede Minute hier sein!“, entgegnete die Frau eine Spur zu schnell.

„Hat aber nicht so ausgesehen, als ob Sie mit jemandem gesprochen hätten“, sagte Steve und setzte ein Lächeln auf, um die Situation etwas zu entspannen. „Sie brauchen keine Angst vor mir zu haben!“

Ihm war klar, dass seine Worte eine Frau, die in einer menschenleeren Stadt allein unterwegs war, kaum überzeugen könnten. Außerdem erinnerte er sich an den Zustand seiner Kleidung.

„Passen Sie auf“, setzte er den Versuch fort, seine einzig sichtbare Mitbürgerin zu beruhigen, „ich verstehe, dass Sie etwas verängstigt sind. Wie wäre es, wenn ich hier an diesem Fleck bleibe, und Sie machen es sich dort, wo Sie gerade sind, gemütlich? In der Zwischenzeit könnten Sie mir erzählen, was heute eigentlich los ist, während wir gemeinsam auf den Abschleppdienst warten.“

Unsicher tippelte die Frau auf der Stelle, sah gehetzt von einer Seite zur anderen, um letztlich wieder auf Steve zu starren. Gut eine Minute verging, bevor sie antwortete: „Na gut, aber Sie bleiben dort drüben, wo Sie sind, und ich bleibe hier!“

„Kein Problem. Ich hoffe, Sie können damit leben, dass ich mich hier auf den Bordstein setze?“

Steves Stimme klang gelassen und ruhig. Die Frau nickte.

„Wie gesagt, mein Name ist Steve. Wollen Sie mir Ihren Namen auch verraten?“

„Kathy … ich meine, Miss Wirnstein. Was machen Sie hier eigentlich? Haben Sie die Anordnung gestern nicht mitbekommen?“

„Nein, habe ich nicht. Allerdings haben mir ein paar Polizisten heute Morgen was von einer Ausgangssperre erzählt. Nur leider kenne ich noch nicht den Grund dafür!“

„Es war doch in allen Zeitungen, im Radio und Fernsehen. Das kann doch selbst an Ihnen nicht vorbeigegangen sein!“

Obwohl Steve klar war, dass die meisten der ‚normalen Bürger' Seinesgleichen als minderwertig erachteten, hasste er es immer wieder aufs Neue, wenn er damit konfrontiert wurde. „Selbst an Ihnen ...", zischte er den letzten Satz leise vor sich hin. Es war offensichtlich, dass auch Kathy Wirnstein ihn nur als Menschen zweiter Klasse sah.

„Mein Fernsehgerät ist momentan leider in der Werkstatt", sagte er mit beißendem Sarkasmus in der Stimme und dachte dabei daran, dass es noch gar nicht so lange her war, seit er das Lesen der Tageszeitung wieder zu einem täglichen Ritual gemacht hatte. Sein Stand der aktuellen Ereignisse lag allerdings in der Regel einen Tag zurück, denn er musste warten. Warten darauf, dass seine Mitbürger ihre Nachrichtenlektüre beendet hatten. Dann erst konnte er das achtlos weggeworfene Stück Papier aus einem Mülleimer, von einer Parkbank oder manchmal einfach vom Weg aufheben und selbst lesen. Meist war das noch am Tag des Erscheinens der Fall, aber auch wenn er eine tagesaktuelle Ausgabe am Spätnachmittag oder Abend fand, legte er diese zur Seite, um sie am nächsten Morgen zu lesen. Normalerweise war das kein Problem, denn was war für ihn in dieser Welt noch so wichtig, als dass er es umgehend erfahren müsste? Die Börsenkurse interessierten ihn definitiv nicht mehr, Diskussionen der Politiker über neue Steuern oder Gesetze waren meist schon am nächsten Tag überholt, am Wetter konnte er ohnehin nichts ändern, und die Ergebnisse der diversen Sportteams interessierten ihn nicht. Er hatte auch ein altes, kleines Kofferradio. Allerdings waren die Batterien vor ungefähr zwei Wochen leer geworden, und bisher hatte er noch keinen passenden Ersatz mit der notwendigen Restladung finden können.

„Hier in meiner Welt ist es nicht wie bei euch. Man geht nicht einfach in ein Geschäft und kauft, was man will oder braucht. In meiner Welt wird gewartet, bis sich die Gelegenheit ergibt. Manchmal kann das eine ganze Weile dauern", sagte er bitter.

Nach diesen Worten schwiegen beide und starrten zu Boden.

Als Steve wieder aufblickte, sah er Miss Wirnstein durchdringend an. Dann fragte er: „Also, wollen Sie mir jetzt den Grund nennen oder weiterhin Bullshit an den Kopf werfen?"

Sein Tonfall hatte sich geändert: War er zuvor sarkastisch und unterkühlt gewesen, so sprach er jetzt sachlich und ruhig.

„Die Regierung hat gestern eine Ausgangssperre für die ganze Stadt verhängt, weil es Anzeichen für einen groß angelegten Bürgeraufstand gibt."

Steve blickte sie ungläubig an und stammelte lediglich: „Wie … wieso denn das?"

„Na ja, die offizielle Version lautet natürlich etwas anders. Man spricht von der Gefahr eines groß angelegten Terroranschlags. Allerdings glaube ich nicht daran und habe aus verschiedenen Quellen die Sache mit dem Aufstand erfahren."

Steve warf ihr einen skeptischen Blick zu, den sie allerdings ignorierte. Unbeeindruckt fuhr sie fort: „Die Bürger haben es einfach satt, dass man ihnen ständig neue Abgaben und höhere Steuern aufbrummt und gleichzeitig die Sozialleistungen kürzt, weil irgendwelche inkompetenten und korrupten Politiker das so entscheiden! Angeblich stehen größere Aufstände bevor. Zumindest wird das in gewissen Regierungskreisen befürchtet. Bisher weiß leider niemand etwas Genaues. Ich bin Reporterin bei einer Zeitung und habe eine Ausnahmegenehmigung erhalten, um in die Redaktion zu fahren. In der morgigen Ausgabe soll ein Interview mit einem Senator erscheinen, in dem er eine Einschätzung zur aktuellen Lage gibt."

„Ist es endlich soweit?!" Trotz der ungewöhnlichen Neuigkeiten schien Steve nicht sonderlich überrascht. Dennoch fragte er: „Was für ein Aufstand soll das denn sein, dass man eine ganze Stadt in den Ausnahmezustand versetzt? Da muss ja jemand etwas im ganz großen Stil geplant haben!"

Kathy schien ihre Angst allmählich zu verlieren, denn sie kam ein paar Schritte auf Steve zu. Er schloss daraus, dass sie unter normalen Umständen sicher eine kesse junge Frau war.

Fast schon forsch, ergriff sie erneut das Wort: „Sie sollten heute nicht auf der Straße sein. Egal, was hinter dieser Ausgangssperre steckt, es ist illegal, hier zu sein, und Sie können sich damit eine Menge Ärger einhandeln. Ich bin unterwegs schon von zwei Polizeistreifen aufgehalten worden."

„Ich lebe hier! Wo soll ich sonst hin?", entgegnete Steve.

„Es gibt doch spezielle Einrichtungen für Obdachlose, oder?" Sie zögerte kurz, bevor sie fortfuhr. „Ich will Sie nicht wieder beleidigen, aber wäre das nicht die bessere Wahl, als illegal in der Öffentlichkeit geschnappt zu werden?"

Kathy war immer weiter auf Steve zugegangen und stand nun einige Meter entfernt vor ihrem LeSabre. Sie war nah genug, um Details an ihrem Gegenüber erkennen zu können und hatte keinen Zweifel mehr, dass es sich um einen Obdachlosen handelte. Allerdings schien irgendetwas an seinem Erscheinungsbild nicht schlüssig zu sein. Seine Kleidung war abgetragen und verschlissen, dennoch wirkte er nicht ungepflegt. Das Gesicht des Mannes zeigte die Spuren eines bewegten Lebens, eines Mannes, der die fünfzig noch nicht erreicht, sein vierzigstes Lebensjahr wohl aber schon seit einiger Zeit hinter sich gelassen hatte. Er war zwar nicht frisch rasiert, und der Drei-Tage-Bart wirkte etwas verwegen, aber nicht schlampig. Seine Haare standen im Nacken auf und erweckten den Eindruck, dass ein Friseurtermin nicht schaden könnte, dennoch waren sie weder speckig noch unordentlich. Außerdem hatte er eine klare und bedachte Aussprache, ohne einen gröberen Dialekt erkennen zu lassen. Auch seine Mimik und Gestik ließen erahnen, dass dieser Mann bereits bessere Zeiten gesehen hatte.

„Was haben Sie jetzt vor? Der Abschleppdienst wird ja dann heute wohl nicht mehr kommen?"

Steve hatte sie die ganze Zeit über genau beobachtet und hielt die Lage jetzt für stabil genug, um offen mit ihr sprechen zu können.

„Wieso … Wie kommen Sie denn darauf?“

„Sie brauchen mir nichts vorzuspielen. Wie gesagt, ich habe nicht vor, Sie in irgendeiner Weise zu bedrohen. Es war vorhin jedenfalls offensichtlich, dass Sie niemanden erreichen konnten.“

„Das stimmt“, gab sie nun mit leiser Stimme zu. Wie die meisten Menschen hatte auch sie eine Art sechsten Sinn und spürte, wann Gefahr im Verzug war. Von Steve, glaubte sie zu spüren, ging keine Gefahr aus.

Die Macht des Geldes

Geld regiert die Welt. Geld stinkt. Geld verdirbt den Charakter. Immer wieder Geld – dieses ach so notwendige und ihm doch so verhasste Tauschmittel, ohne das die globalisierte Handelswirtschaft kaum noch vorstellbar schien. Aber wäre eine Welt ohne Geld nicht deutlich besser? Gäbe es womöglich weniger Gewalt, weniger Umweltzerstörung, oder würden wir vielleicht sogar keine Kriege mehr führen? Könnte nicht zumindest dieses verdammte Konzept der Aktienwirtschaft abgeschafft werden, das zwangsläufig zu überbordender Inflation und letztlich dem Zusammenbruch der Währung führen wird?

Seit über einer Stunde hatte Peter nicht mehr in dem Buch gelesen, das vor ihm auf dem Tisch lag, sondern war mit seinen Gedanken abgeglitten und in philosophischen Hypothesen versunken. Nun klappte er die Lektüre zu und blickte der untergehenden Sonne nachdenklich hinterher. Der Tag war gerade dabei, sich mit einem in feuriges Orange getauchten Himmel zu verabschieden, und in ein paar Minuten würde es dunkel sein. Peters Platz auf der Dachterrasse seiner Wohnung am Stadtrand von Regensburg wurde allmählich ungemütlich kühl. Er stand auf, um nach innen zu gehen und dort seine Arbeit fortzusetzen.

Heute Abend wollte er mit der Recherche für einen neuen Auftrag beginnen: einer Kolumne über die Auswirkungen der Bestechlichkeit führender Politiker auf die Gesellschaft. Auch wenn der Kern der Wahrheit nicht einfach so im Internet zu finden war, konnte er doch die Vorarbeit dazu von zuhause aus erledigen.

Vor einigen Monaten hatte er seinen Job als Wirtschaftswissenschaftler bei einer staatlichen Finanzbehörde an den Nagel gehängt und verdiente seither seinen Lebensunterhalt mit Reportagen und Fachartikeln über Korruption und Machtmissbrauch. Diese Themen waren es auch, die ihn zu der Entscheidung veranlasst hatten, den sicheren Job beim Staat aufzugeben. Über Jahre hinweg hatte er mit angesehen, wie teils hochrangige Politiker in die eigene Tasche wirtschafteten und die Gesetze und Paragraphen so lange bogen, bis ihre Machenschaften auf dem Papier rechtens erschienen. Verstärkt wurde sein Entschluss durch die Erkenntnis, dass einige von ihnen den Großteil ihrer Energie lieber in Pöstchengeschiebe und persönliche Bereicherung investierten als in die Tätigkeit, für die sie eigentlich bezahlt wurden. Eines Tages hatte er es einfach nicht mehr ertragen können und diesem Treiben den Rücken gekehrt. Natürlich hatte man versucht, den Abtrünnigen des Systems zu diskreditieren. Aber auch er hatte Verbündete und sich außerdem zu gegebener Zeit eine gewisse ‚Lebensversicherung' in Form unliebsamer Informationen beschafft. Letztlich war man zu der unausgesprochenen Übereinkunft gekommen, sich gegenseitig nicht zu sehr zu verletzen. Seither unternahm er eine schwierige Gratwanderung, denn er versuchte, in seiner Arbeit versteckt auf gewisse Missstände hinzuweisen, ohne das Kind jedoch konkret beim Namen zu nennen. Die Wenigen, die verstanden, was und wen er meinte, schätzten ihn dafür, und seine nach wie vor exzellenten Verbindungen zu Wirtschaft und Politik fütterten ihn stetig mit den notwendigen Neuigkeiten.

Die Recherchen für seine Kolumne wollte er mit den tiefer liegenden Faktoren der Korruption beginnen: dem Geld und der Gier des Menschen danach.

Ein grober Ansatz, wie das Thema aufzugreifen war, schwebte ihm bereits vor. Ein erster Ansatz war philosophischer Natur und ging der Frage nach: Ist Geld ein Werkzeug des Teufels?

Eine weitere Frage sollte zu einem pragmatischeren Ansatz führen und ließe sich mit Sicherheit durch einigen Rechercheaufwand beantworten: Was würde passieren, wenn man das Geld abschafft?

Er suchte aus einem Haufen beschriebener Zettel ein noch weißes Blatt Papier heraus und begann mit einem kurzen Brainstorming. Dazu kritzelte er alle Begriffe, die ihm gerade zum Thema Geld in den Kopf kamen, auf das Blatt. Doch seine Gedanken schweiften erneut ab zu einem Buch, das er vor einiger Zeit gelesen hatte: *Das Silberkomplott*.

Der Autor hatte die Behauptung aufgestellt, dass es sich bei sämtlichen Währungen – ob Dollar oder Euro, Britisches Pfund oder Norwegische Krone, Japanischer Yen oder Chinesischer Yuan – um legales Falschgeld, um so genanntes Fiat Money handelte. In seinen Augen lief das derzeit größte Falschgeldexperiment der Geschichte, und er war davon überzeugt, dass es über kurz oder lang schief gehen würde. Sprich, der Staat ginge bankrott, und wer dann der eigentliche Dumme sein würde, bringt das berühmte Zitat des Bankiers Carl Fürstenberg auf den Punkt: „Wenn der Staat Pleite macht, geht natürlich nicht der Staat Pleite, sondern seine Bürger!"

Die Herleitung der Theorie des Autors Reinhard Deutsch und seine Behauptung, nur Silber und Gold seien eine solide Währung, klangen erschreckend nachvollziehbar. Außerdem erklärte er höchst plausibel, warum Silbermünzen einst als Geld abgeschafft worden waren und wer davon profitiert hatte. Nicht zuletzt informierte das Buch darüber, wie Herrscher und Gesetzesträger über Jahrhunderte hinweg das gemeine Volk mit manipuliertem Geld immer wieder um den hart verdienten Lohn betrogen. Für Peter stand fest, dass sich an diesem Konzept bis heute nichts geändert hatte, einzig die Methoden waren raffinierter geworden. Aber heute wie damals gelang es viel zu selten, diese nachzuweisen.

Die in *Das Silberkomplott* aufgestellten Theorien über den immerwährenden Betrug am Volk klangen derart überzeugend, dass Peter sich wieder einmal wunderte, wieso die Menschen in aller Welt sich das eigentlich so lammfromm gefallen ließen.

Dann wandte er sich wieder seiner Stichwortsammlung zu: Betrug, Diebstahl, Raub, Mord, Umweltkatastrophen, Krieg, Gewalt, Macht, Willkür, Diktatur, Armut, Hass, Neid – fast unbewusst hatte er eine Ansammlung der schlimmsten menschlichen Laster und Abgründe niedergeschrieben. Würden sie sich alle in Wohlgefallen auflösen, wenn es kein Geld mehr gäbe? Aber warum hat dann irgendwer diese vermeintliche Wurzel allen Übels überhaupt erfunden, überlegte er weiter. Sollte die Erfindung des Geldes etwa ein ähnlicher ‚Unfall' gewesen sein wie die der Atombombe?

Wie immer kam er auch diesmal zu dem Schluss, dass das Geld an sich nicht das eigentliche Übel sein konnte. Der Kern des Problems war weit weniger greifbar und im menschlichen Charakter begründet, denn es liegt nun mal nicht in der Natur des *Homo sapiens*, uneigennützig zu handeln. Ein Individuum ist einfach nicht dazu veranlagt, Dinge zu tun, die das Wohl der Allgemeinheit fördern, wenn diese seinen persönlichen Interessen schaden könnten.

In diesem Augenblick ertönte das schrille Piepsen eines Weckalarms. „Die Zeit rinnt mir in diesen Tagen gerade so durch die Finger", brummte Peter ärgerlich. Er hatte sich den Wecker gestellt, um eine Fernsehdokumentation nicht zu verpassen, die von tierischen Verhaltensweisen handelte, welche nach den ethischen Grundsätzen des Menschen als inakzeptabel galten.

Während der Vorspann der Sendung bereits anlief, ging Peter in die Küche, um sich Tee aufzubrühen. Dann setzte er sich mit der Tasse in der Hand vor das Fernsehgerät.

Die Sendung zeigte einen Löwen auf der Suche nach einer Sexualpartnerin. Er tötete gerade die Neugeborenen einer Artgenossin, um diese erneut paarungswillig zu machen. Mit Erfolg, denn kaum hatte sie keinen Nachwuchs mehr zu versorgen, zeigte sie sich ihm gegenüber interessiert, nachdem sie sein Werben zuvor ignoriert hatte. Als Ursache dieses Kindsmords nannten die Forscher neben dem Sexualtrieb des Männchens den Instinkt, eigene Nachkommen zu zeugen, auch wenn dies auf Kosten anderer Jungtiere ging.

Das nächste Beispiel handelte von einem Schimpansen, der ein Baby aus einem nahe gelegenen Menschendorf gestohlen und getötet hatte. Der Sprecher erklärte, dass diese engen Verwandten des Menschen hin und wieder Artgenossen töten, um ihr Verlangen nach frischem Fleisch zu stillen. Allerdings würden Schimpansen auch aus politischer Motivation heraus töten. Die Frage danach, ob das Baby in diesem Fall einfach nur eine leichte Beute gewesen war, oder ob es einen tieferen Sinn wie den sich kreuzenden Lebensraum zwischen Mensch und Tier gab, blieb unbeantwortet.

Während in der Tierwelt das Verhalten rein von der genetischen Programmierung geprägt ist, sollte man vom Menschen – mit seinem oft zitierten Bewusstsein, seiner Kultur, Moral und Erziehung – eigentlich ein sozialeres Vorgehen erwarten können. Dennoch finden wir in der Presse fast täglich Beispiele für verabscheuungswürdiges Verhalten, das nur von persönlichem Egoismus gesteuert ist, dachte Peter. Wie sonst sollte man Berichte einordnen, denen zufolge beispielsweise Karrieremenschen Kinder bei perversen Spielen missbrauchen, um ihre sexuelle Lust zu steigern?

Hatte Geld generell etwas mit Verhaltensweisen zu tun, die wir als verabscheuungswürdig ansehen und die anderen schaden? Wohl kaum, denn oftmals ging es einfach nur um Egoismus, Macht und das Erzielen von persönlichen Vorteilen auf Kosten anderer. Peter zog den Schluss, dass es offensichtlich nicht das Geld ist, das den Charakter verdirbt, sondern ein verdorbener Charakter sich einfach nur sehr deutlich zeigt, wenn es um das Thema Geld geht.

Er schaltete das Fernsehgerät wieder aus, setzte sich an den Tisch und öffnete sein Notebook. Während es ihm leichter fiel, Gedanken auf einem Stück Papier zu sammeln, verfasste er seine eigentliche Arbeit natürlich am Computer.

Bei diesem Auftrag war keine wissenschaftlich fundierte Theorie gefragt. Vielmehr war dem Klienten etwas daran gelegen, eine philosophisch angehauchte Serie zu veröffentlichen, die dem Leser Raum für eigene Interpretationen ließ. Der Kunde hatte gehört, dass Peter von der typischen Arbeit eines Wirtschaftswissenschaftlers abgekommen war und mittlerweile als gute Adresse für provokante Thesen und Kommentare zu gesellschaftlichen Problemen galt. In letzter Zeit hatte er zwar ein zunehmendes Interesse an den Umweltproblemen entwickelt, die infolge der rücksichtslosen Ausbeutung von Natur und Ressourcen entstanden. Doch auf diesem Gebiet war er noch ein Greenhorn und überließ Publikationen darüber lieber anderen.

Er versuchte sich also, auf den Ursprung des Geldes zu konzentrieren, denn darauf sollte die Einleitung seiner Arbeit aufbauen. Während ihm verschiedene Aufhänger durch den Kopf geisterten, musste er an die vielen Spekulationen und wissenschaftlich fundierten Theorien zu diesem Thema denken. Eine davon stammte von Carl Menge aus dem Jahr 1909. Dieser hatte, wie viele andere auch, den Ursprung des Geldes im Warenhandel gesehen. In Gedanken zitierte Peter eine der Aussagen:

Geld ist aus der Logik des Marktes entstanden. Um trotz des ungleichen Werts der Waren und der zeitlichen Differenz zwischen Angebot und Bedarf das Gewünschte zu erhalten, waren jene Waren als Zwischengut akzeptiert worden, die besonders begehrt waren und sich wegen ihrer Beständigkeit, ihrer Transportfähigkeit und ihrer Teilbarkeit als Tauschmedium eigneten. Die Vorteile dieser Form des Tausches über das ‚Symbol' Geld regten zur Nachahmung an, so dass das Schema der Bewertung und Berechnung schließlich durch Gewohnheit auf jede alltägliche wirtschaftliche Transaktion angewendet wurde.

„Geld ist nichts weiter als leblose Materie, die genau wie ein Hammer, ein Nagel oder eine Zange als Werkzeug geschaffen wurde und den Warenaustausch ermöglichen oder erleichtern soll.

Mit Hammer und Nagel kann man ein Haus bauen, das seinen Bewohnern Schutz und Obdach bietet. Andererseits kann man mit denselben Werkzeugen aber auch eine Schädeldecke zertrümmern und Schmerz oder gar Tod herbeiführen. Offensichtlich können wir jedes beliebige Werkzeug sowohl zu etwas Gutem als auch etwas Schlechtem verwenden. Geld ist also nicht die Wurzel des Übels – einzig und allein unsere Intentionen machen den Unterschied zwischen Wohl und Wehe", tippte Peter auf das virtuelle weiße Blatt. Es fiel ihm immer noch schwer, sich auf einen Ansatz festzulegen, denn zu vielfältig erschien ihm das Aufgabengebiet, und immer wieder kamen ihm neue Gedanken. Geld war stets ein zentrales Thema der Menschheit gewesen, aber in letzter Zeit schien diese Thematik stärker in den Vordergrund zu treten als je zuvor.

Der Grund dafür lag auf der Hand und war auch der Auslöser dafür, warum seine Aufträge sich in letzter Zeit generell um das Thema Geld und dessen Einfluss auf den Menschen drehten: Ein Blick in die Zeitung genügte, denn auf den Titelseiten prangten fast täglich Überschriften wie *Werksschließung wegen Produktionsverlagerung* oder *Firma baut 2.000 Stellen ab!*

Tausende von Jobs wurden in die östlichen Gebiete Europas oder nach Asien verschoben. Zwar waren es hauptsächlich die multinationalen Konzerne, die ihre Produktion derart verlagerten, doch bekamen indirekt auch kleinere Zuliefer- und Dienstleistungsfirmen – und deren Mitarbeiter – die Folgen zu spüren. Das Thema Arbeitslosigkeit war allgegenwärtig, und speziell die älteren Arbeitnehmer hatten Schwierigkeiten, im Job zu bleiben.

Vor zwei Tagen hatte Peter seinen dreiundvierzigsten Geburtstag gefeiert, fühlte sich dadurch aber nicht älter. Im Gegenteil, er schätzte die mit dem Älterwerden verbundene innerliche Reife und kritischere Weltanschauung. Ein Provokateur war er immer gewesen. Bereits in jungen Jahren hatte er stets das Gegenteil dessen getan, was von ihm erwartet worden war. Waren seine Eltern an Allerheiligen der Tradition gefolgt, die Gräber der verstorbenen Verwandten zu besuchen – wie dies natürlich auch die gesamte Nachbarschaft tat –, so war er demonstrativ in eine Kneipe gepilgert. Kamen die braven Bürger dann spätnachmittags nach Hause, saß er laut grölend und betrunken vor der Tür.

Mittlerweile ging er zwar kaum noch in Kneipen, aber es bereitete ihm nach wie vor Vergnügen, sich gegen unsinnige gesellschaftliche Zwänge zu wehren, wenn auch auf etwas stilvollere Art und Weise.

Der Kern seines Charakters hatte sich über die Jahre kaum geändert. Nur war er mittlerweile gereift und versuchte, diese einst als charakterlichen Mangel kritisierte Eigenwilligkeit in den Dienst seiner Mitmenschen zu stellen. Er versuchte immer wieder, sie vor gewissen Dingen zu warnen, die sie einfach nicht zu sehen schienen.

Außerdem liebte er ein gutes Glas Rotwein und genoss beinahe täglich einige davon. Kritikern des regelmäßigen Weingenusses erklärte er voller Inbrunst, dass die eventuelle negative Wirkung auf den Organismus durch die Vorteile der Bewusstseinserweiterung bei weitem übertroffen werde. Neben dem leichten Speckring um die Hüften hatten sich etliche tiefe Falten um seine Augen gebildet, und sein rasiertes dunkelblondes Haar bedeckte die Kopfhaut schon lange nicht mehr. All das störte ihn allerdings wenig. „So lange ich noch einen Halbmarathon unter zwei Stunden laufen und meinen kleinen Peter beim Pinkeln sehen kann, fühle ich mich in ausreichend guter Form“, pflegte er zu sagen, wenn sein Laufpartner ihn wegen seines leichten Bauchansatzes neckte. Es ärgerte ihn zwar, dass er seine Hosen nun zwei Nummern größer brauchte, aber hauptsächlich deshalb, weil er neue Kleidung kaufen musste. Die Zeit für diese Einkaufstouren war in seinen Augen verschwendet.

Er warf einen Blick auf die Uhr des Computers und sah ein, dass er heute nicht mehr viel voranbringen würde. Draußen schien der Mond nur schwach durch die Wolken, und da er kein Licht angeschaltet hatte, saß er in der stockdunklen Wohnung, die vom Computermonitor nur spärlich erhellt wurde. Er las noch einmal den zuletzt getippten Satz: Geld ist also nicht die Wurzel des Übels – einzig und allein unsere Intentionen machen den Unterschied zwischen Wohl und Wehe.

Weit bin ich ja nicht gerade gekommen, dachte er, schaltete den Monitor aus und ging ins Badezimmer.

Ein heißer Wasserstrahl schoss ihm entgegen, und fast hätte er sich verbrüht, als er die Duschkabine betrat. Der Aufprall der Strahlen auf seiner Kopfhaut belebte ihn, und allmählich entspannte er sich. Ungefähr zehn Minuten starrte Peter an die Wand gelehnt auf die Fliesen und konnte seine philosophischen Gedanken doch nicht verdrängen. Das System ist die Gesamtheit der politischen und wirtschaftlichen Regeln und Verhaltensweisen, die das Leben der Gesellschaft bestimmen. Seit längerer Zeit war ihm aufgefallen, dass sich das Land im Umbruch befand und hinter den Kulissen etwas passierte. Das Volk wurde natürlich nicht mit der Wahrheit konfrontiert. Vielmehr war eine für die Allgemeinheit verträgliche Version der Vorgänge inszeniert worden. Politiker und Wirtschaftsbosse waren die Schauspieler auf der Bühne, das Volk das Publikum, das dasitzen und zuhören durfte, während die Handlung auf der Bühne ablief, ohne dass es hätte mitspielen können. Zwar gab es immer wieder Pannen, die das rosarot dekorierte Bühnenbild ins Wanken brachten, so dass man kurzfristig einen Einblick in die korrupten Machenschaften erhaschen konnte. Aber selbst dann, wenn es offensichtlich wurde, hatte das gemeine Volk keine Möglichkeiten einzugreifen. Peter hatte das Gefühl, dass die Bezeichnungen ‚Demokratie' und ‚freie Marktwirtschaft' nur noch als Deckmantel für eine sich langsam aber sicher ausbreitende neue Form des Feudalismus dienten. Er grübelte, ob die Geschichte sich womöglich wiederholen und die Gesellschaft sich selbst vernichten würde wie einst das römische Reich, als es den vermeintlichen Höhepunkt seiner Entwicklung erreicht hatte.

Während er sich abtrocknete und in die zurecht gelegte Garderobe sprang, ärgerte er sich darüber, heute so unproduktiv gewesen zu sein. Der Einstieg in ein neues Thema war immer das Schwierigste, und wenn er sich nicht fokussierte, verlor er leicht die Struktur. Genau das war heute wieder passiert, und anstatt zu arbeiten, wie von seinem Auftraggeber erwartet, war er philosophisch und nachdenklich geworden. Aber auch solche Momente machten seinen Charakter aus. Morgen würde er mit dem Ergebnis des Brainstormings starten, die einzelnen Arbeitspakete gliedern und dann Termine für Interviews mit einigen Leuten vereinbaren, um an entsprechende Informationen zu gelangen. Diese Vorstellung beruhigte sein Gewissen, und er ließ das Thema für den Abend ruhen. Er spritzte sich noch ein paar Tropfen Cologne auf die Handgelenke, rieb diese links und rechts an den Hals und machte sich auf den Weg zu seinem Wagen.

Er zwang sich, die Gedanken an seine Arbeit zu verdrängen und konzentrierte sich auf das bevorstehende Date. Frauengeschichten hatten bisher immer zu den unrühmlichen Kapiteln in seinem Leben gehört, und so manches Mal war er sich nicht sicher, ob er das Thema nicht einfach auf sich beruhen lassen sollte. Jedes Mal, wenn er nach einer gescheiterten Beziehung überzeugt gewesen war, einfach nicht für ein Leben in Zweisamkeit gemacht zu sein, war ihm erneut eine gutaussehende Frau über den Weg gelaufen, und er hatte alle Vorsätze über den Haufen geworfen. Nach spätestens zwei Jahren trennten sie sich wieder, und das Spiel begann von vorne. Diesmal hatte er sich mit einer alten Bekannten aus Schulzeiten verabredet: seine einstige Jugendliebe, mit der es aber über einen Flirt nie hinausgegangen war. Fast fünfundzwanzig Jahre nach dem Abitur hatten sie sich vor einer Woche zufällig in der Stadt getroffen und auf ein Glas Wein in einer Bar verabredet. Über die Jahre hinweg hatte Laura einiges von ihrer Ausstrahlung – und damit von ihrem Reiz für ihn – verloren. Die Zeit war nicht spurlos an ihr vorbeigegangen, und die Falten um ihre Augen hatte Peter ebenso unauffällig wie ausgiebig gemustert. Auch wenn er selbst nicht jünger geworden war, wunderte er sich doch insgeheim, wie viel älter sie aussah. Zu dieser Verabredung war es gekommen, weil beide gerade wieder allein waren und ohnehin an diesem Samstagabend nichts vorhatten. Vielleicht würde sich ja etwas entwickeln, das von beiderseitigem Nutzen sein konnte, dachte Peter in seiner männlich-pragmatischen Art. Solch eine unverbindliche Zweckgemeinschaft schien ja ohnehin zum Standard in der heutigen Zeit zu werden.

Das Gespräch

Steve stand von der Bordsteinkante auf und ging geradewegs auf Kathy und den LeSabre zu.

„Wir hatten einen Deal!", rief sie gereizt.

„Jetzt passen Sie mal auf, Miss!", entgegnete Steve. „Ihr Auto hat den Geist aufgegeben, die Telefonleitungen funktionieren nicht, und wir sitzen beide an einem Ort fest, an dem wir eigentlich nicht sein sollten. Also stellen Sie sich nicht so an, und öffnen Sie lieber die Motorhaube. Ich bin zwar kein Mechaniker, aber vielleicht kann ich ja irgendwas erkennen!"

Kathy wusste, dass er Recht hatte und öffnete widerstrebend die Motorhaube. Nachdem Steve eine Weile in die Öffnung geschaut hatte, sagte er: „Ich glaube, das können wir vergessen. Irgendwie scheint Kühlwasser ausgelaufen zu sein, und das hat dem Motor den Rest gegeben! Eine ziemliche Sauerei da drinnen. Haben Sie eine andere Möglichkeit, um von hier wegzukommen?"

„Nicht, solange die Telefonleitungen außer Betrieb sind", antwortete Kathy und wirkte trotz der schlechten Nachricht wieder weniger angespannt.

„Na dann", sagte Steve, ließ die Motorhaube mit Schwung einrasten und lehnte sich gegen den Kotflügel des Fahrzeugs. Kathy stand Steve nun gegenüber und musterte ihn von oben bis unten. Sie fürchtete sich nicht mehr, konnte allerdings immer noch nicht glauben, dass sie hier alleine mit einem Obdachlosen mitten in der Stadt festsaß.

„Jetzt hören Sie endlich auf, mich so anzustarren – das nervt!", sagte Steve beherrscht, aber mit Nachdruck. „Haben Sie noch nie einen Penner gesehen?"

„Natürlich", antwortete Kathy, „aber an Ihrer Erscheinung ist irgendwas nicht stimmig!"

„Was ist nicht stimmig? Stinke ich nicht genug, oder haben meine Klamotten nicht genug Löcher?"

„So habe ich das nicht gemeint, tut mir Leid. Sagen Sie mir lieber, wie wir nun weiterkommen."

Steve sah sie verwundert an und erwiderte dann betont ruhig: „Hmm, lassen Sie mich kurz einen Blick in meinen Terminplan werfen, vielleicht kann ich mich ja frei machen und Sie in Ihr Büro bringen. Ah, keine weiteren Termine für heute. Warum setzen wir uns also nicht in ein Café um die Ecke und genießen das schöne Wetter?"

„Jetzt reicht's aber!", herrschte Kathy ihn an, und die Zornesröte stieg ihr ins Gesicht. „Ich habe mich bereits entschuldigt. Stecken Sie sich Ihren Sarkasmus gefälligst …"

„Schon gut, schon gut!", unterbrach Steve sie in versöhnlichem Tonfall. „Ich glaube nicht, dass ich Ihnen helfen kann. Wie weit ist denn Ihr Büro oder Ihre Wohnung von hier entfernt?"

„Nach McLean, wo ich wohne, ist es zu Fuß mehr als eine Stunde. Und zum Büro in Alexandria unwesentlich kürzer. Da ich zu allem Überfluss einen verstauchten Knöchel habe, wird mir wohl nichts anderes übrig bleiben, als mich auf eine Parkbank zu setzen und zu warten, bis die Telefone wieder funktionieren."

„Ja, sieht so aus", brummte Steve und fügte hinzu: „Ich könnte losgehen und versuchen, jemanden zu finden, der Sie von hier abholt."

„Ach Unsinn, das ist nicht nötig", antwortete Kathy und lächelte verschmitzt. „Über kurz oder lang wird schon jemand vorbeikommen. Wenn Sie auch nichts Besseres zu tun haben, wäre es nett, wenn Sie sich mit mir da drüben hinsetzen und mir Ihre Geschichte erzählen. Ich …"

„Meine Geschichte …?", unterbrach Steve sie.

Aber Kathy fuhr fort, ohne den Einwurf zu beachten: „Ich habe mich schon oft gewundert, wie und warum Menschen in eine Situation wie die Ihre geraten."

Sie zögerte kurz und fügte dann hastig hinzu: „Das war jetzt nicht negativ gemeint. Nur wenn ich die Widersprüche in Ihrer Erscheinung so betrachte, scheint es ja eine besonders interessante Geschichte zu sein!“

Steve sah sie etwas verunsichert an, dann verhärtete sich sein Gesichtsausdruck. Er drehte den Kopf und fixierte das Gebäude auf der anderen Seite der Straße. Es war offensichtlich, dass Gedanken durch seinen Kopf zogen, die er normalerweise von sich fern hielt.

„Corporate Life“, presste er dann hervor, „was Sie hier sehen, ist das Resultat des Entschlusses, für einen großen Konzern zu arbeiten und eines Tages die Nase voll zu haben davon, ein Ja-Sager zu sein!“

„Na, das klingt ja vielversprechend“, sagte Kathy ermunternd.

Aber statt zu antworten, starrte Steve weiterhin das Gebäude an. Deshalb fügte sie in sanfterem Ton hinzu: „Es wäre schön, wenn Sie mir die ganze Geschichte erzählten.“

„Okay, da ich nun mal nichts Besseres zu tun habe … Aber wundern Sie sich nicht, wenn ich im Laufe der Erzählung etwas emotional, oder sagen wir besser … stinksauer, werde.“

„Tun Sie sich keinen Zwang an“, erwiderte Kathy. „Sie werden Ihren Unmut ja hoffentlich nicht an mir auslassen. Ich bin Kathy.“

Sie streckte Steve ihre rechte Hand entgegen und lächelte dabei zum ersten Mal. Steve nahm ihre Hand und schüttelte zuerst kurz den Kopf während er sie ansah, dann die Hand.

„Wie gesagt, ich bin Steve.“

„Nur Steve?“, hakte Kathy nach.

„Nur Steve! Wenn man auf der Straße angelangt ist, braucht man keinen Nachnamen mehr!“

Obwohl sie versuchte, das unwillkürlich aufkommende Mitleid zu verbergen, merkte Steve sofort, was sie fühlte. Das versetzte ihm einen Stich in die Magengrube, denn Mitleid wollte er genauso wenig wie Missachtung. Wenn er auf eine Reaktion seiner Mitmenschen Wert gelegt hätte, dann wäre es Wertschätzung gewesen. In diesem Punkt unterschied er sich nach wie vor nicht von den anderen Menschen auf dieser Welt. Im Gegenteil, in seiner Situation erschien dieses Verlangen sogar noch ausgeprägter.

„Wissen Sie, Miss Wirn ... ich meine Kathy, ich wurde natürlich nicht als Obdachloser geboren. Meine Eltern waren weder Alkoholiker noch haben sie mich missbraucht oder waren irgendwie unsozial. Ich habe eine ganz normale Kindheit durchlebt, ging zur Highschool und habe sogar einen Universitätsabschluss gemacht. Nach dem Studium fing ich bei Biotech Consultants an. Vielleicht hast du den Namen schon mal gehört?"

Kathy schüttelte nur kurz den Kopf, denn sie wollte Steve nicht unterbrechen.

„Ist auch egal. Die Firma hatte damals Niederlassungen in zwanzig Ländern und beschäftigte etwa fünfzehntausend Mitarbeiter. Ich war Projektleiter in der Qualitätskontrolle. Meine Karriere entwickelte sich während der ersten Jahre dort sehr gut, und ich konnte mich voll mit meinem Arbeitgeber identifizieren. In achtzehn Jahren hatte ich eine stattliche Anzahl erfolgreicher Projekte realisiert und dachte eigentlich, einen stabilen und geschätzten Status erreicht zu haben. Eines Tages wurde ich befördert. Klar freute ich mich über die Anerkennung und neue Herausforderung. Das Problem war nur, dass damit auch ein Standortwechsel verbunden war und wir hätten umziehen müssen, weil die Entfernung zu weit zum Pendeln war.

Zwei Monate zuvor war meine Frau schwanger geworden, und wir hatten ein Apartment in der Nähe meines Arbeitsplatzes gekauft. Ich dachte, dass dies eigentlich ein gutes Argument gegen die Versetzung und den damit verbundenen Umzug sein würde und sagte das auch meinem Vorgesetzten. Aber der war leider anderer Meinung.

Von da an wandelten sich die Vorzeichen meiner Karriere. Zuerst bemerkte ich es gar nicht und empfand es sogar als positiv, dass nach Abschluss eines Projektes nicht schon das nächste auf mich wartete. Dann war da noch ein Kollege, der Leiter einer anderen Abteilung, der sich immer wieder nach meiner Zufriedenheit und meiner jeweiligen Tätigkeit erkundigte. Nach etwa einem Monat, den ich mit einigen Routinetätigkeiten und viel Beschäftigungstherapie verbrachte, wurde ich misstrauisch. Ich begann, meine Augen und Ohren zu öffnen und versuchte herauszubekommen, ob hier etwas im Busch war. Lange Rede kurzer Sinn, wie sich herausstellte, hatte ich mit meiner Ablehnung der Beförderung das Ego meines Chefs verletzt, und er wollte mich deswegen aus der Firma ekeln.

Ein Nein eines Mitarbeiters war offenbar eine inakzeptable Antwort und musste bestraft werden! Achtzehn Jahre loyale Tätigkeit, unzählige Überstunden, regelmäßige Wochenendarbeit mit durchwegs hervorragenden Ergebnissen waren plötzlich unwichtig und vergessen! Einmal die falsche Antwort gegeben, und meine Dienste waren verzichtbar geworden. Für mich brach damals eine Welt zusammen.

Das Ganze zog sich noch eine Weile hin, dann war ich arbeitslos. Mir war klar, dass mich die Abfindung nach Abzug der Steuer höchstens ein halbes Jahr über Wasser halten würde, und ich hatte keine Ahnung, wovon ich dann meine Frau und mein dann neugeborenes Kind ernähren sollte.

Mit meinen damals einundvierzig Jahren stand ich in Zeiten wirtschaftlichen Abschwungs nicht gerade weit oben auf den Listen von Headhuntern und Rekrutierungsfirmen. Zu allem Überfluss wirkten sich mein gekränkter Stolz, die Sorge um unsere Existenz und die Aussichtslosigkeit spürbar auf mein Verhalten und damit auch auf mein Privatleben aus.

Der Niedergang begann bereits während der letzten Wochen in der Firma, als mir bewusst wurde, was da im Gange war, und es wurde natürlich noch schlimmer, als ich dann tatsächlich auf der Straße stand. Zuerst kam ich abends nach Hause, saß stundenlang auf dem Sofa, schaute fern und trank solange Bier, bis ich völlig betrunken war. Megan, meine Frau, versuchte immer wieder, mich aufzumuntern, aber vergeblich. Ich weiß noch genau, wie sie Nacht für Nacht leise weinend neben mir im Bett lag, bis sie vor Erschöpfung und Verzweiflung einschlief. Es tat mir unendlich Leid, aber ich erlebte die Dinge wie durch eine gläserne Wand und war unfähig zu handeln.

An ‚guten Tagen' entstand aus dieser Situation eine hitzige Diskussion, die damit endete, dass ich die halbe Nacht auf dem Sofa verbrachte. Irgendwann geschah dann etwas, das unser Schicksal besiegelte."

Steve legte nun eine Pause ein, und als Kathy ihn ansah, hätte sie fast ihre Hand auf seine Schulter gelegt. Sie spürte, wie Steve die seelischen Schmerzen von damals gerade erneut durchlebte. Vermutlich hatte er dies bereits unzählige Male zuvor getan.

„Du brauchst nicht weiter erzählen, wenn es dir Kummer bereitet. Es tut mir Leid, dass ich danach gefragt habe", sagte sie.

Aber Steve ignorierte sie, gab sich einen Ruck und fuhr fort: „Megan war im fünften Monat schwanger, als sie das Kind verlor. Von diesem Zeitpunkt an kam ich immer öfter immer betrunkener und immer später nach Hause. Hatten wir anfangs noch gestritten und stundenlang diskutiert, dass es so nicht weitergehen konnte, lebten wir bald nur noch wortlos nebeneinander her. Ich sah, hörte und spürte, wie mein Leben langsam außer Kontrolle geriet, konnte aber nichts dagegen tun. Die Spirale des sozialen Abstiegs war nicht mehr zu stoppen. Kurz darauf verließ mich Megan, und unser Apartment wurde versteigert. Dabei gingen all unsere Ersparnisse drauf, und ehe ich mich versah, endete ich auf der Straße. Von den paar Dollar Social Security jede Woche kaufe ich mir seither fast täglich eine Flasche von dem Fusel hier."

Steve zog die Flasche ‚Lebenslust' aus seiner Plastiktüte, hob den Kopf und blickte in den Himmel. Seine Gesichtszüge wirkten verkrampft, die Falten auf seiner Stirn und um die Augen waren tiefer geworden.

„Anders kann ich es nicht ertragen", fügte er wehmütig hinzu.

Kathy spürte, dass dieser Mann durch die Hölle gegangen war und soeben den Verlust seiner Frau und seines ungeborenen Kindes ein weiteres Mal durchlebt hatte. Sie wusste, dass Mitleid Steve nicht weiterhelfen würde und überlegte eine Weile, wie sie am besten reagieren sollte.

„Steve, ich will dich nicht kränken, aber warum hast du dich einfach so deinem Schicksal ergeben? Hast du denn gar nicht versucht, dich zu behaupten? Zu kämpfen?"

Steve blickte sie an, und Kathy sah, dass seine Augen feucht glänzten. Zum ersten Mal schenkte sie ihm jetzt genug Aufmerksamkeit, um diesen Ausdruck zu bemerken. Es war der eines gebrochenen Mannes.

„Natürlich habe ich das versucht, aber als ich damals, nach achtzehn Jahren in dieser Firma, derart kalt erwischt wurde, war ich wie gelähmt und konnte anfangs nicht handeln. Warum, weiß ich jetzt auch nicht mehr – aber es ging einfach nicht. Vermutlich war ich nicht abgebrüht genug. Später, als mein Leben in Trümmern lag, ich alles verloren hatte, in den Parks von D.C. lebte und auf Parkbänken schlief, war es zu spät. Ich trinke mittlerweile deutlich weniger, versuche, wieder einen geregelten Tagesablauf zu finden und mein Äußeres auf einem gewissen Niveau zu halten. Auch wenn die Zeitungen, die ich lese, von anderen Leuten weggeworfen wurden und ich oft nicht auf dem neuesten Stand bin, nehme ich noch immer am öffentlichen Leben teil", antwortete Steve düster. „Aber eine Rückkehr in ein normales Leben ist von hier nicht mehr möglich. Sind die Tore zur Welt des Wohlstands erst einmal verschlossen, haben sie auf meiner Seite auch keine Klinken mehr. Allerdings ist mein Fall bei weitem kein Einzelschicksal", fügte er bitter hinzu.

„Da hast du sicher Recht", unterbrach Kathy ihn. „Das System der freien Marktwirtschaft erfüllt nicht mehr die Aufgabe, für das es ursprünglich konzipiert wurde. Machtwahn und Geldgier haben es korrumpiert und werden es eines Tages kollabieren lassen. Anfangs schien der Kapitalismus die Lösung aller gesellschaftlichen Probleme zu sein. Aber mittlerweile hat er sich leider als ein System entpuppt, das die Reichen reicher und die Armen ärmer macht. Und diesen Missstand hat die herrschende Oberschicht, für die Geld und Macht das Wichtigste im Leben sind, im Laufe der Zeit perfektioniert. Im Umkehrschluss wird der normalen Bevölkerung kontinuierlich die Existenzgrundlage entzogen. Eine Umverteilung kann eben nur bis zu einer gewissen Grenze funktionieren. Ich glaube auch, dass Leute wie du nur die Vorreiter einer neuen Epoche sind. Einer Epoche, die bereits begonnen hat und früher oder später zum Untergang unserer Gesellschaft führen wird!“

Steve nickte zustimmend und wunderte sich, wie Kathy diese vortragsreife Ansprache aus dem Hut gezaubert hatte. Sie musste sich schon länger mit der Thematik befasst haben.

Plötzlich klingelte ein Mobiltelefon, und die beiden zuckten zusammen. Kathy griff instinktiv nach ihrer Handtasche und zog ein mattschwarzes Klapptelefon heraus.

„Es ist Martin, mein Chefredakteur“, sagte sie, bevor sie das Gespräch annahm.

„Hallo Martin, … ja ich weiß. Ich hatte eine Autopanne und sitze hier fest auf der Pennsylvania Avenue direkt vor dem Ostflügel der National Gallery!“

Nach einer kurzen Pause fügte sie hinzu: „Okay, perfekt … Ich werde hier sein!“ Dann war das Gespräch beendet.

„Zumindest die Netze scheinen wieder zu funktionieren“, bemerkte Steve.

Nachdem Kathy das Telefon wieder verstaut hatte, sagte sie spürbar erleichtert: „Er ist bereits in der Redaktion, wird uns aber innerhalb der nächsten Stunde hier abholen kommen!“

Und mit einem Lächeln fragte sie: „Wo waren wir gerade stehen geblieben? Ach ja, bei der Zukunft des Kapitalismus.“ Die Worte ‚Zukunft‘ und ‚Kapitalismus‘ hatte sie bewusst abfällig betont. „Seit ein paar Wochen gibt es in unserer Zeitung eine Serie zu dem Thema ‚Kapitalismus – Freund oder Feind des Volkes?‘ Dazu interviewen wir Marktforscher und Wissenschaftler und haben sowohl Expertenmeinungen als auch Leserbriefe abgedruckt. Außerdem können unsere Leser in einem Online-Forum über das Thema diskutieren. Zweimal im Monat schreibe ich eine Zusammenfassung über aktuelle Tendenzen und mein persönliches Gefühl zu dieser Entwicklung. Natürlich kann ich mir ein paar provozierende Äußerungen nicht verkneifen und habe mir dadurch schon einige Feinde gemacht. Das ist es aber gerade, wodurch das Thema lebendig und interessant bleibt. Du weißt, wie die Leute sind. Es kostet viel Mühe, ein neues und vor allem unbequemes Thema ins Gespräch zu bringen. Wurde es dann endlich angenommen, gerät es auch gleich wieder in Vergessenheit. Es kostet viel Energie, das Interesse wach zu halten.

Gerade letzte Woche hat ein Leser in einem Schmähbrief die Zusammenhänge zwischen Politik und Wirtschaft mit einem Baseballspiel verglichen. Natürlich habe ich diesen Brief abdrucken lassen. Martin war danach ziemlich sauer, weil zwei Tage lang sein Telefon nicht mehr stillstand. So weit ist es schon mit unserer Pseudodemokratie gekommen!", schnaubte sie verächtlich.

„Worum ging es denn in dem Brief? Politik und Wirtschaft mit einem Baseballspiel zu vergleichen, klingt seltsam, aber vielleicht gerade deshalb interessant", sagte Steve und blickte sie fragend an.

„Ist es auch! Wenn du willst, erzähle ich dir gern davon!"

„Na, dann schieß mal los!"

„Hm, ich muss wohl etwas weiter ausholen", sagte Kathy und stand auf. Sie wirkte jetzt fast wie eine Schullehrerin. „Prinzipiell halte ich, ähnlich wie die Mehrheit der Wirtschaftswissenschaftler, den Kapitalismus für ein stabiles System. Schließlich kann man sagen, dass uns der Kapitalismus trotz diverser Konjunkturschwankungen und Krisen den heutigen Wohlstand beschert hat. Das gilt vor allem für die so genannten Industrienationen. Zwar bemängeln Kritiker die ungleiche Verteilung dieses Wohlstands und verweisen auf gewisse Ausgleichsmechanismen, wie zum Beispiel die soziale Marktwirtschaft, aber im Grunde attestieren sie diesem System in seiner bisherigen Entwicklung durchweg positive Auswirkungen.

Und nun kommen wir zur Problematik. Leider hat sich – vor allem in den letzten Jahren – eine negative Tendenz entwickelt. Generell tendieren wir Menschen nämlich zu einer egoistisch motivierten Anhäufung von Dingen, um damit anzugeben, uns sicherer zu fühlen oder was auch immer. In diesem Fall handelt es sich eben um dicke Bankkonten. Offenbar ist uns diese Raffgier angeboren und wird sogar immer stärker, je mehr Vermögen wir anhäufen – aus Angst, dieses Vermögen wieder zu verlieren. Dabei scheint die menschliche Gier keine Grenzen zu kennen.

Nur so lassen sich meines Erachtens Rationalisierungen, Gewinnmaximierungsstrategien und ähnliche Maßnahmen erklären, wie sie in der heutigen Wirtschaft gang und gäbe sind.

Anders ausgedrückt: Warum würde ein Unternehmen, das gerade den Rekordgewinn seiner Geschichte gemeldet hat, im nächsten Atemzug ein paar Tausend Mitarbeiter entlassen?

Die Standarderklärung aller Unternehmensvorstände ist die bereits erwähnte Gewinnmaximierung. Nun liegt die Frage nahe, ob überhaupt eine Gewinnmaximierung nötig ist beziehungsweise wer davon profitiert!?"

Kathy legte eine schöpferische Pause ein und sah Steve auffordernd an. Dieser wollte sich aber nicht wie ein Schuljunge abfragen lassen und forderte sie mit einem kurzen Nicken auf, weiterzusprechen.

„Natürlich profitiert davon der Aktienkurs des Unternehmens. Er steigt, wenn das Unternehmen profitabler wird und mit noch weniger Ressourcen noch höhere Gewinne einfährt. Aktien wiederum befinden sich zum größten Teil im Besitz der Vorstandsmitglieder eben dieses Unternehmens und anderer wohlsituierter Großaktionäre. Nur ein geringer Teil liegt als so genannter Streubesitz in Aktiendepots oder Fonds der breiten Masse, der Durchschnittsbürger. Dieser Streubesitz soll oft nur die Tatsache verschleiern, dass die Aktien sich zum allergrößten Teil in den Händen weniger Einzelpersonen, Unternehmen oder Staaten befinden. Eines von vielen Beispielen also, wie unser derzeitiges System die Reichen auf Dauer automatisch reicher und die Armen unweigerlich ärmer macht.

Die Rechnung geht schon alleine deshalb auf, weil heutzutage viele Arbeitnehmer mit ihrem Einkommen gerade mal die Grundbedürfnisse des täglichen Lebens decken können. Sie haben überhaupt keine Möglichkeit, Kapital in waghalsigen Börsengeschäften zu riskieren. Denn sollte der Handel schief gehen, würden ihre Familien am Hungertuch nagen! Und das ist leider oft genug der Fall, wenn sie tatsächlich ihre mühsam zusammengekratzten Ersparnisse in eine ‚todsichere Empfehlung' investieren, die ihnen von gewissenlosen Anlageberatern angedreht wird und sich nicht selten wenig später in Luft auflöst.

Ohne eine ordnende Hand wie ein neutrales Schiedsgericht, ist dieses System langfristig nicht haltbar. Durch Monopole und eine immer extremere Umverteilung des Vermögens von Arm zu Reich entsteht schon jetzt ein katastrophales Ungleichgewicht. Spinnt man das Ganze weiter, könnte es in manchen Ländern eines Tages sogar wieder zu einer Form von Sklaverei kommen, weil die Bevölkerung immer abhängiger von der nahezu allmächtigen Oberschicht wird! Andere Länder mit einer starken und gebildeten Bevölkerung werden, wie wir es hier gerade erleben, einer Revolution entgegensteuern. Die letzten Mittel des Staates sind Ausgangssperren und natürlich eine militärische Intervention. Dadurch könnten Bürgerkriege entstehen, und spätestens diese Form des Volksaufstands würde das System zum totalen Zusammenbruch führen!"

Steve blickte Kathy zweifelnd an. „Ist das nicht etwas weit hergeholt und extrem?"

„Natürlich ist es extrem!", fuhr Kathy ihn ungehalten an, „aber ist es nicht auch extrem, dass wir heute bereits eine Ausgangssperre in einem demokratisch regierten Land erleben?"

„Schon gut, schon gut“, lenkte Steve ein, „und wo ist der Zusammenhang mit dem Baseballspiel?“

„Dazu kommen wir jetzt. Natürlich konnte ich mir am Ende des Artikels mal wieder etwas Sarkasmus nicht verkneifen und habe an dieser Stelle den Leserbrief abgedruckt.“

Sie blickte Steve spitzbübisch an.

„Ein Baseballspiel“, fuhr sie dann fort, als hätte es keine Unterbrechung gegeben, „speziell im Profibereich, dient der Unterhaltung anderer und hat einen gewissen, manchmal sogar relativ hohen sozialen Stellenwert. Es macht den Leuten Spaß, dem Spiel zuzusehen. Sie identifizieren sich mit Sieg und Niederlage ihrer Mannschaft und leben nebenbei positive wie negative Emotionen aus.

Das Spiel hat feste Regeln, nach denen es abläuft. Alle Spieler kennen diese Regeln, eingehalten werden sie allerdings meist nur, weil ein Schiedsrichter darüber wacht und bei Missachtung Strafen ausspricht. Wäre dem nicht so, würden wohl die meisten Spiele im Chaos enden.

Der Schiedsrichter verkörpert also für die Dauer des Spiels eine von allen Seiten anerkannte oberste Instanz und ist insofern vergleichbar mit der Regierung eines Staates.

Selbstverständlich muss diese Autorität die Regeln perfekt kennen und auslegen können. Andernfalls wäre es für die Spieler ein Leichtes, ihn hinters Licht zu führen.

An dieser Stelle brachte der Leser das Zitat seines kleinen Sohnes: ‚Papi, sind Schiedsrichter keine Baseballspieler, weil sie nicht gut genug waren, um mitzuspielen?‘“

Steve war natürlich klar, worauf sie hinauswollte und konnte ein Lachen nicht mehr unterdrücken. Doch Kathy fuhr unbeirrt fort: „In unserem gesellschaftlichen System sind die Spieler die Wirtschaftsbosse, und die Politiker übernehmen die Rolle der Schiedsrichter. Die Wirtschaftsbosse wollen, dass ihre Unternehmen gewinnen. Sie wollen die Konkurrenz überflügeln, um den Markt zu beherrschen. Mit fairen Mitteln …

oder auch mit Hilfe ihrer eigens angestellten Anwälte, die ihre Maßnahmen bei Bedarf zurechtbiegen. Weil es aus verschiedenen Gründen früher oder später immer zu einem Ungleichgewicht in den Industrien, aber auch in den Unternehmen selbst kommen wird, ist an dieser Stelle der Staat als Schiedsrichter gefragt. Er muss die Firmen sowohl voreinander als auch deren Angestellte vor der Ausbeutung durch die Manager schützen. Und hierbei stoßen wir auf das von dem kleinen Jungen so unbedarft formulierte Problem: Viele unserer heutigen Politiker sind Politiker geworden, weil sie in der Wirtschaft nicht ‚mitspielen' durften!

Kurzum, die vom Staat entworfenen Regeln werden eine nach der anderen von den Unternehmen umgangen und greifen deswegen nicht. Wie bei einem Baseballspiel ist Chaos vorprogrammiert, wenn ein unfähiger oder korrupter Schiedsrichter Ungerechtigkeiten nicht ahndet." Kathy schmunzelte und fügte hinzu: „Du glaubst gar nicht, wie viel Aufmerksamkeit mir diese Zeilen eingebracht haben. Böse Worte, Klageandrohungen und sogar eine anonyme Morddrohung waren dabei!"

Steve sah sie kopfschüttelnd an, dann wieder zu Boden, und plötzlich fingen beide an zu lachen. Ihre Blicke trafen sich, und er spürte, wie sie Sympathie füreinander entwickelten.

Gerade als sie wieder zur Ruhe kamen, schreckten sie auf, denn hinter ihrem Rücken hatte sich ihnen ein Fahrzeug bis auf wenige Meter genähert. Genau auf Höhe ihrer Parkbank kam der dunkle Lincoln Navigator zum Stehen. Zwei leger gekleidete Männer stiegen fast zeitgleich aus dem Fahrzeug. Beide trugen Jeans, blassblaue Hemden und schwarze Lederjacken. Die Männer sagten kein Wort, während sie auf Kathy und Steve zugingen.

Kathy fragte unsicher: „Hallo Leute, was macht ihr denn hier?"

Ihre Stimme bebte, als sie hinzufügte: „Ich hatte eine Panne und …"

Weiter kam sie nicht, denn einer der beiden Männer unterbrach sie: „Schon in Ordnung, Miss Wirnstein, wir sind vom FBI!"

Er hielt Kathy seine Dienstmarke entgegen und fuhr fort: „Wir wurden bereits informiert und sind hier, um Sie abzuholen."

Dann wandte er sich mit unverändert ausdrucksloser Miene an Steve: „Sir, Sie können wir leider nicht mitnehmen, aber ich würde Ihnen raten, das nächste Obdachlosenasyl aufzusuchen, bevor eine Streife vorbeikommt und Sie festnimmt!"

Kathy intervenierte: „Gentlemen, er ist ein guter Freund von mir, und ich wünsche, dass er mitkommt!"

„Wir haben den Auftrag, nur Sie hier abzuholen", kam die Antwort knapp und bestimmt zurück.

Kathy versuchte, weiter zu protestieren, sah aber bald ein, dass damit nichts zu erreichen war und wurde trotzig: „Okay, dann bleibe ich auch hier!"

„Lady, es wurde eine Ausgangssperre verhängt, und Sie halten sich hier praktisch illegal auf einer öffentlichen Straße auf. Ihre Sondererlaubnis bezieht sich nur auf die direkte Fahrt zu Ihrer Redaktion. Wir haben den Auftrag, Sie hier abzuholen und werden diesen mit oder ohne Ihre Zustimmung durchführen. Bitte nehmen Sie jetzt im Fahrzeug Platz!"

Der Gesichtsausdruck des Mannes blieb starr, und auch sein Tonfall deutete nicht darauf hin, dass ihn die Situation im Entferntesten interessierte. Er hatte Kathy ganz unverblümt mitgeteilt, dass er bereit war, körperliche Gewalt anzuwenden, falls sie seinen Anweisungen nicht unmittelbar Folge leisten würde. Kathy entschied, dass es wohl besser war, ins Fahrzeug zu steigen.

Sie verabschiedete sich kurz von Steve und flüsterte ihm ins Ohr: „Versuch, dich hier zu verstecken, ich werde jemanden ausfindig machen, der dich abholt."

Sie drückte ihm noch schnell ihre Visitenkarte in die Hand und stieg dann auf das Trittbrett des Lincoln, um auf der Rückbank Platz zu nehmen.

„Vielen Dank für Ihre Kooperationsbereitschaft", sagte diesmal der Agent, der bisher geschwiegen hatte und schloss die Tür hinter ihr. Die Männer beachteten Steve nicht weiter, stiegen ebenfalls in das Fahrzeug und fuhren los. Der Navigator entfernte sich rasch.

Steve blickte dem Wagen hinterher, bis er abgebogen war und sich seinem Blick entzogen hatte.

FBI, sagte er nachdenklich zu sich selbst, wie merkwürdig. Erst jetzt, da sich seine Anspannung allmählich löste, fiel ihm auf, wie irreal und unlogisch die ganze Situation tatsächlich gewesen war. Er kam auf keine Erklärung, warum eine Reporterin vom FBI abgeholt werden sollte. Andererseits war die Ausgangssperre an sich schon völlig irreal. Aber was sollte ein Obdachloser schon gegen zwei FBI-Agenten ausrichten, dachte er weiter und nahm sich dadurch etwas von dem aufkommenden Schuldgefühl, nicht gehandelt zu haben.

Er drehte sich um und trottete zurück Richtung Park, doch die Zweifel blieben bestehen.

Das Marionettentheater

Es sollte ein besonders wichtiges Treffen werden. Sämtliche Bereichsleiter des Konzerns hatten sich dazu eingefunden und vertrieben sich die letzten Minuten bis zu seinem Beginn mit Smalltalk.

James Martens, der Vorstandsvorsitzende, wusste natürlich schon, wie das Meeting enden würde. Er hatte seine ranghöchsten Mitarbeiter versammelt, weil er sich verpflichtet fühlte, ihnen zumindest das Gefühl eines Mitspracherechts zu geben. Die Tür, durch die er jetzt kam, trennte den persönlichen Besprechungsraum von seinem luxuriösen Büro und war, wie die meisten Einrichtungsgegenstände darin, aus dickem Eichenholz.

„Guten Abend, meine Damen und Herren."

Er brauchte nicht sehr laut zu sprechen, weil alle Anwesenden ihre Aufmerksamkeit sofort auf ihn gerichtet hatten. Da das heutige Thema bei Mitarbeitern und Öffentlichkeit nicht sehr populär war, ließ er die Tür schließen, bevor er zu seinem Stammplatz ging, dem der Tür zugewandten Kopfende des ovalen Tisches. Fast gleichzeitig nahmen auch die anderen Teilnehmer ihre Plätze ein.

Dies war kein x-beliebiger Besprechungsraum. Die gesamte Ausstattung strahlte Luxus pur aus: Lehnen und Sitzflächen der Stühle waren mit dickem, schwarzem Leder bezogen und reihten sich rund um den Konferenztisch, der exakt in der Mitte des Raumes stand und mit einer Länge von vier Metern und gut zwei Metern Breite reichlich Platz für zwölf Personen bot. In der linken hinteren Ecke des Raumes stand ein mit Edelstahl verkleideter Kühlschrank. Durch die Glastür an seiner Frontseite waren zahlreiche Flaschen Mineralwasser, Bier, verschiedene Softdrinks und sogar Champagner zu sehen. Der Fußboden bestand aus elegantem Bambusparkett, an den Wänden hingen Ölgemälde bekannter Künstler.

Acht Herren und zwei Damen waren zu diesem Meeting erschienen. Ihre Altersspanne war relativ groß: Der jüngste Teilnehmer war gerade einmal knapp über vierzig, während die älteren ihr sechzigstes Lebensjahr schon überschritten hatten. Die hier versammelte Runde bildete die Führungsriege eines der größten Elektronikunternehmens der Welt.

„Guten Abend, meine Damen und Herren!"

Der Mann, der diesmal sprach, war zur allgemeinen Überraschung nicht Martens. Es war der kleinwüchsige, hagere Howard Pierce, der seinem Chef wie ein Schatten überallhin folgte. Die Anwesenden blickten einmal kurz zu Martens hinüber, doch da dieser keine Regung zeigte, war klar, dass dieses Vorgehen mit ihm abgesprochen war.

„Sie kennen die Punkte auf der Agenda, und ich werde es Ihnen und mir ersparen, sie nochmals vorzulesen."

Ohne weitere Umschweife fuhr Pierce fort und schien schnellstmöglich auf den Punkt kommen zu wollen.

„Bei unserer letzten Zusammenkunft hatten wir ein Maßnahmenpaket beschlossen, das unserem Aktienkurs wieder auf die Sprünge helfen sollte. Dabei hatte Herr Martens den Wunsch geäußert, dass Sie, meine Damen und Herren, sich bis zum heutigen Treffen ein Vorgehen überlegen, das sowohl das Ansehen unseres Unternehmens als auch die Laune unserer Aktionäre verbessern sollte!"

An dieser Stelle machte er eine kurze Pause, und während er sich wieder setzte, fügte er gelangweilt hinzu: „Ach ja, natürlich sollte der gewählte Ansatz auch dem Wohle unserer Mitarbeiter dienen und möglichst sozialverträglich sein."

Dann schaute Pierce selbstgefällig in die Runde und sagte: „Wenn es dazu keine Fragen gibt, übergebe ich jetzt das Wort an Herrn Martens."

Die meisten Topmanager hielten sich Typen wie Pierce. Sie waren die bissigen Bullterrier, denen es Spaß machte zu bellen, zu knurren und zu schnappen. Nur beißen durften sie nicht. Diese Typen schienen es zu mögen, unbeliebt zu sein und lebten unter der Missachtung anderer erst auf. Pierce war der persönliche Assistent von Martens, und wann immer es galt, aggressiv aufzutreten oder unpopuläre Dinge kundzutun, ließ Martens ihn von der Leine.

Mit einem plötzlichen Ausdruck gespielter Höflichkeit wandte sich Pierce nun nach links und nickte seinem ‚Herrchen' zu.

„Meine Damen und Herren, dem gibt es nicht viel hinzuzufügen. Den Grund, warum wir an diesem Punkt angelangt sind, beziehungsweise heute Abend hier zusammensitzen, haben wir bereits ausgiebig bei unseren letzten Treffen besprochen. Ich möchte nun Frau Perez als Leiterin der betroffenen Sparte zu Wort bitten."

Belinda Perez war seit vier Jahren Leiterin von Airbound Innovations, der mit 5.000 Mitarbeitern größten Sparte des Konzerns. Der ehemalige Vorzeigebereich hatte sich in den letzten Jahren mehr und mehr zum Verlustgeschäft entwickelt, denn der Markt für die dort gefertigten Module für Internetradios und Satellitennetzwerke war gesättigt. Vor ungefähr einem Jahr hatte es ein Treffen gegeben, bei dem die Auflösung des Geschäftsbereichs bereits als beschlossen galt. Mit Charme, Intelligenz, messerscharfen Argumenten und den guten persönlichen Beziehungen zu einigen Mitgliedern dieses Ausschusses hatte Perez damals eine Galgenfrist von einem Jahr aushandeln können. Dieses Jahr war verstrichen, und trotz umfangreicher Umstrukturierungen, einer Neuausrichtung des Portfolios und anderer Maßnahmen konnte das gesetzte Ziel nicht annähernd erreicht werden. Vor vier Wochen war es dann soweit gewesen. Man hatte sich, ebenfalls in diesem Raum, getroffen und das Ende von Airbound Innovations beschlossen. Heute ging es lediglich darum abzustimmen, wie dies konkret vonstatten gehen sollte.

Perez trat an den Kopf des Tisches und schaltete das bereitstehende Notebook auf Projektorbetrieb um. Die ersten zwei Seiten ihrer Präsentation zeigten die Struktur des Bereichs, gefolgt von einer Folie über die Geschäftsentwicklung. Darauf war eine deutliche Aufwärtstendenz in den letzten zwölf Monaten zu erkennen. In dieser Zeit hatte die Zahl der Mitarbeiter bereits spürbar abgenommen, während Produktivität und Umsatz gestiegen waren.

Mit einer weiteren Folie wollte sie gerade auf die soziodemografische Struktur der betroffenen Mitarbeiter eingehen, als sie plötzlich barsch unterbrochen wurde: „Bitte überlassen Sie diese Dinge dem Betriebsrat, und konzentrieren Sie sich auf die für diesen Kreis relevanten Fakten!"

Während Pierce bislang demonstrativ gelangweilt dreingeschaut hatte, sah er Belinda Perez nun mit funkelnden Augen und wie ein Raubtier auf dem Sprung an. Sie versuchte, ihn zu ignorieren, drückte aber dennoch auf eine Taste des Keyboards, um die nächste Seite der Präsentation zu überspringen. Es folgten sechzehn weitere Seiten, die zwei verschiedene Vorgehensweisen darlegten. Die erste Möglichkeit zeigte einen Weg, der zwar zur Auflösung ihres Bereiches führte, allerdings mit der Gründung einer Auffanggesellschaft verbunden war. Damit müsste die Firma die Mitarbeiter nicht unmittelbar abfinden, und diese wiederum stünden nicht auf der Straße. Diese Variante war für das Unternehmen relativ teuer. Wenngleich dieser Weg vermutlich mit den üblichen Demonstrationen der Mitarbeiter, Protesten der Gewerkschaft und anderen Image schädigenden und aufwändigen Konsequenzen verbunden wäre, bliebe er zumindest zeitlich und finanziell konkret planbar. Er war die heutzutage ‚bevorzugte' Variante.

Die andere Möglichkeit war ein erneuter Versuch, den Bereich zu retten. Dabei würde die Sparte aus dem Unternehmen ausgegliedert und der dann eigenständige Teil entweder an die Börse gebracht oder an einen Konkurrenten verkauft werden. Ein riskantes Unterfangen mit ungewissem Ausgang.

„In Anbetracht der Alternativen sollte sich eine Abstimmung über die Vorschläge wohl erübrigen!", preschte Pierce ungefragt vor. Die Anwesenden sahen ihn erstaunt an, doch meldete sich keiner von ihnen zu Wort. Erst als Pierce fortfahren wollte, wurde er von Martens leise, aber bestimmt unterbrochen: „Eine Frage liegt hier nahe. Was passiert, wenn sich das neue Unternehmen nicht an der Börse platzieren lässt und wir keinen Käufer dafür finden?"

„Diese Möglichkeit haben wir ebenfalls durchleuchtet", drängte sich Pierce erneut in den Vordergrund, bevor Perez überhaupt eine Chance hatte, zu Wort zu kommen.

„Wenn Sie erlauben, Herr Martens. Ich habe während der letzten Wochen in Zusammenarbeit mit einer Beraterfirma eine etwas unkonventionelle, aber innovative und sehr elegante Lösung erarbeitet."

„Bitte, Herr Pierce."

Martens nickte Perez kurz beschwichtigend zu und erteilte gleichzeitig Pierce offiziell das Wort. Der stand auf, steckte einen USB-Stick in den Port des Notebooks und startete seine eigene Präsentation. Was nun folgte, ließ selbst die abgebrühten Manager in diesem Kreise aufhorchen. Reglos folgten sie der ‚Ein-Mann-Show' von Howard Pierce.

Dieser begann mit einer kurzen Vorstellung des beteiligten Beraterteams und nannte als Beweis für dessen Kompetenz einige imageträchtige Projekte der Firma – und betonte mehrmals die für die jeweiligen Unternehmen erreichten Einsparungen.

Nach einer Weile machte er eine kurze Pause, setzte einen fast schon feierlichen Gesichtsausdruck auf und verkündete triumphierend: „Meine sehr geehrten Damen und Herren, ich habe einen Käufer für die Sparte Airbound Innovations an der Hand. Deswegen ist diese Variante nach einer detaillierten und professionellen Analyse nicht nur der lukrativste, sondern vielmehr der einzig vernünftige Weg, das Thema zu adressieren."

Ein Raunen ging durch den Konferenzraum, und erst als Pierce sich mit einem energischen „Bitte, meine Damen und Herren!" zu Wort meldete, kehrte wieder Ruhe ein.

„Lassen Sie mich aufzeigen, warum das so ist und wo die eindeutigen Vorteile dieser Variante liegen!", fuhr er fort.

Martens hatte die ganze Zeit über geschwiegen und sah auch jetzt keinen Anlass, das Wort zu ergreifen. Er saß scheinbar unbeteiligt auf seinem Stuhl und wartete darauf, dass Pierce seinen Vortrag fortsetzte.

Die nächsten Seiten der Präsentation zeigten ein detailliertes Rechenexempel, in dem alle prognostizierten Positionen des möglichen Verkaufs aufaddiert waren. Allerdings überblätterte Pierce diesen Teil zügig mit dem Kommentar „Ich will Sie nicht mit Einzelheiten langweilen und zeige Ihnen deshalb gleich die Zusammenfassung!" und blätterte auf die letzte Seite der Präsentation vor. Dort waren die Gesamtkosten aufgeführt und den Kosten der von Perez präsentierten Alternativen gegenübergestellt. Die Teilnehmer des Meetings mussten sich an dieser Stelle wundern, denn Pierce war bei keinem ihrer Treffen, die zur Erarbeitung der Vorschläge geführt hatten, dabei gewesen. Dennoch hatte er sich auf irgendeine Art und Weise Zugang zu den Zahlen verschafft. Wie er das angestellt hatte, würde wohl sein Geheimnis bleiben.

Der von ihm favorisierte Lösungsansatz schlug mit etwas über vierhundert Millionen Dollar Kosten für den Konzern zu Buche, während die beiden anderen Möglichkeiten gut eine viertel bis halbe Million mehr kosten würden.

„Dies sind nur die nackten Zahlen", resümierte Pierce. „Softfakten wie Imagekriterien, bürokratische Hürden und soziale Aspekte sind hierbei noch nicht berücksichtigt. Dennoch hängen die Trauben bei diesem Ansatz vergleichsweise tiefer als bei einer mit Massenentlassungen verbundenen Schließung des Bereichs. Von dem mit einem Börsengang verbundenen Aufwand oder Risiko will ich hier gar nicht sprechen!"

„Dieser Käufer", meldete sich nun Walter Hergold zaghaft zu Wort, „warum glaubt er, einen Unternehmensbereich, der bei uns seit Jahren Verluste einfährt, in schwarze Zahlen führen zu können?"

Alle hatten bisher gespannt den Ausführungen von Pierce zugehört und sich gewundert, worauf sein Konzept hinauslaufen würde. Jetzt, da der Projektor seine Kosten-Nutzen-Rechnung an die Wand warf, kam es zu mehreren Einzelgesprächen.

Um diese Unruhe zu unterbinden, ergriff Martens nun endlich das Wort: „Meine Damen und Herren!" Sofort wurde es wieder still im Raum. „Natürlich waren die Untersuchungen von Herrn Pierce mit mir abgestimmt, und ich war ebenfalls an den Gesprächen mit unserem Kaufinteressenten beteiligt. Bitte gestehen Sie mir zu, dass ich den Namen dieses Partners vorläufig geheim halten möchte. Der Grund, warum wir Sie erst zum jetzigen Zeitpunkt in diesen Ansatz einweihen, ist einfach."

An dieser Stelle blickte er in die Runde und nahm einen nach dem anderen ins Visier. Einige der Anwesenden hielten seinem Blick stand, andere wiederum versuchten, den Kontakt zu vermeiden, indem sie konzentriert auf die glänzende Tischplatte starrten.

Dann fuhr er mit gewohnt ruhiger Stimme fort: „Unsere Intention war es, bei der Auswahl des Ansatzes Ihre Offenheit zu erhalten. Die von Herrn Pierce präsentierte Option stellt meinen favorisierten Lösungsvorschlag dar. Ich bitte hierfür um Ihr Verständnis."

Auch wenn er es nicht direkt ausgesprochen hatte, war allen Zuhörern damit klar, dass es keine weitere Diskussion über die Zukunft von Airbound Innovations geben würde. Erneut pausierte er und sagte dann mit einem fast väterlichen Lächeln: „Aber lassen Sie mich noch einmal auf Ihre Frage zurückkommen, Herr Hergold." Er stand auf und ging ein paar Schritte um den Tisch herum. „Natürlich nehmen wir an, dass der potenzielle Käufer sein Geschäft versteht und davon ausgeht, den zugekauften Unternehmensbereich in absehbarer Zeit in die Gewinnzone führen zu können. Die Tatsache, dass dies eine gewisse Zeit dauern wird, während ihm weitere Kosten entstehen, wird unsererseits durch Zahlung einer gewissen Summe kompensiert. Auch wenn diese Maßnahme auf den ersten Blick ungewöhnlich erscheint, ist sie bei derartigen Geschäften durchaus üblich. Alles in allem ist dieser Weg immer noch die bei weitem günstigste Variante!“

Er blickte zu Pierce hinüber und sah, dass dieser bereits ungeduldig mit den Fingerspitzen auf den Konferenztisch trommelte.

„Bevor Herr Pierce Sie über weitere Details zur Abwicklung des Ausgliederungs- beziehungsweise Übergabeprozesses informieren wird, haben Sie jetzt Gelegenheit, etwaige Fragen an mich zu richten.“

Die Entscheidung ist doch längst gefallen, dachte Perez, eine Sanierung stand nie zur Debatte. Es geht nur noch darum, die Anweisungen zu befolgen, um den Bereich mit all seinen Mitarbeitern möglichst schnell und kostengünstig loszuwerden. Was gibt es also noch zu fragen?

Sie meldete sich dennoch zu Wort: „Wird der Standort in vollem Umfang erhalten bleiben, und gibt es bereits Aussagen über die angestrebte Personalstärke?“

„Diese beiden Themen wurden natürlich bereits sondiert. Wir verhandeln zurzeit über eine zweijährige Garantie sowohl für den Standort als auch für mindestens achtzig Prozent der Mitarbeiter“, antwortete Pierce, dem Martens mit einem Nicken das Wort wieder übergeben hatte.

„Aber lassen Sie mich mit meiner Präsentation fortfahren. Ich bin mir sicher, dass sich viele Ihrer Fragen damit erübrigen werden!“

Ohne auf eine Zustimmung der Anwesenden zu warten, fuhr er das Notebook aus dem Stand-by Betrieb wieder hoch und startete eine andere Präsentation, als Belinda Perez sich erneut zu Wort meldete: „Entschuldigen Sie, wenn ich noch einmal unterbreche. Ich nehme an, dass es sich bei dem Interessenten nicht um ein amerikanisches oder europäisches Unternehmen handelt?“

Auch wenn sie am Ende des Satzes ihre Stimme leicht anhob wie bei einer Frage, klang er doch wie eine Feststellung.

„Was passiert mit unseren Angestellten, wenn sich diese Firma nach Ablauf der Bindepflicht entscheidet, dass der derzeitige Standort nicht lukrativ genug ist und die Mitarbeiter doch keine Verwendung mehr finden?"

„Miss Perez!" Pierces Stimme klang scharf, gewürzt mit einem sarkastischen Unterton. Lächelnd ging er zu Belinda Perez hinüber. „Es ehrt Sie natürlich, dass Sie sich um das Wohl Ihrer ehemaligen Mitarbeiter sorgen!"

Sie zuckte mit keiner Wimper und erwiderte kühl seinen Blick. Dabei drehte sich ihr bei den Worten ‚ehemalige Mitarbeiter' schier der Magen um. Verdammt, dachte sie, noch ist der Bereich aktiv, aber dieser Typ scheint es gar nicht erwarten zu können, bis man die Leute vor die Tür setzt.

„Bitte überlassen Sie diese Fragen den zuständigen Bereichen, und kümmern Sie sich lieber um Themen, die innerhalb Ihrer Kompetenz liegen. Für Ihre Frage wird die Personalabteilung des Käufers sicherlich eine Lösung finden. Mir liegt es fern, Hypothesen darüber anzustellen, was ein Unternehmen, dem ich nicht angehöre, in Zukunft tun oder lassen könnte!", sagte Pierce, drehte sich um und ging wieder zu seinem Platz zurück.

Über die erneut aufkommende Unruhe schien Pierce sich regelrecht zu amüsieren. Einige blickten fast hilfesuchend hinüber zu Martens. Dieser hatte jedoch eine steinerne Miene aufgesetzt und forderte Pierce auf, mit seiner Präsentation fortzufahren. Die Fülle der vorgestellten Details war ein klarer Beweis dafür, dass der Ausgang der Geschichte seit langer Zeit feststand und eine Vielzahl von Leuten daran gearbeitet und davon gewusst hatte.

Was zu diesem Zeitpunkt aber weder Martens, noch die Anwesenden und am allerwenigsten Howard Pierce wussten, war, dass das soeben präsentierte Vorgehen vor allem Pierce selbst zum Verhängnis werden sollte.

Wo ist Kathy?

Steve starrte auf die Visitenkarte in seiner Hand. *Kathy Wirnstein, Redakteurin*, stand dort in großen, schwarzen Buchstaben. Darunter waren Nummern für Festnetz- und Mobiltelefon sowie eine eMail-Adresse angegeben. Name und Anschrift der Redaktion standen auf der Rückseite der Karte. Was sollte er jetzt tun? Hier zu warten bedeutete, das Risiko einzugehen, von einer Polizeistreife aufgegriffen zu werden. Wegen des Ausgangsverbots war es höchst wahrscheinlich, dass er dann mit aufs Revier genommen und dort die Nacht in einer Zelle verbringen müsste. Darauf hatte er weiß Gott keine Lust. Woher sollte er überhaupt wissen, ob es Kathy tatsächlich gelingen würde, ihn abholen zu lassen? Anderseits gab es in unmittelbarer Nähe der Straße auch keinen geeigneten Ort, um sich zu verstecken. Entfernte er sich zu weit von der Straße und ging zurück in den Park, würde er womöglich nicht rechtzeitig auf sich aufmerksam machen können und seinen Transport verpassen. Er blickte auf, sah einmal rundum und überlegte. Trotz aller Bedenken entschied er sich schließlich gegen ein Versteck und setzte sich wieder auf die Bank.

„Eine wahre Powerfrau“, murmelte er und ließ sich das Treffen mit Kathy noch einmal durch den Kopf gehen. Gedankenversunken starrte er vor sich auf den Asphalt, als er hörte, wie ein Fahrzeug mit quietschenden Reifen um eine Ecke bog. Unsicher, wie er reagieren sollte, sprang er von der Bank auf. Bereits von weitem konnte er erkennen, dass es zumindest kein offizielles Polizeifahrzeug war. Möglicherweise aber war es eine Zivilstreife, und dann wäre es mit Sicherheit das Beste, sich zu verstecken. Andererseits könnte es sich auch um den von Kathy arrangierten Transport handeln, und dann sollte er wohl besser auf sich aufmerksam machen. Da es durch sein Zögern ohnehin zu spät geworden war, sich zu verstecken, blieb er letztlich am Straßenrand stehen, bis der alte silberne

Ford direkt vor ihm anhielt. Das Fenster wurde heruntergekurbelt, und der Fahrer beugte sich über den Beifahrersitz, so dass Steve sein rundliches Gesicht mit den geröteten Wangen erkennen konnte. Der Fahrer wirkte hektisch, und sein weißes Hemd klebte, dort wo sich großflächige Schweißstellen gebildet hatten, an seinem untersetzten Körper. Eine kleine, modische Kunststoffbrille schien in dem fleischigen Gesicht fast zu verschwinden.

„Ich suche eine Frau, eine Kollegin von mir! Da drüben steht ihr Wagen. Haben Sie hier in den letzten Stunden jemanden gesehen?!"

Steve ärgerte sich nicht einmal darüber, dass der Typ ihn ohne jegliche Bemühung eines Grußes ansprach und sein Tonfall mehr wie ein Befehl als eine Frage klang.

„Na, Gott sei Dank!", entgegnete er ebenso erleichtert wie verwirrt. „Eine Polizeistreife sind Sie jedenfalls nicht! Ich vermute mal, Sie sind Martin, der Chefredakteur von Kathy?"

Der Fahrer zog erstaunt die Augenbrauen hoch. Er öffnete die Autotür, stieg aus und ging um den Wagen herum auf Steve zu. Ganz schön hektisch und nervös der Typ, dachte Steve, als er nun schweigend gemustert wurde. Um die Situation etwas zu entspannen, ergriff er erneut das Wort: „Kathy wurde vor einiger Zeit von zwei FBI-Leuten abgeholt und sollte inzwischen in der Redaktion angekommen sein!"

„Ja, ich bin Martin", antwortete der Mann dann doch noch auf Steves erste Frage. „Was sagen Sie da? FBI? Was haben die denn mit Kathy zu tun?"

Er blickte Steve durch die dicken Gläser seiner Brille fragend an. Dieser war zwar froh, dass aus dem Monolog doch noch ein Gespräch wurde, andererseits verstärkten diese Fragen seine Sorgen um Kathy, und er fuhr Martin an: „Was stellen Sie *mir* diese Fragen? Ich dachte, *Sie* hätten das alles arrangiert und wüssten Bescheid!"

Als dieser statt zu antworten nur besorgt die Stirn runzelte, fuhr Steve etwas ruhiger fort: „Ich schätze, es ist ungefähr eine halbe Stunde her, seit die zwei Typen in einem dunklen Lincoln Navigator aufgetaucht sind. Sie haben sich als FBI-Agenten vorgestellt und Kathy mitgenommen. Eigentlich wollte sie ohne mich nicht einsteigen, aber die zwei Eierköpfe machten ihr klar, dass sie ihren Auftrag mit oder ohne ihre Einwilligung ausführen würden! Nun dachte ich, Sie wären hier, um mich abzuholen, weil Kathy jemanden vorbeischicken wollte!“

Martin sagte gar nichts, sondern griff in seine Hosentasche und zerrte sein Mobiltelefon hervor. Nachdem er ein paar Mal versucht hatte, Kathy anzurufen, wandte er sich schließlich wieder an Steve: „Haben die Männer gesagt, warum sie Kathy abholen und wohin sie sie bringen wollten?“

„Warum sie gekommen waren, haben die beiden nie erwähnt, aber angeblich wollten sie Kathy in eure Redaktion bringen.“

Abermals wählte Martin eine Nummer, nahm das Telefon aber nach einiger Zeit entnervt wieder vom Ohr.

„In der Redaktion ist sie nicht, und an ihr Mobiltelefon geht sie auch nicht.“

„Vielleicht sind sie noch unterwegs und gerade in einem Funkloch?“, meinte Steve ohne echte Überzeugung.

„Hoffen wir es!“, erwiderte Martin. „Aber wer sind *Sie* eigentlich, und was ist mit Ihren Klamotten los? Was machen Sie überhaupt hier trotz der Ausgangssperre?“

Erst jetzt schien Martin aufzufallen, dass irgendetwas an Steve ungewöhnlich war. Die Geringschätzung, die er ihm entgegenbrachte und nicht einmal zu kaschieren versuchte, begann Steve, gehörig auf die Nerven zu gehen.

Was für ein Arschloch!, dachte er, zwang sich aber, die Beherrschung zu wahren, und sagte: „Ein Freund, ich bin ein Freund von Kathy!“ Gleichzeitig hielt er Martin Kathys Visitenkarte unter die Nase.

Der brummte nur: „Ja, das ist ihre Visitenkarte, aber gibt man Visitenkarten neuerdings nur noch seinen Freunden?“

Doch als er Steves Blick sah, fügte er schnell hinzu: „Sorry, ist ein hektischer Tag heute. Ehrlich gesagt sehen Sie nicht gerade vertrauenswürdig aus, und ich mache mir Sorgen um Kathy. War nicht so gemeint!"

„Ist schon in Ordnung", erwiderte Steve halbwegs versöhnt.

„Sie sagten, Kathy habe Ihnen versprochen, Sie abholen zu lassen. Es muss ihr also etwas an Ihnen gelegen sein. Wenn Sie wollen, kann ich Sie unterwegs irgendwo absetzen."

„Das wäre gut! Allerdings würde ich lieber mit zu Ihrem Büro fahren und dort auf Kathy warten."

„Also gut, ich nehme an, wir werden Kathy dort treffen."

Die beiden Männer stiegen in den alten Ford ein. Erst als sie bereits losgefahren waren, erinnerte Steve sich an seine Habseligkeiten, die er im Park zurückgelassen hatte. Aber wer soll heute schon etwas wegnehmen – ist ja sowieso niemand auf der Straße, überlegte er dann, und damit hatte er das Thema auch schon wieder vergessen. Viel zu sehr beschäftigte ihn die Sorge um Kathy. Im Nachhinein schienen ihm die Männer und überhaupt die ganze Situation noch seltsamer als zuvor.

Die Fahrt verlief ohne Zwischenfälle, und nach einer knappen Viertelstunde erreichten sie das fünfzehnstöckige Gebäude, in dem sich die Redaktion befand. Sie fuhren auf einer schmalen Zubringerstraße um das Gebäude herum auf die Rückseite und parkten dort vor einem Schild mit der Aufschrift *Washington Blizzard – Chefredaktion.*

Die beiden Männer hatten während der Fahrt kein Wort miteinander gewechselt, zu sehr waren sie in ihre Gedanken vertieft. Kaum hatte Martin nun die Tür zum Untergeschoss aufgesperrt, rief er in den dämmrigen Flur hinein: „Kathy! Hey Kathy, bist du hier?"

Als er keine Antwort erhielt, stürzten die beiden Männer von einem Büro zum anderen und blickten hinein. Dabei bemerkte Steve den intensiven Geruch von kaltem Rauch, der in diesen Räumen hing, obwohl Rauchen in Büros und öffentlichen Gebäuden gesetzlich verboten war. Sein Ursprung war das Büro am Ende des Gangs. Im Gegensatz zu den meisten anderen Büros, die relativ aufgeräumt waren, lagen hier

Berge von Zeitungen und anderen Unterlagen großflächig auf dem Boden verteilt. Akten stapelten sich zu wahren Türmen auf dem Schreibtisch, und dazwischen stand fast verdeckt ein Computermonitor, als sollte dieser vor neugierigen Blicken verborgen werden. Eine Tastatur war nicht zu sehen; vermutlich war sie unter einem der Aktenstapel begraben. Martin ging in den Raum und setzte sich hinter den Schreibtisch. Offenbar war es sein Büro. Er hob den Telefonhörer ab, hielt ihn kurz ans Ohr und legte wenig später wieder auf.

„Nichts!“, sagte er und presste dabei die Luft aus den Backen. „Sie hat auch hier keine Nachricht hinterlassen“, sagte er an Steve gewandt und forderte ihn auf, sich zu setzen. „Haben die Männer noch etwas erwähnt? Haben Sie vielleicht vergessen, mir irgendein Detail zu erzählen? Irgendeinen Anhaltspunkt, wo Kathy sein könnte?“

Steve überlegte kurz und schüttelte den Kopf.

„Dann bleibt uns nur noch eine Möglichkeit. Ich werde die Vermittlung des FBI anrufen und versuchen, dort etwas zu erfahren!“ Zielstrebig griff er unter ein paar Blätter Papier und zog die Maus hervor. Er klickte sich durch einige virtuelle Ordner seines Computers, bis er die Nummer des FBI fand. Kurz darauf griff er wieder zum Hörer. Steve war verblüfft: Er hatte zwar noch nie einen Anlass gehabt, das FBI anzurufen, hätte aber auch nicht gedacht, dass es so einfach sei und jeder dort anrufen könne. Nach weiteren zehn Minuten und ein paar kurzen Gesprächen legte Martin den Hörer wieder auf und starrte Steve ausdruckslos an. „Nichts. Niemand weiß etwas … niemand kennt den Namen Kathy Wirnstein!“

„Vielleicht sind sie ja noch unterwegs, und die FBI-Leute mussten nur einen ungeplanten Zwischenstopp einlegen“, entgegnete Steve, obwohl er selbst kaum daran glaubte.

„Kann ich mir mittlerweile nicht mehr vorstellen. In der Zeit seit Kathys Verschwinden hätte man die Strecke ja schon zu Fuß geschafft! Allerdings können wir jetzt ohnehin nichts mehr tun – auch wenn ich Warten hasse wie die Pest! Aber gut, erzählen Sie mir, wie Sie Kathy kennen gelernt haben, und wer Sie eigentlich sind."

Steve störte sich zwar erneut an Martins Kommandoton, erzählte dann aber doch die ganze Geschichte von Anfang an. Als er bei dem Vergleich zwischen Baseballspiel und Politik angelangt war, lachte Martin laut auf: „Das ist sie, unsere Kathy! Eine Menge Ärger hat sie uns damit eingehandelt, aber anderseits ist es gut, wenn jemand die Leute mal aus ihrer Lethargie aufrüttelt!"

Als Steve fast eine Stunde später seinen Bericht beendete, schien das Eis zwischen den Männern endlich gebrochen. Dann atmete Martin tief durch und seufzte: „Ich glaube es ist jetzt Zeit!"

Mit leicht zitternden Lippen nahm er den Hörer ab, um die Vermisstenanzeige bei der örtlichen Polizeistation aufzugeben.

Die Bestätigung

Mittlerweile hatte sich die Lage in der Hauptstadt wieder etwas entspannt. Einige der Regierungsbeschlüsse, die als Ursache des befürchteten Bürgeraufstands galten, waren revidiert worden, und man hatte versprochen, sie in einer Sondersitzung des Parlaments neu zu diskutieren. Bis dahin waren die ursprünglichen Regelungen in Sachen Steuern und Sozialversicherung wieder in Kraft gesetzt. Eine ungewöhnliche Maßnahme, die deutlich machte, wie hilflos die Politiker jetzt vor dem Schlamassel saßen, in den sie sich selbst gebracht hatten.

Immerhin kehrte wieder ein gewisser Alltag in der Stadt ein. Zwar war die Situation noch nicht gelöst, aber die Verantwortlichen gewannen zumindest Zeit, um einen neuen Plan auszuhecken.

Für eine Person jedoch spielte das politische Geschehen an diesem Tag keine Rolle. Regungslos saß der Mann vor dem großen Fernsehgerät in seinem Büro. Tränen liefen über seine Wangen, und es war ihm egal, ob ein Kunde, ein Angestellter oder sonst irgendjemand ihn in dieser Verfassung sah. Beide Hände krallten sich in die Kunststofflehnen des Schreibtischsessels, auf dem er zusammengesunken und mit verzerrten Gesichtszügen saß. Man konnte nicht erkennen, ob er der Berichterstattung folgte oder quasi durch den Monitor hindurch die dahinterliegende Wand anstarrte. Obwohl es noch nicht einmal 11 Uhr war, hatte er die Flasche Cognac, die vor ihm auf dem Schreibtisch stand, bereits zu einem Viertel geleert. Auch der Aschenbecher quoll mittlerweile über.

Seit Stunden zeigte das Fernsehen in regelmäßigen Abständen Bilder des Opfers und des Fundorts sowie Interviews mit der Polizei. Die Sender hofften, dadurch ihre Einschaltquoten zu erhöhen, denn selbst in einer Stadt, in der Berichte über

Mord und Totschlag zur Tagesordnung gehörten, schreckte diese Nachricht die Bevölkerung auf.

Eine Gruppe Studenten hatte tags zuvor nach dem Besuch einer Kneipe beschlossen, den Abend mit ein paar Bierdosen ausklingen zu lassen. Es war nicht ungefährlich, sich nachts in Washington D.C. auf den Straßen herumzutreiben. Die einstige ‚Hauptstadt des Mordes', so ihr unrühmlicher Titel aus den späten Neunziger Jahren, war zwar etwas ruhiger geworden, aber bei weitem nicht sicher. Das allerdings war den jungen Leuten – vor allem in ihrem angeheiterten Zustand – herzlich egal. Ihre Sorge galt vielmehr der Staatsgewalt, denn sie wussten natürlich, dass es illegal war, in der Öffentlichkeit zu trinken und hatten sich deshalb mit ihrem Biervorrat in den Schutz eines Parks unweit des Kapitols zurückgezogen.

Als sich dort langsam eine Polizeistreife näherte, hatten sie sich schnell in die Büsche gedrückt. Keiner von ihnen legte schließlich Wert darauf, die Nacht in einer Ausnüchterungszelle verbringen zu müssen. Während ihre Freunde schnell nach links hinter eine Buchsbaumhecke sprangen, rannte Erika nach rechts zu einem riesigen Feuerdorn. Dort verfing sich allerdings ihre Bluse im Geäst, so dass sie stolperte, stürzte und rücklings in dem Strauch versank. Sie fluchte leise vor Schmerz, als sich unzählige Dornen in ihre Arme und Beine bohrten und ihr Gesicht zerkratzten. In dem Versuch, sich aufzurichten und aus den widerspenstigen Zweigen zu befreien, berührte sie einen seltsamen Gegenstand. Er war kalt, gab unter dem Druck ihrer Hände nach und war mit einer krustig-klebrigen Schicht überzogen. Angeekelt zog Erika ihre Hand zurück – und erkannte plötzlich, was da unter ihr lag. Sie sprang auf und spürte kaum noch die Dornen, die sich erneut in ihre Haut bohrten. Ihr ganzer Körper erbebte in einem einzigen, gellenden Schrei: Im fahlen Licht des Mondscheins sah sie den Oberschenkel einer nackten Frauenleiche. Die Haut war weiß und über und über zerkratzt. Geronnenes Blut überzog

Teile des Körpers als schwarze Schicht. Der Kopf war nicht zu erkennen, denn er steckte in einer Plastiktüte, die um den Hals festgezurrt war. Erika stand wie gelähmt da, unfähig, ihren Blick von der Leiche abzuwenden.

Plötzlich wurde Erika von hinten gepackt und zu Boden gedrückt. Die drei Polizisten im Streifenwagen hatten ihren Schrei gehört und sofort angehalten. Sie hatten einen Suchscheinwerfer und ihre Dienstwaffen auf die Studenten gerichtet und ihnen über Lautsprecher befohlen, sich auf den Boden zu legen. Washington D.C. war nachts ein heißes Pflaster, und es verging kaum ein Jahr ohne Polizistenmord. Deshalb gingen die Beamten hier nicht gerade zimperlich mit Verdächtigen um. Erika hatte in ihrer Panik die Anweisungen allerdings nicht gehört und konnte von Glück reden, dass sie nicht gleich einen Knüppel an den Kopf bekam. Als die Polizisten überzeugt waren, dass die jungen Leute zwar gegen das Alkoholgesetz verstoßen hatten aber ansonsten harmlos waren, ließen sie sie langsam wieder aufstehen und nahmen ihre Personalien auf. Auch Erikas Panik legte sich wieder, und sie führte einen der Polizisten zu der Frauenleiche.

Martin wusste nicht, was er mit sich und seinen Emotionen anfangen sollte. Es war eine Mischung aus schier unerträglichem Schmerz und ohnmächtiger Wut. Er hatte genug gehört. Für ihn war klar, dass es Kathy war, die man bestialisch ermordet hatte. Es gab sogar Gerüchte, sie wäre, während sie mit dem Tode rang, noch vergewaltigt worden. Anschließend hatte man sie wie ein wertloses Stück Fleisch in das Gebüsch eines Parks geworfen.

In diesem Moment klingelte das Telefon. An der Nummer erkannte Martin, dass es Steve war. Ansonsten hätte er heute sicher nicht abgehoben. Als die beiden Männer sich vor gut einer Woche verabschiedet hatten, hatte Martin Steve eins der Firmenhandys mitgegeben, um für ihn erreichbar zu sein. Unter normalen Umständen wäre das undenkbar gewesen.

Seither rief Steve jeden Tag bei Martin an, um sich nach Neuigkeiten von Kathy zu erkundigen. Heute zitterte seine Stimme, als er anfing zu sprechen: „Martin, ich habe gerade etwas von dem Mord an einer jungen Frau in den Nachrichten gehört …" Er stockte für ein paar Sekunden. „Weißt du Genaueres … Ist es Kathy?"

Erdrückende Stille war in der Leitung, bis Martin endlich antwortete: „Ich weiß es nicht. Die Identität der Toten ist noch nicht bestätigt. Wo bist du gerade? Ich schicke ein Fahrzeug vorbei und lasse dich abholen."

Etwa eine Stunde später betrat Steve Martins Büro. Bei dessen Anblick sah Steve bestätigt, was er ohnehin bereits ahnte.

„Warum hat man ihr das angetan?"

Er setzte sich Martin gegenüber, und die beiden Männer starrten lange Zeit wortlos in den Raum.

Lisa

Fast zwei Jahre später. Seit geraumer Zeit hatte Peter sich selbst weitere Fraueneskapaden erspart. Seine letzte Verabredung mit der Klassenkameradin war unterhaltsam verlaufen, aber platonisch. Anschließend war der Kontakt abgebrochen.

Seither ertappte er sich immer wieder dabei, dass er in Gesprächen mit Bekannten sagte, ihm fehle jegliche Zeit für eine Beziehung. Dabei war gerade er es, der stets betonte, der Spruch ‚Das würde ich gerne tun, habe aber keine Zeit dazu!' sollte aus dem Vokabular der Menschheit gestrichen werden. Er kannte sogar Übergewichtige, die behaupteten, sie machten keine Diät, weil ihnen die Zeit dazu fehle! Wie wäre es, wenn du einfach nicht mehr so viel in dich hineinstopfst?, würde er sie am liebsten fragen.

Stattdessen dachte er nur wütend ‚Was für ein Schwachsinn'. Jedem einzelnen Menschen stand ein Tag mit vierundzwanzig Stunden zur Verfügung, und in dieser Zeit ließ sich verdammt viel tun. Selbst wenn man davon acht Stunden für Schlaf abzog, blieben immer noch lange sechzehn Stunden übrig. Korrekterweise müsste es also heißen ‚Das ist mir nicht wichtig genug!' Aber natürlich konnte man seinen Freunden oder Verwandten schlecht sagen ‚Du bist mir nicht wichtig genug, ich gehe heute lieber Golf spielen!' Schließlich wollte man den anderen ja nicht gleich beleidigen. Somit würde der Satz ‚Ich habe leider keine Zeit' also weiterhin gang und gäbe bleiben, obwohl er kompletter Blödsinn war. Und nun nutzte er den Komfort dieser Ausrede sogar selbst.

Inzwischen hatte Peter sich damit abgefunden, sein Leben als Junggeselle zu verbringen und fühlte sich sogar wohl in dieser Rolle. Seine Tage waren mehr als ausgefüllt mit seinem Beruf und Sport. Es war kein Platz mehr für irgendwelche Romanzen, *denn er hatte ja keine Zeit dafür*. Zudem war ihm auch seit langer Zeit kein weibliches Wesen mehr über den Weg gelaufen, das tatsächlich sein Interesse erregt hätte. Irgendwann hatte er sich selbst eingeredet, dass die traditionelle Zweierbeziehung sowieso nicht mehr zeitgemäß sei.

Doch dann war er vor einigen Monaten Lisa begegnet, der neuen Lauftrainerin im Fitnessstudio. Bei einem der lockeren Ausläufe waren sie das erste Mal ins Gespräch gekommen. Eines Tages hatte Peter Lisa zu einem Drink eingeladen, und sie hatte spontan zugesagt. Seither waren ‚nur' weitere drei Wochen vergangen, bis sie einen passenden Termin gefunden hatten, doch jetzt saß er in seinem Wagen vor ihrer Wohnung, um sie abzuholen.

Gerade hatte er den Motor abgestellt und den wohl hundertsten Kontrollblick in den Spiegel geworfen. Die Frisur war immer noch in Ordnung, und selbst wenn das eine oder andere Haar nicht mehr exakt an seinem Platz liegen sollte, würde es außer ihm kaum jemandem auffallen. Er war eine Viertelstunde zu früh. Ungeduldig legte er eine CD von Rondo Veneziano ein und versuchte vergeblich, sich auf *La Serenissima* zu konzentrieren.

Bisher hatte Lisa meist vom Laufsport und er von seinen Reisen erzählt. Nichts besonderes, der übliche Smalltalk, allerdings durchsetzt mit einer feinen, neckenden Ironie, als Lisa zum Beispiel fragte: „Na, heute schon wieder hier? Du hast doch erst vor zwei Monaten das letzte Mal trainiert!"

„Es sind nur noch zwei Jahre bis zu den nächsten Olympischen Spielen, und langsam muss ich doch mit der Vorbereitung beginnen", war ihm glücklicherweise eine schlagfertige Antwort eingefallen, und beide hatten gelacht. Eines Tages hatten sie dann eine gemeinsame Leidenschaft entdeckt: Caipirinha!

Das würde wohl auch ihr Favorit des heutigen Abends sein. Peter wusste, dass Lisa einen Freund hatte, mit dem sie zusammenlebte. Sie hatte es einmal nebenbei erwähnt. Aber so oft, wie sie die Abendschicht der Trainingsbetreuung übernahm, konnte die Beziehung nicht im allerbesten Zustand sein. Außerdem spielte es auch keine Rolle, denn mehr als ein lustiger Abend sollte es schließlich nicht werden.

Er blickte erneut auf die Uhr. Noch fünf Minuten. Zum Zeitvertreib malte er sich aus, wie sie gerade im Bad vor dem Spiegel stand und ihre blonden Haare ein letztes Mal kämmte. Dann entschloss er sich, draußen auf dem Parkplatz zu warten. Als er ausstieg, empfing ihn unangenehm kalter Wind. Unwillkürlich schüttelte er sich. Doch statt wieder in den Wagen zu steigen, zog er lieber den Reißverschluss seiner Sportjacke ganz nach oben und steckte die Nase in den Kragen. Nur seine Augen blickten noch aus der Jacke hervor.

Das Wohnhaus lag in einer kleinen Siedlung am Stadtrand von Regensburg. Die meisten Familien hier draußen saßen gerade beim Abendessen oder hatten es sich bereits auf dem Sofa bequem gemacht. Dementsprechend ruhig war es auf den Straßen. Doch just in dem Moment kam ein Mann aus einem der Häuser und ging zu einem dunkelblauen Audi, der nur zehn Meter von Peter entfernt stand. Er balancierte einen Stapel Papiere auf dem Arm und hatte es offenbar eilig. Als er die Hintertür des Wagens öffnete, machte er eine ungeschickte Bewegung, und der ganze Stapel fiel zu Boden. Fluchend begann er, die verstreuten Blätter wieder einzusammeln. Gerade als Peter überlegte, ihm zu Hilfe zu eilen, hörte er hinter sich das dumpfe Klicken einer Haustür. Er drehte sich um und sah Lisa. Sollte der Typ sein Papier doch allein auflesen!

„Hallo Lisa, ich hoffe du hast einen warmen Mantel mitgebracht. Scheint eine kalte Nacht zu werden!“

Sie hatte wieder ihr charmantes, spitzbübisches Lächeln auf den Lippen und erwiderte: „Ich würde um diese Jahreszeit ein Abendessen beim Italiener einem Biergartenbesuch vorziehen!“

‚Biest', kribbelte es Peter auf der Zunge, doch stattdessen sagte er: „Na gut, mir soll ja keiner nachsagen, ich sei nicht flexibel. Wir disponieren einfach um, und du bekommst deine Spaghetti mit Knoblauchsauce, damit dir so kurz vor Halloween kein Vampir an den Kragen geht!"

Die beiden lachten und gaben sich den obligatorischen Willkommenskuss auf die Wangen.

„Komm, lass uns losfahren. Es ist wirklich ungemütlich heute!"

Ganz der Gentleman, öffnete Peter die Beifahrertür und ließ Lisa einsteigen. Als er anschließend um sein Auto herum zur Fahrerseite ging, sah er, dass der Audi mittlerweile weggefahren war, aber unter dem Nachbarwagen lagen noch zwei Blätter Papier. Einen Moment zögerte Peter, dann entschied er, mehr aus Neugierde denn aus Hilfsbereitschaft, rüber zu gehen. Er bückte sich und hob die Papiere auf. An einem der Blätter hing eine durchsichtige Klebelasche, in der eine Secure Digital Card steckte, eine SD-Karte zur Speicherung von Daten, meist in digitalen Fotokameras. Das andere Blatt schien ein belangloses Firmenmemo zu sein. Vielleicht kannte Lisa ja den Besitzer des Audis und konnte ihm die Sachen zurückgeben.

„Hast du etwas verloren?", fragte Lisa.

„Nein, aber ich habe gesehen, wie jemandem ein paar Unterlagen aus der Hand fielen", antwortete Peter. „Diese zwei Blätter hier hat er wohl übersehen. Kennst du vielleicht den Fahrer eines dunkelblauen Audis, der dort drüben wohnt?"

„Keine Ahnung, wer das ist. Ich kenn' so gut wie niemanden aus der Nachbarschaft", antwortete sie.

„Na gut, ich werde morgen überlegen, was ich damit mache."

Peter legte die beiden Blätter auf den Rücksitz. Dann drehte er den Zündschlüssel um und fuhr los.

„Wie gesagt", griff er den Faden von vorhin wieder auf, „wenn dein Herz daran hängt, wäre ich auch bereit, auf den Biergarten zu verzichten und mich mit einem Italiener zu begnügen. Ich kenne ein nettes kleines Lokal in der Innenstadt."

Lisa entgegnete dieses Mal nichts, sondern lächelte nur. Peter wertete das als Zustimmung.

Eine halbe Stunde später saßen sie im Halbdunkel einer gemütlichen Nische, bestellten zwei Nudelgerichte und eine große Schüssel italienischen Salat. Mit einem Glas Merlot stießen sie auf den Abend an und genossen das Essen. Als sie das Lokal gegen 23 Uhr verließen, wechselten sie in die *No. 9 Bar*.

„Zwei Caipies!", bestellte Peter, kaum dass sie an der Theke auf zwei Barhockern Platz genommen hatten. Als Lisa zehn Minuten später nur noch ein halbes Glas Eiswürfel vor sich stehen hatte, orderte Peter umgehend eine zweite Runde. Nachdem sie auch diese Gläser geleert hatten, fühlte zumindest er sich deutlich angeheitert. Eine weitere Runde dieses phänomenalen Wellnessdrinks, wie Lisa es nannte, würde sie beide wohl ins Reich der endlosen Belustigung katapultieren. Da Peter aber noch Auto fahren musste, ließen sie es dabei bewenden und bestellten nur noch Mineralwasser, bis sie sich einige Stunden später auf den Heimweg machten.

Zwar hatte Peter seinen Volvo gut unter Kontrolle, wollte aber dennoch lieber nicht in eine Polizeikontrolle geraten. Gegen 4 Uhr morgens standen sie wieder vor dem Haus, in dem Lisa wohnte. Die beiden sahen sich einen Augenblick wortlos in die Augen. Peter war nicht sicher, ob sie an dieser Stelle einen Kuss oder zumindest eine Umarmung erwartete. Der Abend war wundervoll gewesen, und er hatte sich amüsiert wie schon lange nicht mehr.

Potenzial für eine großartige Freundschaft? Ein Kuss, so fürchtete er, könnte alles verderben und das Ganze zu einer weiteren temporären Liebschaft degradieren. Das wollte er nicht riskieren. Und so sagte er bloß: „Gute Nacht, es war ein wirklich schöner Abend!"

Sie nickte, lächelte sanft und antwortete: „Schlaf gut, Peter!"

Damit schloss sie die Wagentür, und er sah ihr nach, wie sie über die Straße ging und in dem Haus verschwand, an dem er sie erst vor ein paar Stunden abgeholt hatte. Stunden, die verflogen waren wie Minuten und dennoch etwas in ihm verändert hatten. Peter fühlte ein leichtes Kribbeln im Magen, versuchte aber, es zu ignorieren und brummelte leise: „Ich habe keine Zeit für derartige Dinge …"

In diesem Moment wirbelte ein Windstoß einen Schwung trockener Blätter gegen die Windschutzscheibe, die Peter von seiner Grübelei ablenkten. Das Laub glitt langsam am Volvo entlang zu Boden, nur ein paar Blätter blieben auf der Motorhaube liegen. Noch hatte größtenteils die Sonne geschienen, doch bald würde das klassisch-trübe Novemberwetter beginnen. Die schönen Tage waren gezählt, und Peter wurde etwas wehmütig. Gleichzeitig fiel ihm auf, dass das Kribbeln in seinem Bauch nicht vergangen war. Er musste sich eingestehen, dass er sich verliebt hatte. Und das machte ihm Angst.

Als er wenig später den Motor startete, war er daher zu beschäftigt, um hinter dem Vorhang im dritten Stock den Schatten einer Gestalt zu bemerken, die sich jetzt abwandte und im Dunkel der Wohnung verschwand.

Die Drohung

Joseph H. Warner war nie ein Befürworter dieser Strategie gewesen. Doch er hatte sich nicht durchsetzen können und musste einmal mehr den Anschein wahren, hinter dem Entschluss zu stehen, der zu einer der tiefsten Krisen des Landes geführt hatte.

Ein eindeutiger Beweis dafür, welchen Schaden hirnlose Inkompetenz anrichten kann, wenn Macht in die Hände der falschen Personen gerät, dachte er. Ständige Kürzungen in der Sozialversicherung und eine weitere Anhebung der Steuerlast, was für ein Unsinn! All das hatte damals dazu geführt, dass aus Angst vor einem Bürgeraufstand eine Ausgangssperre verhängt worden war.

Abwesend starrte er aus dem Fenster und beobachtete, wie sich die Äste der Apfelbäume vom Wind bereitwillig hin und her schaukeln ließen. Die Unterhaltung der anderen Gäste nahm er nur als ein unangenehmes Rauschen wahr. Seine Gedanken kreisten in der Vergangenheit. Hätte er den Lauf der Dinge damals überhaupt beeinflussen können? Wer weiß. Aber wäre es nicht seine Pflicht gewesen, es wenigstens zu versuchen?

Das Verlangen, entsprechend seinen Bedenken zu handeln, war der Verlustangst zum Opfer gefallen: Die Neun-Zimmer-Villa in Potomac, der schicke Jaguar und die Aufnahme seiner Kinder an der Stanford Universität waren ihm zu wichtig gewesen, als dass er konsequent ein Veto eingelegt hätte. So viele Jahre hatte er hart an seiner Karriere gearbeitet, und er sah nicht ein, alles nur wegen einer kleinen persönlichen Schwäche namens Idealismus aufs Spiel zu setzen.

Joe war kein Feigling. Er war ein Mann mit Charisma und Charakter, doch er wusste, mit wem er sich anlegen würde und wozu diese Leute fähig waren. Um sich selbst machte er sich die wenigsten Sorgen, aber im Gegensatz zu den skrupellosen Widersachern war er verwundbar: Er liebte seine Familie. Nichts ging ihm über seine Frau Sherry und ihre Töchter Sarah und Kristen.

Manchmal überlegte er, ob dies der Grund dafür war, dass er es nicht ganz nach oben geschafft hatte. Möglicherweise waren echte Familienmänner nicht die Art von Persönlichkeit, die ein Land wie dieses zu seiner Führung brauchte. Andererseits täte etwas mehr Menschlichkeit durchaus Not. Wie dem auch sei, vermutlich wäre er so oder so nicht an einer bestimmten Figur vorbeigekommen. Zu berechnend hatte dieser Mann seine Machtübernahme vorbereitet, als dass irgendwer sie hätte verhindern können. Im Gegenteil. Leute, die ihm unbequem wurden, schaffte er elegant aus dem Weg. So auch Joe, dessen Karriere er zum Stillstand gebracht und ihn dort hinbefördert hatte, wo er praktisch nichts anrichten konnte. Der Titel seiner Position – Vizepräsident der Vereinigten Staaten von Amerika – klang zwar beeindruckend, aber das war auch schon alles. Denn per Definition hatte er dem Mann vor ihm zuzustimmen und dessen Meinung nach außen hin zu vertreten, egal, wie weit diese von seiner eigenen Überzeugung abwich.

Das Bitterste daran für ihn war, genau zu wissen, dass er eigentlich der Richtige für den Job gewesen wäre. Einzig und allein in puncto Kaltblütigkeit und Aufbau eines Unterstützer-Netzwerkes konnte er es nicht mit der tatsächlichen Nummer Eins aufnehmen.

So hatte sich also die Rangordnung manifestiert. Für Joe ging es nicht mehr darum, weiter aufzusteigen. Er hatte seine Position letztlich akzeptiert. Denn ihm war bewusst geworden, dass er zweifelsohne alles bisher Erreichte verlieren würde, falls er noch einmal einen Angriff starten sollte. Das Anerkennen gewisser Grenzen gehörte eben auch zu den Faktoren, die eine erfolgreiche Karriere ausmachten.

Nach dieser Erkenntnis hatte sich seine Einstellung grundsätzlich geändert. Seither kommunizierte er zuverlässig die

Meinung eines Mannes, den er nicht ausstehen konnte, in der Öffentlichkeit und fügte sich seinen Vorgaben. Ab und an widersprach er ihm schwach und leidenschaftslos, allerdings nur bei internen Versammlungen und nur in einem Maße, das ihm jederzeit den Weg zum Rückzug offen ließ. Ansonsten machte er kein großes Aufsehen um seine Person und war sich sicher, dass eine beträchtliche Zahl der Bürger nicht einmal seinen Namen kannte. Kurzum, er tat gerade das Notwendigste, um den Anschein einer Persönlichkeit zu wahren und setzte sich nach getaner Arbeit in seinen Jaguar, um auf den Golfplatz zu fahren und dort seine Emotionen auszuleben. Er hatte sein Schicksal akzeptiert und damit zu einer gewissen Zufriedenheit gefunden.

Was seine politische Karriere betraf, schien Joe keine Ambitionen mehr zu haben. Hinter den Kulissen sah es jedoch anders aus, und wenn er ehrlich war, hatte er nur auf diese Gelegenheit gewartet, die sich auftat, als dieser Anruf vor etwas mehr als vier Jahren spät abends kam. Martin war ein alter Bekannter aus Jugendtagen, und auch während des Studiums waren sie ständig in Kontakt geblieben. Als Martin später Chefredakteur bei einer überregionalen Tageszeitung geworden war, hatte er regelmäßig über Joes Medienauftritte berichtet und so dessen Karriere erst richtig ins Rollen gebracht. Dann hatten sich ihre Wege abrupt getrennt.

Nun hatte Martin ihn um Unterstützung bei einem ungewöhnlichen Plan gebeten, der ohne Joes Mitwirkung nicht realisierbar sein würde, allerdings ein enormes Risiko für ihn barg. Zwar hatte Joe sich nicht sofort entschieden, aber er spürte, dass dies seine Chance war, ein Versäumnis aufzuarbeiten. Am nächsten Tag hatte er zugesagt. Die Weichen waren gestellt.

Seither war die Angst aufzufliegen sein ständiger Begleiter. Dennoch empfand er endlich die lange vermisste innere Befriedigung. Diese Befriedigung half ihm vor allem in solchen Augenblicken, wenn er mit Themen konfrontiert wurde, die er vollkommen anders gelöst hätte. Der Krieg im Mittleren Osten war nicht sein Krieg, es war überhaupt nur der Krieg einer einzigen Person. Für diese Person starben täglich Dutzende Menschen, und ein Ende war nicht absehbar. War es Selbstherrlichkeit, die Verschleierung diverser Skandale oder eine schwächelnde Wirtschaft gewesen, die zu dieser Einmischung geführt hatten? Egal, das spielte keine Rolle mehr. Jetzt war guter Rat teuer, denn eine Lösung des Konflikts rückte mit jedem Raketenangriff in immer weitere Ferne. Unzählige Steuermilliarden wurden für die Rüstungsindustrie verschwendet, während die Bevölkerung im eigenen Land den Gürtel ständig enger schnallen musste. Und während man sich hier Champagner und Hummer munden ließ, ging dort das Sterben weiter. Wenigstens wird das Land jetzt vom so genannten Bösen befreit, dachte er sarkastisch, und ein kurzes, emotionsloses Lächeln huschte über seine Lippen.

Während Joe darüber grübelte, nahm er den letzten Schluck Champagner aus seinem Glas und machte sich auf den Weg zum Buffet. Dort legte er drei Scheiben geräucherten Lachsfilets auf einen Teller, die er mit zwei Löffeln Kaviar dekorierte. Dazu holte er sich noch zwei Scheiben knusprigen Weißbrots.

„Na Joe, wie geht's?“

Warner blickte auf und sah in das Gesicht des Mannes, von dem er gehofft hatte, möglichst nicht angesprochen zu werden.

„Ausgezeichnet“, entgegnete er und setzte ein schiefes Lächeln auf, das die Verachtung, die er seinem Gegenüber entgegenbrachte, nur ansatzweise verhüllte.

„Lass uns auf einen Plausch in den Wintergarten gehen.“

Joseph H. Warner ließ sich von einer hübschen Bedienung ein neues Glas Champagner geben. Dann folgte er seinem Chef nach draußen. Dort schloss dieser eigenhändig die große Doppelglastür, bevor er sich in einem der großen Rattansessel niederließ.

„Joe, es ist mal wieder an der Zeit, sich zu unterhalten. Ich bin mir sehr wohl bewusst, dass du trotz aller Meinungsverschiedenheiten immer loyal zu mir warst."

Oha! Er will offensichtlich schnell auf den Punkt kommen, dachte Warner, während er sein Gegenüber zwar nicht anblickte, ihm aber umso aufmerksamer zuhörte.

„Ein Mann in meiner Position muss gewisse Entscheidungen treffen, die oft nicht leicht sind und schwer vorhersehbare Folgen haben können. Das oberste Gebot dabei ist allerdings, eine einmal getroffene Entscheidung mit aller Konsequenz durchzuziehen. Wie du weißt, werden Rückzieher von Opposition und Kritikern gern als Schwäche ausgelegt, und wer will schon einen Schwächling an der Führungsspitze haben?"

Worauf, zum Teufel, will er jetzt hinaus?, überlegte Joe. Er setzte sich bewusst senkrecht auf, denn ihm war klar, dass dieses Gespräch kein gutes Ende nehmen konnte.

„Nun gut, wie gesagt, ich habe deine Loyalität immer geschätzt, Joe, und auch wenn sie nicht immer von Herzen kam, hast du dich zumindest in der Öffentlichkeit stets hinter mich gestellt. Das ist auch der Grund dafür, warum ich dich nach wie vor als meinen Stellvertreter gehalten habe. Du weißt, dass wir in dieser prekären Lage nichts dem Zufall überlassen können und uns mit allen zur Verfügung stehenden Mitteln bestmöglich absichern müssen."

An dieser Stelle legte er eine Pause ein und sah Joe durchdringend an. Dieser blickte ihm herausfordernd in die Augen.

„Also gut", fuhr der Präsident in eisigem Tonfall fort, „verschiedene Hinweise deuten darauf hin, dass du einen Schwachpunkt darstellst und unsere Arbeit gefährdet, auch wenn momentan noch keine konkreten Maßnahmen erforderlich zu sein scheinen."

Dann fügte er etwas sanfter hinzu: „Sei nicht dumm, Joe. Du weißt, deine Waffen sind nicht scharf genug, um großen Schaden anzurichten, aber ich lasse mir von dir auch meine Pläne nicht durchkreuzen. Es wäre gut, wenn du dich vorübergehend irgendwohin zurückziehen würdest, am besten auf eine Insel und außer Reichweite der Presse. Wenn du wieder bereit bist, mit uns an einem Strang zu ziehen, wird auch deine Familie dankbar sein, wenn sie sich keine Sorgen mehr um dich machen muss."

Während der folgenden Pause sahen die Männer einander nicht an, sondern starrten aus dem Fenster.

Kalt lächelnd fuhr der Präsident schließlich fort: „Eines solltest du aber immer bedenken: Ich habe einen langen Atem und hoffe im Hinblick auf unsere langjährige Zusammenarbeit, dass du nichts Unüberlegtes tust. Was würde wohl deine Frau dazu sagen?"

So ein Arschloch!, dachte Joe, diese Drohung konnte er sich wohl nicht verkneifen.

Sein Blut rauschte wie ein wilder Gebirgsfluss durch seine Adern, und nur mit Mühe gelang es ihm, seine Fassade aufrechtzuerhalten. Er ließ die letzte Scheibe Räucherlachs auf dem Teller liegen. Der Appetit war ihm vergangen. Nur das Champagnerglas leerte er in einem Zug, denn seine Kehle war trocken geworden.

Irgendetwas war dem Präsidenten also zu Ohren gekommen. Fragte sich nur, was. Man nannte die Dinge in diesen Kreisen nie beim Namen, sondern machte nur Andeutungen. Das war sicherer, falls etwas unerwünschte Folgen hätte. Außerdem galt es als dumm, die unverblümte Wahrheit auszusprechen.

Ob er etwas von der Existenz des Bündnisses weiß?, fragte sich Joe. Er hatte sich stets bemüht, im Hintergrund und verdeckt zu agieren. Allerdings war das nicht immer möglich gewesen. Gewisse Gespräche hatte er einfach persönlich führen müssen, wobei die Diskretion der Gesprächspartner zuvor doppelt und dreifach überprüft worden war. Für Telefonate hatte er ausschließlich eine private, sichere Leitung genutzt. Er war sich jedoch bewusst, dass auch das keine Garantie war, wenn man es mit Gegnern dieses Kalibers zu tun hatte. Möglicherweise wurde er sogar vom FBI überwacht.

Es war nicht die Tatsache, dass ihm selbst gerade gedroht worden war, die ihn derart erregte. Dazu war er schon zu lange im Geschäft. Was ihn wirklich aus der Fassung brachte, war die Andeutung, seine Familie mit hineinzuziehen.

Mühsam kontrollierte er sich und sagte ruhig: „Ja, Sir, ich werde Sie über meine weiteren Pläne unterrichten."

Joseph H. Warner, dem sonst so souverän auftretenden Mann von Welt fiel es schwer, seine Emotionen zu verbergen. Aber den Triumph, Angst zu zeigen, würde er seinem Gegenüber nicht gönnen.

Er stand auf und verließ den Wintergarten und den Empfang.

Der Anfang

Als Peter um 9:20 Uhr erwachte, dachte er bereits an Lisa. Er seufzte, und während er sich aus dem Bett quälte, murmelte er: „Es gibt wohl Dinge, bei denen man einfach nichts dazu lernt – egal, wie alt man wird!"

Im Badezimmer stopfte er sich seine Zahnbürste in den Mund und ging so in die Küche zur Espressomaschine. Selbst an einem Sonntag wie heute kam es äußerst selten vor, dass er länger als bis 6 Uhr schlief. Gestern war es allerdings spät geworden, viel später als er es gewohnt war, und deshalb hatte auch sein innerer Wecker nicht funktioniert.

Während er den Mund ausspülte, brachte der Kaffeeautomat seine Heizkreise auf Betriebstemperatur – genau wie Peter seine Gehirnwindungen. Er ließ den gestrigen Abend noch einmal Revue passieren und lächelte bei dem Gedanken daran, wie Lisa ihn angestrahlt hatte. Da fielen ihm plötzlich die beiden Blätter ein, die der Audifahrer fallen gelassen und übersehen hatte. Die Blätter mit der SD-Karte lagen nach wie vor in seinem Auto. Während er die Milch für seinen allmorgendlichen Cappuccino aufschäumte, beschloss er, sie sich gleich nach dem Frühstück einmal anzusehen.

Das typische Junggesellen-Apartment, in dem Peter wohnte, lag im inneren Westen von Regensburg in begehrter Lage. Innerhalb von zehn Minuten gelangte man ins Stadtzentrum, und wer es darauf anlegte, hatte dort unzählige Kneipen zur Auswahl. Irgendjemand hatte ihm einmal erzählt, dass Regensburg die Stadt mit der höchsten Kneipendichte des Landes sei. Zwar machte Peter von diesem Vorteil in den letzten Jahren nicht mehr allzu oft Gebrauch, aber wenn doch, beruhigte ihn die Gewissheit, notfalls nur einen Katzensprung vom eigenen Bett entfernt zu sein.

Die Philosophie, die hinter seiner stadtnahen Wohnung stand, setzte sich auch innerhalb der Wände konsequent fort, ohne jedoch ein Gefühl der Enge aufkommen zu lassen. Es waren genau elf Schritte vom Bett bis zur Toilette, von dort waren es fünf Schritte bis zur Kochnische, wo auch der Kaffeeautomat stand, und noch einmal drei zum Sofa. In Reichweite des Sofas stand der Esstisch, auf dem wiederum der Stammplatz seines Notebooks war. Dass er sich die Distanzen in seiner Wohnung so genau eingeprägt hatte, verdankte er einer Zeit, in der er mit Gipsbein unterwegs und froh über die räumliche Nähe gewesen war. Die drei Fahrräder, diversen Sportklamotten und vier Paar Schuhe, die üblicherweise im Flur der Wohnung lagerten, hatte er damals allerdings aus Sicherheitsgründen auf die Dachterrasse verbannt.

Wie üblich schlüpfte er nach der ersten Tasse Kaffee in seine Trainingshose, um die Zeitung aus dem Briefkasten zu holen. Heute allerdings wollte er bei der Gelegenheit auch die beiden Blätter aus dem Auto holen und nachschauen, ob sie einen Hinweis auf den Besitzer enthielten.

Wieder zurück am Küchentisch legte Peter die Zeitung achtlos beiseite und inspizierte seinen Fund. *2 Gigabyte*, stand auf dem silbrig spiegelnden Etikett der SD-Karte. Das ist ja heutzutage gar nichts mehr, ging es ihm durch den Kopf, als er den kleinen blauen Plastikchip in die Hand nahm, um ihn genauer zu betrachten. Kein Label, keine weitere Beschriftung, keinerlei Hinweis auf Inhalt oder Herkunft. Eine ganz normale Speicherkarte, wie sie täglich zu Tausenden auf der ganzen Welt verkauft werden, dachte Peter, während er den Chip in den Kartenleser seines Notebooks steckte. Als er ein Fenster des Dateimanagers öffnete, erschienen darin gut ein Dutzend Dokumente.

Projekt-Optimierung, Projekt-Analyse, Projekt-Leistung und etliche andere mit ähnlicher Namensgebung. Nur eine Datei stach Peter auf Anhieb ins Auge: die *Namensliste*.

Eines hatten alle Dateien gemeinsam: das kleine gelbe Symbol eines Schraubstocks als Zeichen dafür, dass sie komprimiert waren.

Da Peters PC selbstverständlich über das Komprimierungsprogramm WinZip verfügte, machte er einen Doppelklick auf *Projekt-Analyse*, um die Datei zu öffnen. Einem kurzen Brummton des Lautsprechers folgte die Fehlermeldung *Bitte geben Sie das Passwort ein.*

„Verdammt!", entfuhr es Peter, „die Dateien sind verschlüsselt!"

Er startete den Webbrowser und tippte *Dateiverschlüsselungen mit WinZip* in die Eingabezeile der Suchmaschine ein.

Einträge zu diesem Thema gab es offensichtlich mehr als genug, bis er allerdings etwas von Relevanz gefunden hatte, verging fast eine Viertelstunde. Einer der Verweise brachte ihn zu einem Hacker-Forum. Hier diskutierten Computerfreaks aus der ganzen Welt verschiedene Verschlüsselungstechnologien mehr oder weniger öffentlich – und natürlich auch, wie diesen beizukommen war. Es gab sogar eine Seite für den Upload von verschlüsselten Dokumenten. Sobald man eine Datei dort hinterlegt hatte, konnte jedes angemeldete Mitglied der Hackergemeinschaft sein Glück damit probieren und versuchen, die verschlüsselten Daten zu knacken. Peter klickte sich durch das Anmeldeprozedere und war kurz darauf registriert.

Peter, Peter123 und ein paar andere geläufige Varianten seines Namens waren als Login-Namen bereits vergeben, und so meldete er sich schließlich als *SeppvonderAlm* an. Nun war er in der Lage, seine verschlüsselten Dateien den Hackern der Welt zu Übungszwecken bereitzustellen. In diesem Moment überkamen ihn Skrupel, schließlich waren es nicht seine Dateien, die er hier im Begriff war, öffentlich zu machen. Aber war es eigentlich illegal, so etwas zu tun? Und wenn schon; wer würde sich darum scheren? Die Nutzer dieses Forums waren doch reine Technikgeeks, für die nur die Herausforderung zählte, den Code zu knacken.

Heutzutage war es nichts Besonderes mehr, Informationen ins Netz zu stellen, die man früher lieber nicht mit der Öffentlichkeit geteilt hätte. Das Internet mit seiner Pseudoanonymität ließ die Hemmschwelle sinken. Gerade in Foren wurde vieles herumgereicht, das entweder die Grenzen der Legalität oder zumindest des guten Tons überschritt. Und was sollte auf dieser Karte schon großartig gespeichert sein?

Peter wollte keine Zeit mehr verlieren, markierte die Datei Namensliste und klickte auf die Schaltfläche ‚Upload'.

Kontakt

Nachdem Peter die Datei online gestellt hatte, stand er auf und sah aus dem Fenster. Der strahlend blaue Himmel kündigte einen herrlichen Tag an, und er beschloss kurzerhand, etwas Mountainbike zu fahren. Zu gerne hätte er dieses Vergnügen mit Lisa geteilt, und so griff er zum Telefon. Das Gespräch war nett, aber kurz. Da sie gerade in die Vorbereitungen für eine Familienfeier eingebunden war, hatte Lisa es eilig. Immerhin war es Peter gelungen, ihr eine Pauschalzusage für den nächsten sonnigen Tag zu entlocken.

Ein paar Anrufe und eine Stunde später war Peter gemeinsam mit ein paar Freunden und seinem Fahrrad in einem nahe gelegenen Waldstück auf Tour. Die Ausfahrt dauerte fast drei Stunden, und im Anschluss daran gingen sie noch in einen Biergarten, um die leeren Körperspeicher mit Wurstsalat und Weißbier wieder aufzufüllen.

Gegen 19 Uhr löste sich der Kreis auf, und Peter machte sich auf den Nachhauseweg. Dort angekommen stellte er sich kurz unter die heiße Dusche, bevor er den Computer hochfuhr.

Als er seine eMails abrief, blinkte plötzlich das kleine Fenster eines Messenger Programms auf seinem Bildschirm. Erstaunt runzelte er die Stirn, bis ihm klar wurde, um was sich dabei handelte. Er erinnerte sich, dass er die Applikation vor einiger Zeit im Zuge eines Downloads installiert und sich gleichzeitig angemeldet hatte. Die Tatsache, dass sich das Programm automatisch lud, sobald er seinen Rechner startete, war ihm allerdings nicht bewusst gewesen.

„Hi, SeppvonderAlm, wie geht's?", las Peter und kratzte sich verdutzt am Hinterkopf. Absender war ein gewisser *Murdock7*. Peter war sich sicher, diesen Benutzernamen in seinem Bekanntenkreis noch nie gehört zu haben. Neugierig, wer ihn hier kontaktierte, tippte er kurz zurück: „Gut, und dir?"

Nicht gerade kreativ, dachte er, aber etwas Besseres war ihm auf die Schnelle nicht eingefallen.

„Bist du in Deutschland?", kam prompt zurück. Peter wunderte sich, woher der Typ das wusste, dann fiel sein Blick auf seinen Screennamen, und er schmunzelte.

„Klar, wo sonst wohnt SeppvonderAlm? Wo bist du?"

„USA, Virginia!"

Es war diese ungezwungene Art der Kommunikation, die ihn an diesen Internetchats faszinierte.

Die beiden tauschten noch ein paar Banalitäten aus, bis Murdock7 Peter mit einer weiteren Frage überraschte.

„Konntest du die Datei inzwischen öffnen?"

Peter erschrak. Woher weiß der Typ von der Speicherkarte?, fragte er sich, doch dann fiel ihm wieder ein, dass er ja die Datei im Internet hochgeladen hatte. Murdock7 war also vermutlich ein Hacker, der in dem Forum auf seinen Eintrag gestoßen war.

„Nein, hast du es schon mal probiert?", antwortete Peter spürbar erleichtert.

„Nein! Ehrlich gesagt wollte ich nur wissen, wer so ein triviales Ding in ein Hackerforum einstellt."

„Wieso, was ist so seltsam daran?"

„Na, hör mal. Das ist, als ob du einen Mathematiker nach dem Satz des Pythagoras fragst!"

„Oh, okay. Hört sich an, als ob du ein Fachmann wärst. Kannst du mir weiterhelfen?"

„Dein Ding ist nur eine Zip-Datei – nicht wirklich spannend! Muss jetzt aber los. Viel Spaß noch damit."

„Bis dann!"

Genauso unerwartet wie der Chat begonnen hatte, war er wieder beendet. Ein komischer Kauz, dieser Murdock7, wunderte sich Peter. Das Knurren seines Magens brachte ihn allerdings auf andere Gedanken. Während er im Kühlschrank nach etwas Essbarem suchte, kamen ihm Zweifel, ob es nicht zu dreist gewesen war, die Datei einfach in ein Forum zu stellen. Der kurze, wenn auch harmlose Chat von eben war ihm nicht ganz geheuer, und er beschloss, die Datei demnächst von dieser Website zu löschen. Damit wäre die Spur zu ihm zwar nicht endgültig verwischt, aber bei diesem Gedanken fühlte er sich zumindest besser.

Er belegte ein Stück Brot mit Tomatenscheiben und Mozzarella. Dann goss er etwas Traubensaft in ein Glas und füllte den Rest mit Mineralwasser und Apfelsaft auf. Das sollte genügen, um für eine weitere Stunde vor dem Computer gewappnet zu sein. Als er sein eMail-Programm öffnete, hatte er fünf neue Nachrichten. Drei davon waren Spam, eine stammte von einem unbekannten Absender, und die letzte kam von Murdock7!

Sie war heute Nachmittag gegen 15:45 Uhr abgeschickt worden, also ein paar Stunden vor ihrem Chat. Peter fragte sich, ob er sich darüber wundern sollte, woher dieser Typ seine Adresse wusste, entschied dann aber, dass es in der heutigen Zeit wohl ein Kinderspiel war, alle relevanten Kontaktdaten von anderen Personen im Web zu finden.

Dem scheint es wirklich langweilig gewesen zu sein, dachte Peter und öffnete die Nachricht. Die Absenderadresse lautete *Hack4Fun*, und der Text war typisch für einen jugendlichen Computerfreak.

„Hey Pal, habe hier vielleicht was für dich." Anschließend folgte eine Webadresse.

Na hoffentlich kein Virus, ging es Peter durch den Kopf, aber er war mittlerweile neugierig genug geworden, um das Risiko in Kauf zu nehmen und klickte auf den Link. Prompt öffnete sich eine chaotisch aussehende Seite. Deren Betreiber hatte offensichtlich keinen großen Wert auf Design oder Layout gelegt. Genau wie bei der Seite, auf der er die Namensliste zuvor eingestellt hatte, handelte es sich um ein Forum. In der Mitte der Seite war ein Suchfeld, und da er nicht recht wusste, was er als nächstes tun sollte, tippte er dort einfach das Wort ‚Zip' ein. Das Suchergebnis listete etliche Forenbeiträge auf. Gespannt klickte er wahllos auf einen der Einträge.

Dessen Verfasser machte sich mehr oder weniger über die Technik des Passwort-Mechanismus von Zip-Dateien lustig, hatte dann aber doch eine Batchdatei bereitgestellt, die diesen Schutz angeblich innerhalb von ein paar Sekunden unwirksam machte. Peter klickte auf ‚Download' und speicherte die Datei auf seiner Festplatte. Dann legte er die SD-Karte ins Laufwerk. Es dauerte nur ein paar Augenblicke, und das Dokument war entschlüsselt.

Die Excelliste auf seinem Bildschirm enthielt etwa fünfzig Namen. Keiner davon kam ihm bekannt vor. Der Schreibweise nach zu urteilen handelte es sich hauptsächlich um Amerikaner, aber auch ein paar deutsche und asiatische Namen waren darunter. Ein weiteres Feld enthielt verschiedene Zahlen und Buchstaben.

Die Einträge begannen mit den Anfangsbuchstaben der jeweiligen Vor- und Nachnamen. Anschließend folgten sechs Zahlen und zum Schluss drei weitere Buchstaben – offenbar eine Art Personenkennziffer.

„Hm …", murmelte Peter. „Keine Ahnung, was das bedeuten soll, aber wirklich informativ sieht das nicht gerade aus."

Zwar waren zwei der Einträge blau und einer rot markiert, doch da ihm auch diese Namen unbekannt waren, schloss er die Datei und machte sich daran, die nächste mit Hilfe des Programms zu entschlüsseln.

Er entschied sich für *Projekt-Optimierung*. Es dauerte ebenfalls nur eine knappe Minute, und das Dokument lag geöffnet auf seinem Bildschirm. Diesmal war es ein Microsoft Word Dokument. Die Überschrift war identisch mit dem Namen der Datei, darunter stand abermals eine Nummern- und Buchstabenkombination: zwei Buchstaben, sechs Zahlen und drei Buchstaben. Ob es eine Verbindung zwischen den Dokumenten gab?

Peter begann, die ersten Zeilen des Dokuments zu lesen; es handelte sich um das Besprechungsprotokoll einer Firma. Der Aktienkurs des Unternehmens war stark eingebrochen, und die verantwortlichen Manager waren in Erklärungsnot geraten. Umsatz und Auftragsvolumen lagen zwar im grünen Bereich, aber die Wachstumszahlen hatten nicht den Erwartungen der Analysten entsprochen. Also hatte man entschieden, verschiedene Bereiche umzustrukturieren und zweitausendfünfhundert Beschäftigte zu entlassen. Im weiteren Verlauf des Meetings ging es darum, wie dieser Beschluss in die Realität umgesetzt werden sollte.

Peter hatte vorerst genug gesehen. Garantiert war dieses Dokument nicht für die Öffentlichkeit gedacht. Doch dann fiel ihm sein derzeitiger Auftrag ein. Passte dieses Dokument nicht wie die Faust aufs Auge dazu? War das nicht genau eins der Probleme, die er adressieren sollte? Allein der Gedanke daran machte ihn wütend.

„Shareholder Value!", presste er verächtlich hervor.

Heutzutage reichte es nicht mehr, wenn eine Firma profitabel war und Gewinne abwarf. Sobald ein Unternehmen erst einmal an der Börse notierte, richtete es all seine Aktivitäten nur noch darauf aus, für die Aktionäre den Unternehmenswert zu erhöhen und eine satte Dividende auszuschütten.

Entlassungen von Mitarbeitern, die einst als wertvolles Gut angesehen waren, wurden jetzt als effektives Werkzeug genutzt, um kurzfristige Einsparungspotenziale zu realisieren. Und daher rührte auch der Trend der letzten Jahre, dass Unternehmen trotz hoher Gewinne immer wieder Mitarbeiter entließen. Dieses Vorgehen führte dazu, dass es kaum noch langfristige, gesunde Strategien gab und die Unternehmen allmählich marode wurden. Allerdings interessierte das die karrierehungrigen Neuzeitmanager wenig. Hauptsache, der Börsenkurs stieg, und sie kassierten ihren Bonus.

Peter hielt den Kapitalismus schon lange nicht mehr für ein stabiles System und sagte seine Meinung auch mehr als deutlich, wann immer sich Gelegenheit dazu bot. Er glaubte fest, dass Monopole, Mehrwertanhäufungen und Shareholder Value das

System früher oder später zu Fall bringen würden. Von daher war dieses Protokoll für ihn natürlich hoch interessant, und er überlegte, wie er diese Informationen nützlich, aber dennoch legal verwerten konnte.

Während er gedankenverloren auf den Monitor starrte, fiel sein Blick auf die Zeitanzeige: kurz nach Mitternacht. Unwillkürlich musste er gähnen. Doch sein Gehirn arbeitete nach dieser Entdeckung noch immer auf Hochtouren. So schnell würde er nicht in der Lage sein, abzuschalten und einzuschlafen. Er entschied sich, eine letzte Datei zu öffnen. Wieder startete er das Batchprogramm und entschlüsselte diesmal *Projekt-Leistung*.

Das Dokument handelte von dem geplanten Verkauf eines verlustbringenden Unternehmensteils. Verschiedene Randbedingungen dazu wurden geschildert, und Peter schluckte ein ums andere Mal, als er die Seiten überflog und sah, was man hier vorhatte.

Es fiel ihm schwer, sich zu konzentrieren, und er gähnte immer häufiger. Die Buchstaben begannen schon, vor seinen Augen zu tanzen, als er sich endlich entschied, zu Bett zu gehen. Eines jedoch war klar: Die vorliegenden Informationen waren hoch sensibel und konnten in den falschen Händen immensen Schaden anrichten. Selbst als er endlich im Bett lag, dauerte es noch eine ganze Weile, bis er sich beruhigt hatte und einschlafen konnte.

Der Entschluss

Warner brauchte Zeit. Zeit zum Nachdenken und noch mehr Zeit, um wieder einen kühlen Kopf zu bekommen. Nach dem, was er gerade gehört hatte, wurde er von einem Strudel wild umherwirbelnder Gedanken beherrscht. Wortlos ging er durch den Raum an den anderen Gästen vorbei und verschwand durch die Tür. Draußen ließ er den Jaguar von einem der Parkplatzeinweiser vorfahren, dann machte er sich auf den Weg in Richtung Golfplatz. Die Driving Range war sieben Tage die Woche geöffnet, und seine Golfausrüstung lag wie immer im Kofferraum bereit. Er fuhr den Parkway entlang zum Stadtrand. Sein favorisierter Golfplatz lag etwa dreißig Minuten außerhalb der Stadt. Normalerweise entspannte er sich schon unterwegs, sobald er entlang der Straße die üppige tiefgrüne Vegetation und vor seinem geistigen Auge den Tee-Off vor sich sah. Anders an diesem Tag. Die Worte des Präsidenten gingen ihm immer wieder durch den Kopf, während er langsam die Zubringerstraße entlang fuhr. Erst am Capital Beltway trat er das Gaspedal durch. Der V8 des Jaguars fauchte heiser, und der Drehzahlmesser reagierte mit einem geschmeidigen Sprung.

Joe fühlte, dass er an einem Punkt in seinem Leben angelangt war, an dem er die Kontrolle über gewisse Dinge zu verlieren drohte. Diese Erkenntnis machte ihm Angst.

Die Entscheidung, die es zu treffen galt, würde nicht nur Konsequenzen für sein eigenes Leben haben, sondern zwangsläufig auch für das seiner Familie. Dann bog er auf den Parkplatz vor dem Clubhaus ein. Wie gewöhnlich war es hier draußen um diese Zeit sehr ruhig, und obwohl es ein lauer Abend war, fröstelte ihn, als er seine Ausrüstung aus dem Kofferraum nahm. Dann füllte er am Ballautomaten einen Eimer mit Bällen und ging zur Driving Range hinüber. Dort zog er den Driver aus der Golftasche und legte einen Ball für den ersten Schlag zurecht. Dann stellte er sich in Position und schwang den

Schläger durch. Mehr gab es zur Qualität des Schlages nicht zu sagen. Ein Ball nach dem anderen stieg in den schwarzen Himmel über der gut ausgeleuchteten Driving Range. In jedem einzelnen dieser Schläge lag die ganze Kraft, die einem Mann in seinem Alter noch zur Verfügung stand, und jeder davon war miserabler als der vorherige. Doch das war zweitrangig, denn heute Nacht ging es nicht um Präzision. Mit jedem verschlagenen Ball vertiefte sich sein Entschluss. Ein Entschluss, der Veränderung bringen würde. Veränderung für ihn selbst, seine Familie und möglicherweise für viele andere Menschen. Dann war der Eimer leer, und Dutzende von Bällen lagen kreuz und quer auf und neben der Driving Range verteilt. Ganze vier Schläge waren akzeptabel gewesen, der Rest für die Katz – die schlechteste Ausbeute seit langem. Dennoch fühlte Warner sich erfolgreich.

Golf ist eine Frage der Konzentration, und genau damit hatte er heute Abend das größte Problem. Schließlich hatte man nicht nur ihm selbst gedroht, sondern auch seiner Familie. Und das hatte ihn aus der Fassung gebracht. Doch ein Mann wie er ließ sich nicht einfach so vor den Kopf stoßen. Das wird Konsequenzen haben, dachte Warner grimmig, während er die Ausrüstung zurück in den Kofferraum legte. Die Schläge auf der Driving Range hatten ihren Zweck erfüllt: Sein Gehirn arbeitete jetzt wieder rational, kalkulierend und mit der gewohnten Präzision. Die ganze Zeit über hatte er die Gesichter seiner Töchter und seiner Frau vor Augen gehabt. Wie könnte er es jemals verwinden, wenn ihnen etwas zustoßen sollte, oder – viel schlimmer – aufgrund seines Verhaltens etwas angetan würde?

Joe war ein erstklassiger Politiker, er konnte gnadenlose Entscheidungen treffen und hatte viele seiner politischen Gegner eiskalt auflaufen lassen. Aber es gab auch eine menschliche Seite an ihm, und Leute, die es seiner Ansicht nach verdient hatten, diese kennen zu lernen, liebten Joe dafür.

Nachdem die Panik gewichen war und der Entschluss gefasst, stieg jetzt langsam Wut in ihm empor. Zu lange war dieser widerliche Mistkerl ihm ein Dorn im Auge gewesen, zu lange hatte er das Vertrauen anderer missbraucht, und vor allem hatte er viel zu lange mit seinem Egotrip der Welt geschadet.

Joe ließ sich in den grauen Ledersitz des Luxusgefährts sinken und startete den Motor. Als er in den Rückspiegel blickte, stockte ihm für ein paar Sekunden der Atem: Die Falten auf seiner Stirn waren tiefer geworden. Das grau melierte Haar schien noch eine Stufe grauer als sonst, aber am meisten fiel ihm der Ausdruck seiner Augen auf. Es war nicht mehr der eines gewieften Politikers, der mit Charme, Witz und messerscharfer Intelligenz jede Situation zu einem positiven Ausgang bringen konnte. Nein, jetzt sah er einen neuen, ihm unvertrauten Schein in seinen dunkelbraunen Augen. Ist das der Blick eines Verrückten?, fragte er sich selbst. Nein, entschied er. Das ist der Blick wilder Entschlossenheit, einen Plan in die Tat umzusetzen!

Die Liste

Um 7:15 Uhr ertönte der Weckalarm von Peters Mobiltelefon, und als er durch das penetrante Piepsen endlich wach wurde, fühlte er sich wie gerädert. Zwei Nächte hintereinander hatte er schlecht geschlafen. Dennoch durfte er keine Zeit verlieren, denn in einer dreiviertel Stunde musste er bei einem Termin sein.

Innerhalb von fünfzehn Minuten war er geduscht und rasiert. Zähneputzen und Ankleiden nahmen weitere zehn Minuten in Anspruch, und nachdem er noch eine Packung Müslikekse als Wegproviant eingesteckt hatte, war er Punkt 7:45 Uhr abfahrbereit. Während er im Aufzug in die Tiefgarage fuhr, blickte er auf das Display seines Mobiltelefons und sah, dass Lisa ihm gestern noch eine Gute-Nacht-SMS geschickt hatte.

Zuerst lächelte er, dann erschrak er.

„Verflucht", entfuhr es ihm unwillkürlich. Er hatte versprochen, sie anzurufen, um einen Termin für die vereinbarte Mountainbikefahrt festzulegen. Hoffentlich war die SMS nur eine Art sanfter Erinnerung. Lisa war eigentlich nicht der Typ, der loszickte, wenn man etwas vergaß. Ihre lockere Art war Teil der Faszination, die sie auf ihn ausübte.

In der Tiefgarage angekommen, stieg Peter in seinen Volvo und fuhr los. Irgendwie riecht es hier drinnen merkwürdig. Fast wie Rasierwasser, schoss es ihm durch den Kopf, während er den Wagen mit überhöhter Geschwindigkeit durch die Stadt lenkte. Gerade noch rechtzeitig kam er an einer roten Ampel neben einem Polizeiwagen zum Stehen. Verdammt, ich muss entweder langsamer fahren oder besser aufpassen. Aus den Augenwinkeln bemerkte er, wie die Beamten ihn musterten, dann aber offensichtlich entschieden, ihn ziehen zu lassen.

Eigentlich war es mittlerweile nicht mehr sein Stil, draufgängerisch zu fahren. Mit zunehmendem Alter war auch sein

Respekt für die Folgen von Verkehrsunfällen gewachsen. Heute allerdings wollte er nicht zu spät kommen.

Zehn Minuten später hatte er den Parkplatz des Universitätsgeländes erreicht. Das Büro des Professors lag nicht weit vom Eingangsbereich entfernt, und so gelang ihm eine Punktlandung, als er Schlag 8 Uhr an dessen Tür klopfte.

Der Professor öffnete höchstpersönlich die Tür und bat Peter einzutreten. „Herr Mormerin, nehme ich an. Bitte treten Sie ein. Ich freue mich, Sie zu sehen!“

Ein Professor wie aus dem Lehrbuch, ging es Peter durch den Kopf. Der Mann trug eine helle, von vielen Falten geprägte Bundfaltenhose und abgetragene Schuhe. Eine knallrote Fliege zierte das bis zum letzten Knopf geschlossene hellblaue Hemd. Sein Gesichtsausdruck war freundlich und warm, seine Haut ebenso knittrig wie die Hose. Der schüttere Kranz aus grauem Haar rundete die Erscheinung nahezu perfekt ab. Peter musste ein Schmunzeln unterdrücken, als der Professor während der ausgiebigen Begrüßung über den Rand der Lesebrille schielte und seinem Aussehen damit das i-Tüpfelchen verpasste.

Peter hatte sich lange um dieses Interview bemüht und war froh, seine sorgfältig vorbereiteten Fragen endlich einem Mann dieses Kalibers stellen zu dürfen. Das heutige Treffen mit Prof. Dr. Werdegrund, einem bekannten Politwissenschaftler, der gleichzeitig einen Ruf als Philosoph der Neuzeit hatte, sollte einer der Eckpfeiler seiner derzeitigen Arbeit werden. Werdegrunds Thesen zur Verschiebung der politischen und wirtschaftlichen Macht als Folge der Globalisierung sorgten gerade einmal wieder für Aufregung.

Nach einem kurzen Smalltalk setzten die beiden sich an einen Couchtisch, und Peter holte seinen Block mit den Fragen sowie ein Diktiergerät hervor.

„Herr Professor“, begann er und drückte einen Knopf an dem kleinen Aufnahmegerät, „es gibt viele verschiedene Ansichten über die Auswirkungen der Globalisierung. Es scheint jedoch sicher, dass die Machtverhältnisse zwischen Politik und Wirtschaft in den betroffenen Ländern sich verschoben haben. Wer hat Ihrer Meinung nach heutzutage das Sagen: Politiker oder Manager?"

Der Professor runzelte die Stirn und überlegte ein paar Sekunden.

„Sie gehen gleich ans Eingemachte, Herr Mormerin", sagte er ruhig und mit dem Anflug eines Lächelns. „Leider lässt sich diese Frage nicht so einfach beantworten. Es ist durchaus richtig, dass die Globalisierung eine Verschiebung der Machtverhältnisse zugunsten der Wirtschaft fördert. Die genaue Analyse und Erklärung dieser Frage ist allerdings sehr komplex, und man könnte Bücher damit füllen."

„Sie drücken sich sehr ... diplomatisch aus", sagte Peter. „Wie würden Sie dann die Aussage bewerten, dass Globalisierung nur im Bereich der Wirtschaft stattfindet, die Politik aber aufgrund ihrer Ländergrenzen von dieser Bewegung ausgeschlossen bleibt?"

„Ich nehme an, Sie spielen mit Ihrer Frage auf eine Art rechtsfreien Raum an?"

Als Peter nickte, fuhr der Professor fort: „Nun, die Globalisierung schafft der Wirtschaft zwar keinen rechtsfreien Raum, bietet ihr aber in der Tat gewisse Wahlmöglichkeiten, an welchen Gesetzen und Steuerregelungen sie sich orientiert."

„Bedeutet das im Umkehrschluss, dass die Politik den Forderungen der multinationalen Konzerne generell folgen muss, damit diese nicht aus dem Land abwandern und damit jegliche Steuerzahlungen der Unternehmen verloren gehen?"

„Als generell würde ich diese Situation nicht unbedingt bezeichnen. Aber im Ansatz gebe ich Ihnen Recht. Drastisch ausgedrückt, ist die Politik durch diese Entwicklung sicher zu einem gewissen Grad erpressbar geworden."

Peter lächelte. Sie waren auf dem richtigen Weg, und an der Mimik des Professors merkte er, dass auch dieser das Gespräch anregend fand.

Die beiden Männer diskutierten über Restrukturierungen der Parteien in Form länderübergreifender Allianzen, Aufhebung der Ländergrenzen und die Notwendigkeit einer Währungsreform sowie deren mögliche Folgen, und in den meisten Belangen waren sie der gleichen Meinung: dass die Globalisierung zwar ein faszinierender Vorgang sei, der die Menschen vieler Völker zusammenrücken ließe, aber auch Gefahren mit sich bringe, denen nur von verantwortungsvollen Politikern in gebührendem Maße begegnet werden könne. Ansonsten könnte sie leicht dazu führen, die ungleiche Verteilung des Wohlstands in der Welt zu verstärken, somit die bestehenden Probleme noch zu verschlimmern und sogar neue zu schaffen. Ohne staatliche Interventionen würde immer mehr Geld in die Kassen von immer weniger Menschen gespült werden.

Mit einem System aus lokal zuständigen Regierungen, die global operierenden Konzernen gegenüberstehen, sind die Tage der politischen Einflussnahme gezählt. Bald würde eine Maus gegen einen Elefanten antreten und unbemerkt zertrampelt werden. Mit diesem Fazit beendeten die beiden nach fast drei Stunden schließlich das Gespräch, das deutlich länger gedauert hatte als ursprünglich vereinbart.

Während Peter nach Hause fuhr, ließ er das Gespräch noch einmal Revue passieren. So freundlich das Wesen und so lustig die Erscheinung des Professors gewesen waren, so weitsichtig und vernünftig waren seine Aussagen. Dieser Mann hatte ihn beeindruckt, außerdem mochte er ihn.

Als er wenig später sein Apartment betrat, glaubte Peter erneut, einen ungewöhnlichen Geruch wahrzunehmen: Es war derselbe wie ein paar Stunden zuvor in seinem Wagen.

Je weiter er in seine Wohnung ging, desto unruhiger wurde er. War etwa jemand in seinem Auto oder gar in seiner Wohnung gewesen?

Er atmete tief ein und versuchte dabei, den Geruch genauer zu analysieren. Es roch wie Rasierwasser, allerdings nicht wie sein eigenes.

In diesem Moment klingelte sein Mobiltelefon. Peter schreckte kurz auf, doch als er die Melodie von *Ballade Pour Adeline* erkannte, wusste er, dass es Lisa war.

„Peter Mormerin", meldete er sich betont geschäftsmäßig, um seine Unsicherheit zu überspielen. Schließlich wäre es an ihm gewesen, sich bei ihr zu melden.

„Hallo Peter, ich weiß ja, wie vergesslich Männer im Alter werden, deshalb melde ich mich einfach mal. Wie geht es dir?"

Peter atmete erleichtert aus. Mit ihrer frischen, fröhlichen Art hatte sie wie selbstverständlich die Spannung aus der Situation genommen, und obwohl der Spaß auf seine Kosten ging, fühlte er sich gut. Sollte es tatsächlich noch Frauen geben, die nicht einmal sauer waren, wenn man eine Verabredung vergaß?

Lässig antwortete er: „Du weißt, wie es ist; wir alten Männer schlafen ständig vorm Fernsehgerät ein. Erst wenn sich junge Polinnen mit aufregenden Kurven auf dem Bildschirm räkeln und uns auffordern *Ruf mich an …! Ruf mich an …!*, werden wir wieder wach, und dann ist es zu spät zum Telefonieren! Spaß beiseite, es tut mir wirklich Leid. Ich hing gestern Abend so in meiner Arbeit fest, dass ich erst nach Mitternacht auf die Uhr geschaut habe."

„Du brauchst dich nicht zu entschuldigen, ich habe ja nicht in einem Restaurant festgesessen und gewartet!"

Alles an ihr ist unkompliziert, dachte Peter. Am liebsten hätte er ihr die Wahrheit über die Dokumente erzählt, entschied aber, dass es nicht der geeignete Zeitpunkt war. Schließlich kannten sie sich ja immer noch kaum, und die Geschichte klang doch äußerst dubios. Womöglich würde sie ihn für einen Freak halten, mit dem die Fantasie durchging.

„Unsere Radtour müssen wir bei dem scheußlichen Wetter wohl etwas verschieben", nahm Lisa das Gespräch wieder auf.

„Ja, wer hätte gedacht, dass es nach zwei schönen Tagen sofort wieder losregnen würde? Vielleicht sollten wir erst einmal gemeinsam ins Kino gehen. Wie wäre es gleich heute

Abend?", entgegnete Peter und wunderte sich fast selbst, wie zielstrebig er nach einem erneuten Treffen fragte.

„Prinzipiell gern, aber heute Abend habe ich schon etwas vor. Allerdings sollten wir es nicht auf die lange Bank schieben, sonst vergisst du es nur wieder!" Sie lachte.

„Mittwoch würde mir gut passen. Die Filme beginnen in der Regel um halb neun. Wie wär's, wenn ich dich eine Stunde vorher abhole?"

„Prima", antwortete Lisa, „welchen Film wollen wir uns denn ansehen?"

Peter schmunzelte und entgegnete gespielt cool: „Das ist ein Geheimnis. Wenn du brav bist, verrate ich es dir, wenn ich dich abhole!"

Wenig später legte er gut gelaunt auf.

Während er eine Dose Ravioli öffnete und den gesamten Inhalt in einen Topf kippte, genoss er die Vorfreude auf den Abend mit Lisa. Dann überließ er die Ravioli ihrem Schicksal und ging hinüber zu seinem Notebook, um das Mailprogramm zu starten.

Das Mail von Murdock7 prangte noch immer an oberster Stelle. Er öffnete es, klickte auf ‚Antworten' und tippte kurz „Gibt es Neuigkeiten?" Dann klickte er auf ‚Senden' und schickte das Dokument auf seine virtuelle Reise über den Atlantik.

Eine spontane und für ihn untypische Aktion, denn normalerweise handelte er stets mit Bedacht. Möglicherweise hatte die Euphorie nach dem Gespräch mit Lisa oder einfach nur die Unkompliziertheit des eMail-Verkehrs ihn dazu verleitet.

Plötzlich roch etwas verbrannt, und Peter sprang auf. Die Ravioli! Mit einem Ruck zerrte er den Topf von der heißen Herdplatte. Glücklicherweise war nur die unterste Schicht leicht angebrannt. Mit einem Teller und einer Gabel in der Hand setzte er sich wieder vor den Computer.

„Hi!"

Ein kleines Fenster in der Mitte des Bildschirms hatte sich geöffnet, und Murdock7 meldete sich prompt per Chat zu Wort. Während Peter sich noch über die rasche Antwort wunderte, schrieb er zurück.

„6 Uhr morgens bei euch – kein Frühstück heute?"

Soweit er sich erinnerte, betrug der Zeitunterschied zwischen Europa und der Ostküste der USA sechs Stunden. Demnach musste es dort noch ziemlich früh sein.

„Alles klar mit deiner Datei?"

Murdock7 schien heute keine Zeit mit Smalltalk verlieren zu wollen. Wahrscheinlich ein Morgenmuffel, dachte Peter und ärgerte sich, weil der andere seine Frage einfach ignoriert hatte.

Noch war Peter unschlüssig, wie er reagieren sollte. Der Inhalt der Dateien war hoch sensibel, und er hatte keine Ahnung, wer Murdock7 tatsächlich war. Kannte er den Inhalt und versuchte, Peter auszuhorchen? Oder war er schon etwas paranoid, und es handelte sich einfach um einen x-beliebigen Online-Chat?

„Nichts. Ich nehme an, du hattest auch noch keine Zeit?"

Mit dieser knappen Antwort hoffte er, eine Unterhaltung in Gang zu bringen, denn er wurde den Eindruck nicht los, dass der Kontakt mit diesem Murdock7 nicht zufällig entstanden war.

„Nein, ich muss los!"

Damit war der Chat beendet, und Peter blieb mit einem merkwürdigen Gefühl und seinen unbeantworteten Fragen zurück. Was wollte dieser Typ bloß von ihm? Er hatte keinen blassen Schimmer und beschloss, die restlichen Dateien ebenfalls zu entschlüsseln. Vielleicht würde eine davon ja einen Rückschluss auf den Besitzer der Karte zulassen. Er startete die Batchdatei wie am Tag zuvor und gab den Namen des nächsten Dokuments als Parameter an. ‚Vorgang erfolgreich' meldete das System kurz darauf, und das geöffnete Dokument wurde am Bildschirm sichtbar: eine weiße Seite. Das Dokument war leer!

Bestimmt ein Fehler während der Konvertierung, dachte Peter und wiederholte die Eingabe. Mit dem gleichen Ergebnis. Um zu testen, ob das Problem beim Entschlüsselungsprogramm lag, entschied er, die Namensliste noch einmal zu öffnen. Der Cursor verwandelte sich in eine Sanduhr, es dauerte etwas, und erneut erschien ein leeres weißes Blatt Papier vor ihm auf dem Bildschirm. Peter starrte entsetzt darauf.

Was war mit diesen Daten passiert? Ein Virus!, schoss ihm spontan durch den Kopf. Dann wären womöglich alle Daten auf seiner Festplatte ruiniert! Hastig öffnete er einen Brief, den er vor fast einem Jahr an seinen Stromversorger geschickt hatte. Das Gerät lud die Datei, und ein paar Sekunden später erschien der Text auf dem Bildschirm.

Stimmt, er hatte ja auch einen Virenscanner. Das Programm lief seit langer Zeit auf dem Rechner und hatte ihn schon mehrfach erfolgreich vor Problemen bewahrt – warum sollte ihm also gerade jetzt ein Virus entgangen sein?

Doch wie hatte sich dann der Inhalt der Dateien von selbst gelöscht? Ratlos fixierte Peter den Bildschirm. Plötzlich fiel ihm das Hackerboard ein. Eigentlich wollte er die dort hinterlegte Datei längst löschen, hatte es aber immer wieder vergessen. Jetzt stellte seine Vergesslichkeit sich als Glücksfall heraus. Er wechselte in ein Browserfenster und lud die Seite aus der Liste seiner kürzlich besuchten Links. Wenig später war er eingeloggt und kopierte die Liste zurück auf seinen Computer. Als der Download nach wenigen Sekunden beendet war, öffnete er das Dokument unverzüglich … und sah den Inhalt der Liste, wie er ihn kannte. Die Namen, die Kennziffern und die Zahl – alles war wieder da!

Er blickte auf den Namen in der ersten Zeile und markierte ihn mit dem Mauszeiger: Steven Pronger. Er kopierte den Namen, wechselte zurück zum Browserfenster und fügte ihn dort in die Suchzeile einer Suchmaschine ein. Wenige Augenblicke später erschienen seitenweise Informationen über Männer namens Steven Pronger: Analysten, Gartenbauer und Familienväter, die ihre persönlichen Seiten ins Web gestellt hatten. Verdammt, die halbe Welt heißt Steven Pronger, dachte Peter ärgerlich und wechselte zur Excelliste zurück. Es würde ewig dauern, nach Informationen über einen Mann mit einem derart weit verbreiteten Namen zu suchen. Dann fielen ihm in der Liste die drei farblich markierten Namen auf. Lee Kung Sea war einer davon. In Asien steht der Nachname vorn, und Lee ist so etwas wie Müller oder Meier bei uns, überlegte Peter, also auch ein Allerweltsname.

Dennoch kopierte er den Eintrag in den Zwischenspeicher, denn dieser Name war als einziger rot hinterlegt.

Außerdem stand hinter allen Einträgen in der Liste eine Kombination aus zwei Buchstaben, sechs Zahlen und weiteren drei Buchstaben – nur bei Lee Kung Sea waren noch einmal vier Zahlen am Ende eingefügt: 0906.

„Sieht aus wie ein Datum", murmelte Peter. Als er den Namen in das Feld der Suchmaschine eingegeben hatte, ließ er daher eine Stelle hinter dem Namen frei und tippte noch 09.06. in das Feld ein. Erst danach drückte er die Eingabetaste.

Diesmal wurden deutlich weniger Einträge angezeigt, und gleich an zweiter Stelle las er eine Überschrift, die ihn verdutzt innehalten ließ. „CFO von High-Tech Consultingfirma verschwindet spurlos!"

Hastig klickte er auf den Link zum kompletten Text. Er gelangte zu einem Zeitungsartikel aus einer ihm unbekannten, amerikanischen Tageszeitung. Ein Finanzvorstand aus dem Silicon Valley war während einer Geschäftsreise in Washington D.C. spurlos verschwunden. Der Mann hatte sich nach dem Abendessen von seinen Kollegen verabschiedet und wollte mit dem Taxi in sein Hotel zurückfahren. Dort war er allerdings nie angekommen und galt seit diesem Zeitpunkt als vermisst. Das Datum des Artikels – der 5. September – stimmte allerdings nicht mit den von Peter eingegebenen Zahlen überein.

„Der 5. September …“, murmelte Peter nachdenklich und wechselte zurück zur Namensliste. Verdammt, sollte er sich getäuscht haben? Doch plötzlich erinnerte er sich, dass die Amerikaner erst den Monat und dann den Tag schreiben. Natürlich! „Dann könnte der 6. September gemeint sein!“, setzte er aufgeregt sein Selbstgespräch fort. Der 6.9. wäre also einen Tag, nachdem der Mann vermisst gemeldet worden war. Sollte das etwa heißen …? Bei diesem Gedanken lief es Peter eiskalt den Rücken hinunter. Was ging hier vor? Was war das bloß für ein Dokument? Die Dinge begannen, in seinem Kopf zu tanzen.

Während er sich zur Besonnenheit zwang, fiel sein Blick auf das Chatprogramm, und er bemerkte, dass sowohl er als auch Murdock7 immer noch angemeldet waren.

Der Anruf

Die Gestalt stand im Dunkeln des Raumes und trat einen Schritt vom Fenster zurück. Sie zischte einen Fluch, dann tippte ihre Hand die Telefonnummer erneut ein. Diesmal allerdings zuerst die drei Ziffern der Ländervorwahl. Nach einer kurzen Pause sprach sie mit leiser Stimme.

„Hi, ich bin's!"

„Warum flüsterst du? Bist du nicht allein?", kam vom anderen Ende der Leitung zurück.

„Man weiß ja nie, außerdem sind die Wände in diesem Loch hier dünn wie Pappe!"

Der Mann am anderen Ende schwieg. Deshalb nahm die Gestalt die Konversation wieder auf.

„Gibt es Neuigkeiten bei euch?"

„Das Thema scheint ihn zu beschäftigen. Er hat heute wieder Kontakt zu mir aufgenommen."

„Hattest du Gelegenheit, konkreter zu werden?"

„Nein, es ist noch zu früh."

„Was meinst du mit zu früh? Wir haben keine Zeit zu verlieren!"

„Es ist wie beim Angeln, wenn du den Haken zu früh wegziehst, gehst du leer aus. Wartest du aber zu lange, spuckt der Fisch ihn eventuell wieder aus!"

Die Stimme am anderen Ende der Leitung klang immer noch ruhig, hatte jetzt aber einen bestimmenden Ton angenommen.

„Glaubst du, wir haben auf das falsche Pferd gesetzt?"

„Nein, das glaube ich nicht. Die Sache braucht einfach eine gewisse Zeit."

„Zeit, die wir nicht haben."

„Da stimme ich dir zu. Vielleicht solltest du vor Ort mit deinen Mitteln noch einmal aktiv werden und versuchen, die Dinge zu beschleunigen! Meine Möglichkeiten aus der Entfernung sind begrenzt!"

„Was meinst du mit meinen Mitteln?“

„Das überlasse ich dir – werde kreativ, aber nicht zu spektakulär! Öffentliches Interesse oder die Polizei sind das Letzte, was wir im Augenblick brauchen können.“

„In Ordnung. Ich lass’ mir was einfallen.“

„Ich will dich nicht nervös machen, aber die Schlinge um unseren Hals zieht sich Tag für Tag weiter zu! Trotzdem musst du darauf achten, unsichtbar zu bleiben!“

„Okay!“

„Wir sprechen uns.“

Eine Sekunde später war die Leitung tot. Die Gestalt im Dunkeln des Raumes legte das Telefon zur Seite und sah wieder auf den Parkplatz hinab. War dort nicht ein Schatten hinter einem der Autos verschwunden?

Das Date

Endlich war es Mittwochabend, und Peter fuhr auf die Minute pünktlich auf dem Parkplatz an Lisas Wohnung vor. Sie wartete bereits auf ihn und stieg in den Volvo, sobald dieser neben ihr zum Stehen kam.

„Na, erfahre ich jetzt, in welchen Film wir heute Abend gehen?“, fragte sie mit dem üblichen spitzbübischen Lächeln.

„Klar“, erwiderte er, ohne eine Miene zu verziehen. „Ich glaube, der Titel war *Kettensägenmassaker im Feriencamp*!“

Postwendend erhielt er einen Stoß in die Rippen und musste laut loslachen. Der Weg zum Kino führte mehr oder weniger quer durch die Stadt und dauerte eine ganze Weile. Dennoch war die Fahrt kurzweilig, da Lisa der Gesprächsstoff nie auszugehen schien. In der Nähe des Kinos bog Peter in eine Seitenstraße ein. Sie hatten Glück: Direkt vor ihnen fuhr ein Auto weg, und Peter manövrierte den Volvo geschickt in die Parklücke. Gerade als er aussteigen wollte, fuhr ein dunkelblauer Audi an ihnen vorbei, der ihn an den fluchenden Mann auf dem Parkplatz vor Lisas Wohnung erinnerte.

Der Film *Wer früher stirbt, ist länger tot* war so ungewöhnlich wie sein Titel, da er Humor mit einem sehr tiefgreifenden, traurigen Plot vereinbarte. Immer wieder näherten sich die Hände der beiden, und ihre Berührungen waren nicht nur zufällig. Eindeutiges passierte allerdings nicht, und so geriet die durch den Film erzeugte Spannung fast zur Nebensache.

„Hat mir ausgezeichnet gefallen“, sagte Lisa, als sie das Kino verließen. „Allerdings kann nur ein Mann eine solche Story für ein Date auswählen!“

Sie kicherte. Peter schaute sie kurz an, dann wieder nach vorne. Er war nicht sicher, ob sie wieder einmal einen Spaß auf seine Kosten machte oder andeuten wollte, dass der Abend für sie ein Date war. Also sagte er gar nichts.

„Lass uns noch irgendwo etwas trinken", schlug Lisa vor, als sie am Auto ankamen.

„Gern. Wo magst du denn hin?"

„Du kannst ja noch sprechen!", verpasste Lisa ihm den nächsten Spruch, und Peter lächelte kopfschüttelnd.

„Du bist wohl nie mundtot zu kriegen. Wie wäre es, wenn wir einfach die paar Minuten zu Fuß in die Innenstadt gehen und sehen, wo es uns gerade gefällt?"

„Hört sich gut an. Sorry, ich hoffe du findest mich nicht zu aufdringlich."

„Ist schon in Ordnung. Ich muss mich nur erst an deinen Energieüberschuss gewöhnen."

Er zwinkerte ihr zu, und sie machten sich auf den Weg.

Es war bereits nach ein Uhr, als sie die Kneipe in der Innenstadt wieder verließen. Peter hatte jede Sekunde des Abends genossen. Und er war sich ziemlich sicher, dass es Lisa genauso ging.

Zurück am Parkplatz vor Lisas Wohnung blickten sie einander wortlos in die Augen. Peter kämpfte mit sich und war kurz davor, sie einfach an sich zu ziehen und zu küssen, entschied aber, dass die Zeit noch nicht reif dafür war.

Als Lisa das Schweigen brach, wirkte sie fast ein wenig unsicher. „Wir telefonieren dann mal wegen der Radtour. Es war ein schöner Abend – schlaf gut!"

Mit diesen Worten öffnete sie die Wagentür und stieg aus. Während sie über die Straße ging, drehte sie sich noch einmal um und winkte Peter zu, dann verschwand sie im Eingang des Wohnhauses.

Peter blieb ein paar Minuten regungslos sitzen und versuchte, seine Gedanken und Emotionen zu ordnen. Er fragte sich, ob sie einen Kuss zum Abschied erwartet hatte und nun enttäuscht war. Aber wie sollte er sie küssen, wenn er sich nicht sicher war, ob er wieder einmal das Risiko einer Beziehung eingehen wollte? Ganz abgesehen davon, dass er natürlich nicht die geringste Ahnung hatte, ob sie es überhaupt gewollt hätte.

Er blickte auf die Uhr. Schon kurz vor zwei! Am nächsten Tag musste er früh raus. Während er nach dem Zündschlüssel griff, um den Motor zu starten, fiel sein Blick auf einen dunkelblauen Audi. Es war das gleiche Fahrzeug wie beim Einparken vor dem Kino!

Peter blieb fast das Herz stehen. Langsam drehte er den Kopf und versuchte, den Lärm des durch seinen Gehörgang brausenden Blutes auszublenden.

Da klopfte jemand an die Seitenscheibe seines Volvos! Verwirrt starrte Peter in ein schmales, kantiges Gesicht direkt vor der Scheibe.

Der Mann trug eine hellbraune GoreTex-Jacke und gestikulierte mit der rechten Hand. Offenbar wollte er, dass Peter die Scheibe herunterkurbelte. Wie in Trance folgte er der Aufforderung.

„Hallo, entschuldigen Sie die Störung. Ich wollte Sie nicht erschrecken", sagte der andere, als das Glas zwischen ihnen verschwunden war. Er sprach Englisch mit amerikanischem Akzent. Obwohl er offensichtlich versuchte, freundlich zu sein, klang seine tiefe Stimme für Peter eher bedrohlich.

„Als ich gerade nach Hause kam, habe ich Ihren Volvo wiedererkannt, und mir ist eingefallen, dass Sie letzte Woche auch schon hier waren."

Peter starrte ihn an und kämpfte noch immer damit, sich zu beruhigen.

„Damals sind mir ein paar Unterlagen heruntergefallen, und ich wollte nur fragen, ob Sie das zufällig gesehen haben. Ein Teil davon ist nämlich seither verschwunden."

„Mann, haben Sie mir einen Schrecken eingejagt!", entgegnete Peter.

Die Frage nach den Unterlagen hatte seine Herzfrequenz erneut in schwindelerregende Höhen getrieben, und er versuchte, Zeit zu gewinnen.

Bevor er jedoch weitersprechen konnte, beantwortete der Mann seine Frage jedoch selbst: „Dann also nicht, sorry, aber hätte ja sein können. Es war nur ein Versuch."

„Tut mir Leid, dass ich Ihnen nicht helfen kann", fügte Peter erleichtert hinzu.

„Nichts für ungut, schönen Abend noch", sagte der andere und ging davon.

„Ihnen auch!", rief Peter und starrte ihm nach. Der schmale Kopf passte irgendwie nicht zur restlichen Statur. Die Schultern waren breit, und seine Jeans spannte sich um muskelbepackte Oberschenkel. Die Narbe im Gesicht gab ihm ein rabiates Aussehen. Wer war dieser Typ? Wollte er wirklich nur nach seinen Unterlagen fragen, oder steckte mehr dahinter? Möglicherweise war ihm gerade eine gute Gelegenheit entgangen, etwas über den Besitzer der Dateien zu erfahren. Peter ärgerte sich, dass er nicht schlagfertiger reagiert hatte. Als er vom Parkplatz rollte, sah er im Rückspiegel, wie der Mann sich noch einmal umdrehte und Peter hinterher blickte.

Mord

Es war ein hektischer Tag gewesen. Als Peter um kurz nach 7 Uhr aus dem Haus geeilt war, hatte er gerade einmal vier Stunden im Bett verbracht.

Jetzt, um 21:30 Uhr, waren endlich alle Termine erledigt, und er kehrte erschöpft in seine Wohnung zurück. Er hängte den Mantel an den Kleiderhaken, zog die Schuhe aus und ging auf direktem Weg zum Kühlschrank. Seit dem Frühstück hatte er keine Gelegenheit mehr gehabt, auch nur einen Bissen zu essen – dementsprechend hungrig war er jetzt. Da er aber gleichzeitig zu müde war, um irgendeine Art von Aufwand in die Zubereitung seines Abendessens zu stecken, griff er zielstrebig nach der Plastikschale Krabbensalat in Mayonnaise mit Spargelstücken. Anschließend kramte er noch eine zwei Tage alte Brezel aus einer Papiertüte hervor und setzte sich damit an den Tisch. Das alte Laugengebäck war zwar hart, schmeckte aber noch ganz gut, und der Krabbensalat war auch okay. Während er das Essen hinunterschlang, griff er nach der Tageszeitung.

Der Leitartikel beschäftigte sich mal wieder mit der Neuordnung des Gesundheitssystems. Wie symptomatisch dafür musste Peter in diesem Moment gähnen und übersprang die Zeilen. Der nächste Artikel erregte schon eher seine Aufmerksamkeit. Er handelte von der grausigen Ermordung eines Mannes im Münchner Süden. Ein scheinbar geistig verwirrter Drogenabhängiger war am Vortag aus einer Entzugsklinik ausgebrochen und über einen Geschäftsmann hergefallen, als dieser zu Fuß das Firmengelände verließ. Der Verrückte war schnurstracks auf das Opfer zugegangen, hatte ihm mit einem Pfadfindermesser beide Augen ausgestochen und die Halsschlagader aufgeschnitten. Anschließend hatte er eine mit Benzin gefüllte Plastiktüte aus seinem Rucksack gezogen, den Inhalt über den am Boden liegenden Schwerverletzten vergossen und ihn dann mit einem Feuerzeug angezündet. Das Ganze war vor den Augen der Ehefrau des Opfers und ihrer zwei Kinder geschehen, die den Mann gerade abholen wollten. Die Familie stand seither unter Schock und befand sich in psychologischer Behandlung. Alles war blitzschnell gegangen, und erst, als für das Opfer bereits jede Hilfe zu spät kam, gelang es Passanten, die Flammen mit ihren Jacken zu ersticken und den geistig verwirrten Täter zu überwältigen. Eine Szene wie aus einem Horrorfilm, dachte Peter und schüttelte nachdenklich den Kopf.

Er kratzte noch eine Gabel voll Krabbensalat aus der Dose, aber der Artikel hatte ihm den Appetit verdorben. Sein Blick fiel auf das Foto des Opfers. „Michael Heerhausen, Senior Vice President – High Power Corporation“ stand darunter. Der Name kam ihm bekannt vor, auch wenn er ihn momentan nicht einordnen konnte. Während er die restlichen Artikel auf der Seite überflog, durchzuckte ihn plötzlich ein Gedanke.

„Das kann nicht sein – ich werde langsam paranoid“, entfuhr es ihm. Hastig klickte er mit der Maus ein paar Befehle an, und die Namensliste lag erneut geöffnet auf seinem Desktop. Er scrollte durch das Dokument, dann begann seine Hand zu zittern.

Er wusste nun, dass der Mord an Michael Heerhausen nicht die Tat eines Verrückten war.

In Zeile 17 des ominösen Dokuments stand tatsächlich der Name Michael Heerhausen. Es war einer der beiden blau markierten Einträge. Peter stützte seinen Kopf in die Hand und konnte es nicht glauben. Am liebsten hätte er die Datei einfach geschlossen und die ganze Angelegenheit damit einfach hinter sich gelassen.

„Eine Todesliste“, hauchte er. „Verdammt, in was bin ich hier nur reingeraten?“

Einige Minuten verharrte er wie versteinert und starrte auf den Bildschirm.

„Ich muss das Ganze der Polizei melden", stöhnte er und schob das Notebook beiseite, um das Hauptbeweisstück – die SD-Karte – zu suchen. Daran sollten sich Fingerabdrücke finden lassen, und wenn die mit denen des Täters übereinstimmten, konnten die anderen Zielpersonen vielleicht gewarnt werden.

Doch trotz intensiver Suche konnte Peter weder die Speicherkarte finden, noch die beiden Blätter Papier. Schweißnass ließ er sich schließlich auf einen Stuhl fallen. Vor ein paar Tagen war also jemand in seiner Wohnung gewesen. Er hatte die Beweismittel gesucht – und offensichtlich auch gefunden. Zwar konnte Peter der Polizei noch die Datei zeigen, aber wie sollte er beweisen, dass er sie nicht selbst erstellt hatte?

In Gedanken sah er sich im Revier stehen: „Ich würde gerne eine internationale Mordserie melden. Hier ist die Liste der nächsten Opfer!"

Vermutlich würden die Beamten in schallendes Gelächter ausbrechen. Fast amüsierte ihn selbst die Vorstellung, wie er dabei einen Ausdruck der Excelliste auf den Tisch legte und auf eine Datei verwies, die er von einer dubiosen Hackerseite hatte knacken lassen. „Die würden mich vermutlich glatt in eine geschlossene Anstalt einliefern", brummte er. Nein, die Peinlichkeit wollte er sich nicht antun, und so beschloss er, erst einmal abzuwarten und sich die Sache in Ruhe zu überlegen. Er holte tief Luft, legte den Kopf in den Nacken und ließ den Blick durch seine Wohnung wandern. In der Kochnische stand immer noch der schmutzige Teller von gestern und forderte ihn auf, endlich abgespült und wieder in den Schrank gestellt zu werden.

Peter dachte an das rätselhafte Verschwinden der Dateiinhalte, den vermissten Asiaten und den grausam ermordeten Michael Heerhausen. Und dann war da noch dieser Murdock7. Wer steckte wohl hinter diesem Alias? Spielte der eigentlich auch eine Rolle in dieser Geschichte, oder war der Kontakt zu ihm Zufall? Rätsel über Rätsel, dachte Peter. Doch bevor er zur Polizei ginge, wollte er auf jeden Fall versuchen, die Rolle von Murdock7 genauer zu durchleuchten.

Er öffnete sein Chatprogramm und tippte kurz: „Hallo, wie geht's?"

Es dauerte nur ein paar Sekunden, und das Fenster blinkte.

„Was gibt's?"

Die Antwort war knapp und prompt, wie erwartet. Dieser Typ war offensichtlich immer online.

„Nichts besonderes, mir war nur langweilig", log Peter.

„Hast du die Datei endlich entschlüsselt?"

Vermutlich führt kein Weg daran vorbei, zuerst selbst ein paar Informationen preiszugeben, überlegte Peter.

„Ja, aber es war nur eine Liste mit Namen. Wahrscheinlich irgendein Verein."

Gespannt fixierte er den Bildschirm und wartete auf die Antwort. Der Köder war ausgeworfen.

„Schön für dich. Bis dann", kam nach einer kurzen Pause zurück, und damit war Peter erneut abgewürgt worden.

Nicht gerade ergiebig, ärgerte Peter sich enttäuscht. Gerade als er beschloss, die Angelegenheit für heute ruhen zu lassen und sich auf andere Gedanken zu bringen, blinkte das Chatfenster erneut auf.

„Sei vorsichtig!", las er. Der Absender war Murdock7.

Eine Warnung, aber vor was?, fragte er sich und tippte schnell: „Was bedeutet das?"

„Spiel nicht den Dummen!"

Das klang verärgert oder bedrohlich und war noch nicht alles. Murdock7 schien in die Offensive zu gehen, denn in seiner nächsten Nachricht forderte er ihn auf zu erzählen, was er über die Liste wusste. Wenigstens geht jetzt etwas vorwärts, dachte Peter, fühlte sich aber gleichzeitig verunsichert. Immerhin handelte es sich hier um Mord! Dennoch wollte er nicht klein beigeben. Er hatte den ersten Schritt getan, und seiner Meinung nach war es nun an Murdock7, Informationen einzubringen.

„Du bist dran!", antwortete er knapp und erschrak fast selbst vor seiner Courage.

Doch seine Strategie schien aufzugehen.

„Die Namen auf der Liste stehen mit bestimmten Vorfällen in Verbindung. Ich bin mir sicher, du hast das bereits herausgefunden!"

Wenn auch sehr vage, so hatte sein Gegenüber doch dazu beigetragen, die Sache weiterzubringen, und Peter entschied kurzerhand, die Karten auf den Tisch zu legen. In der nächsten Nachricht schrieb er über seine Entdeckung, dass Lee Kung Sea verschwunden und Michael Heerhausen gestern ermordet worden war und dass er vermutete, es könne sich um eine Todesliste handeln. Als er fertig getippt hatte, überflog er den Text noch einmal und überlegte, ob er ihn wirklich abschicken sollte. Dann klickte er kurzerhand auf ‚Senden'. Fünf Minuten lang passierte gar nichts, und Peter wurde langsam nervös. Hatte er zu viel riskiert?

Er stand auf, ging zum Küchenregal, holte ein hohes, bauchiges Weinglas hervor und goss etwas Spätburgunder ein. Der Wein würde seine Nerven stärken. Während der Rebensaft in das Glas floss, wandte er den Blick keine Sekunde länger als notwendig vom Monitor. Die Hand mit der Flasche zitterte und verriet Peters Aufregung.

„Hast du jemandem davon erzählt?", kam schließlich die Antwort gewohnt prägnant und ohne Umschweife.

„Noch nicht. Aber mich interessiert, was und wer dahinter steckt."

„Ich rate dir, die Sache erst einmal für dich zu behalten. Ich melde mich wieder!"

Unmittelbar darauf verschwand der Screenname von Murdock7, was bedeutete, dass er offline war.

Die Sache machte Peter immer mehr Angst, und am liebsten wäre er jetzt sofort zur Polizei gefahren. Aber aus einem unerfindlichen Grund befolgte er den Rat von Murdock7, behielt die Sache für sich und ging zu Bett, auch wenn an Einschlafen vorerst nicht zu denken war.

Als er am nächsten Morgen um halb 8 Uhr wieder online ging, meldete Murdock7 sich sofort zu Wort.

„Tut mir Leid, mein Freund, ich hatte es gestern etwas eilig."

Das klang ja richtig versöhnlich. Was war passiert?, wunderte sich Peter und antwortete mit einem kurzen „Hi!"

Sein Ärger darüber, dass er gestern einfach sitzen gelassen worden war, wich der Hoffnung auf weitere Antworten. In der nächsten Nachricht teilte Murdock7 ihm mit, dass er weder online noch telefonisch Details durchgeben könnte, er warnte ihn, in Gefahr zu sein und machte klar, dass er sich aus dieser Geschichte nicht einfach wieder zurückziehen könne. Wenn er mehr wissen wolle, müsse Peter ihm vertrauen und nach Washington fliegen, wo er ihn in einem persönlichen Gespräch in Details einweihen würde. Falls er jemandem etwas über die Sache erzählte, wäre derjenige automatisch in Lebensgefahr. Als Grund für seine Reise solle er eine wichtige Konferenz in den Staaten nennen. Um Flugkosten und andere Spesen brauche er sich keine Gedanken zu machen, und bei seiner Ankunft wäre alles Notwendige für ihn arrangiert.

Abgefahren!, dachte Peter und fragte sich ernsthaft, ob hier nicht doch jemand einen Scherz auf seine Kosten machte. Das Ganze wirkte so irreal! Da er nicht wusste, was er tun sollte, bat er sich Bedenkzeit aus.

„Jeder verlorene Tag könnte einer zu viel sein!", kam zurück. Damit war der Chat beendet und Murdock7 nicht mehr online.

Ein großer Schritt

Peter schlenderte durch die Stadt. Zwar tröpfelte es im Augenblick nur leicht, doch um ihn herum hasteten überall Leute mit aufgespannten Regenschirmen vorbei, um vor dem nächsten Wolkenbruch ins Trockene zu kommen. Er atmete die klare kühle Luft in tiefen Zügen ein und blickte in den wolkenverhangenen Himmel. Peter genoss dieses Wetter. Genau wie ein warmer Tag mit blauem Himmel übte auch dieser unbändige, wechselhafte Regen seinen Reiz auf ihn aus.

Angespannt dachte er über seine Optionen nach. Murdock7 bot ihm die aufregendsten Tage seines Lebens und eine Gelegenheit, die ganze verworrene Geschichte endlich zu durchblicken. Natürlich konnte er auch etwas ganz anderes im Schilde führen; Peter wusste schließlich so gut wie nichts über ihn und sah auch keine Möglichkeit, etwas in Erfahrung zu bringen. Die beiden anderen Alternativen waren, sich ab jetzt einfach tot zu stellen oder zur Polizei zu gehen. Letzteres wäre wohl das Vernünftigste, selbst auf die Gefahr hin, sich lächerlich zu machen. Aber …

Auch mit einer anderen Entscheidung tat er sich schwer – waren seine Zusammenkünfte mit Lisa nun ‚Dates' oder einfach nur Treffen? Bisher hatten sie sich weder geküsst noch sonstige Zärtlichkeiten ausgetauscht. Ganz zu schweigen von der Aussicht, gemeinsam im Schlafzimmer zu landen – was sicher nicht an Lisas Attraktivität lag. Ein paar Mal schon hatte Peter sich ausgemalt, wie es wäre, ihre Hand zu nehmen und sie zu küssen. Doch diesen Gedanken hatte er stets sofort verdrängt. Denn er war nach wie vor der Meinung, dass, sobald Zärtlichkeiten ins Spiel kamen, unweigerlich emotionale Verpflichtungen oder gar Abhängigkeiten entstanden. Und das wollte er vermeiden, denn bisher war diese Entwicklung immer der Anfang vom Ende seiner Liebschaften gewesen. Zumindest eines aber hatte sich geändert. Vor ein paar Wochen noch hatte er Stein und Bein geschworen, nie wieder eine feste Beziehung einzugehen. Das würde er jetzt nicht mehr behaupten.

Die beiden hatten inzwischen auch über einige sehr private Themen gesprochen und so manche Sorgen und Freuden dabei geteilt. Nur in sein derzeit größtes Problem war sie noch nicht eingeweiht. Und das würde auch so bleiben, denn er wollte sie ja nicht in Gefahr bringen! Einmal hatte er sogar überlegt, ob sie möglicherweise durch den bloßen Kontakt mit ihm gefährdet sein könne. Allerdings mochte er sich nicht vorstellen, den Kontakt zu ihr an diesem Punkt komplett abzubrechen.

Heute Abend war er wieder mit Lisa verabredet: zum Essen in einem spanischen Restaurant. Anschließend bummelten sie durch die Innenstadt und bewunderten die Schaufenster der geschmackvoll dekorierten Läden. Die letzten Stunden verbrachten sie bei ein paar Gläsern Wein in einer Bar nahe dem Stadtzentrum. Unter anderem erzählte Peter ihr, dass er in Kürze eventuell für ein paar Tage geschäftlich in die Staaten reisen müsse. Die Entscheidung werde aber erst morgen fallen, und er würde sie auf dem Laufenden halten.

Nachdem Peter Lisa nach Hause gebracht hatte, fuhr er nicht sofort los. Er saß hinter dem Steuer seines Volvos und genoss die berauschenden Gefühle in seinem Inneren.

Gerade als er aufbrechen wollte, bemerkte Peter, dass der dunkelblaue Audi heute nicht auf dem Parkplatz stand. Das erinnerte ihn an die Bürde der noch ausstehenden Entscheidung, ob er nun in die Vereinigten Staaten reisen sollte oder nicht. Weg war jede Euphorie, und er seufzte. Jetzt konnte er wieder nüchtern denken.

Plötzlich schlug er sich mit der flachen Hand gegen die Stirn: Zweifellos war der Besitzer des Audis in die Geschehnisse verwickelt, denn schließlich war er ja derjenige, der den Chip verloren hatte! Es war jetzt kurz nach ein Uhr morgens, und er würde hier warten, bis dieser Typ nach Hause kam. Mit einem Mal verspürte Peter keine Müdigkeit mehr. Außerdem war morgen Sonntag, und er könnte ausschlafen.

Von dort, wo er parkte, hatte Peter einen guten Ausblick über das Gelände. Vor ihm war die südwestlich ausgerichtete Hälfte des Parkplatzes gut einsehbar, und durch den Rückspiegel konnte er den Rest der spärlich ausgeleuchteten Teerfläche beobachten. Der übliche Stellplatz des Audis lag leicht links, neben einem Feuerbusch, dessen Blätter selbst im schwachen Licht der Laternen noch markant rot leuchteten. Perfekt, dachte er sich, so habe ich einen guten Überblick und kann dennoch nicht gesehen werden.

Die Zeit verging, und nichts passierte.

Für einen Augenblick wusste er nicht, wo er war und blickte verwirrt umher. Dann wurde ihm bewusst, was geschehen war: Er war eingeschlafen! Er erschrak. Um zehn Minuten nach zwei hatte er das letzte Mal auf die Uhr im Armaturenbrett geschaut. Mittlerweile war es 3:55 Uhr! Er verspürte einen starken Druck auf der Blase, und obwohl er es eigentlich hasste, wenn Männer sich einfach an Hecken und Mauern erleichterten, sah er in diesem Fall keinen anderen Ausweg. Er stieg aus dem Volvo und ging hinüber zu der im Dunkel der Hauswand liegenden Hecke. Verschlafen und abwesend stand er da und pinkelte gegen die frischen Blätter. Die Schritte hinter sich hörte er nicht. Ein dumpfer Schlag gefolgt von einem spitzen Schmerz traf seine linke Schläfe, und ihm wurde schwarz vor Augen.

Als Peter wieder zu sich kam, saß er am Steuer seines Fahrzeugs, und die Sonne blendete ihn, als er seine Augen blinzelnd öffnete. Es war bereits das zweite Mal, dass er innerhalb weniger Stunden aufwachte. Diesmal allerdings mit einem Brummschädel. Sein Kopf dröhnte, als hätte sich gerade ein Schwarm wilder Bienen darin niedergelassen. Was ist passiert?, fragte er sich, während er langsam wieder zu Sinnen kam. Es dauerte noch eine Weile, bis er klar denken konnte und sich stark genug fühlte, nach Hause zu fahren. Der Audi stand übrigens sauber eingeparkt an der gewohnten Stelle, als ob es nie anders gewesen wäre. Unterwegs versuchte Peter, das Geschehene zu rekonstruieren. Dabei fiel ihm sein unfreiwilliges Nickerchen im Auto ein und dass er anschließend an der Hecke gestanden und seine Hose geöffnet hatte. Die kleinen Sünden bestraft der Herr sofort …, dachte er leicht amüsiert. Dabei muss mir dann jemand von hinten eine verpasst haben. Ob der Audi zu diesem Zeitpunkt schon auf dem Parkplatz gestanden hatte, wusste er nicht.

Er griff in die Innentasche seiner Jacke und stellte fest, dass weder Geldbörse noch Mobiltelefon fehlten. Dies bestätigte also, was er ohnehin geahnt hatte, nämlich dass es eine Warnung und kein Raubüberfall gewesen war.

So sehr ihn das Ganze zwar beunruhigte, hatte es doch auch etwas Gutes. Spätestens jetzt war er endgültig in der Geschichte angekommen. Die Entscheidung war getroffen – er würde nach Washington D.C. reisen und nicht zur Polizei gehen.

In guten wie in schlechten Zeiten

Joe musste sich beeilen, um rechtzeitig nach Hause zu kommen, denn er erwartete noch einen wichtigen Gast.

Die Kinder waren bei Freunden, und Sherry hatte es sich gerade mit einem Buch auf dem Sofa gemütlich gemacht, als er die Tür zum Wohnzimmer vorsichtig öffnete.

Er war bereits über fünfzig gewesen, als sie das erste Mal schwanger wurde, aber da sie fast sechzehn Jahre jünger war als er, hatte es keine Komplikationen gegeben. Als ein knappes Jahr später gleich das nächste Kind folgte, waren sich beide einig gewesen, dass zwei Kinder genug seien, und sie fing wieder an zu verhüten. Ihren Job als Psychologin hängte Sherry bald darauf an den Nagel und kümmerte sich seither ganztags um die Erziehung der Kinder. Auch wenn Joe nicht annähernd so viel Zeit mit ihnen verbringen konnte, wie er es gern getan hätte, standen Sarah und Kristen dennoch im Zentrum ihrer Lebensplanung. Joes Freizeit wurde um die Belange der Kinder herum geplant. Jetzt, in dieser kritischen Zeit, wurde er öfter als sonst emotional, wenn er an seine Familie dachte.

Sherry hatte die Tür nicht gehört und sah erschrocken auf, als er plötzlich vor ihr stand. Eine Sekunde später huschte das freudig-vertraute Lächeln über ihr Gesicht, das zeigte, wie sehr sie ihn nach all den Ehejahren immer noch liebte. Es war genau dieses Lächeln, das Joe jeden Tag daran erinnerte, dass das Leben auch in diesen Tagen lebenswert war. Gedankenverloren lächelte er zurück, gab ihr einen Kuss auf die Stirn und ließ sich anschließend auf dem Schaukelstuhl ihr gegenüber nieder. Sherry kannte diese Stimmung ihres Mannes nur zu gut und wusste, dass er wieder einmal einen harten Tag gehabt hatte.

„Willst du es mir erzählen?", fragte sie.

Joe starrte mit leeren Augen vor sich hin. Wie oft hatte er in Gesprächen mit Sherry Zuflucht gefunden? Ihre sanfte und stets fröhliche Art hatte ihn schon oft aus einer deprimierten Stimmung zurück in die Realität des Lebens geholt. Gepaart mit den sachlichen Überlegungen, die ihn jedes Mal aufs Neue erstaunten, war diese Frau seine Insel in guten wie in schlechten Zeiten.

Doch diesmal war es anders. Er konnte sie nicht in seine Pläne einweihen. Das würde sie und die Mädchen nur in Gefahr bringen. Er schüttelte daher nachhaltig den Kopf und sagte nur: „Ich erwarte gleich noch Besuch. Es könnte spät werden."

Er stand auf, um sich einen Cognac einzuschenken.

„In Ordnung. Wir sehen uns dann später im Bett, mein Schatz."

Sie wusste, dass es diesmal schlimm gewesen sein musste. Normalerweise würde er zumindest kurz etwas von seinem Tag erzählen, auch wenn er nicht gleich mit den eigentlichen Problemen herausrückte. Heute jedoch spürte sie, dass es besser war, ihn allein zu lassen. Sie stand auf, strich ihm liebevoll über das zerzauste Haar und ging in die Küche.

Gedanken an die bevorstehende Aufgabe kreisten Joe durch den Kopf. Er hatte keine Angst um sich selbst. Nur von der Herausforderung, seine Familie aus allem herauszuhalten, fühlte er sich überfordert, und das war es, was ihn derzeit mit rasanter Geschwindigkeit altern ließ. Dann klingelte es an der Tür.

Ankunft

Als das Flugzeug im Landeanflug rasch Richtung Erde sank, blickte Peter zum ersten Mal, seit er vor etwas mehr als neun Stunden in München den festen Boden verlassen hatte, aus dem Fenster.

Vor ein paar Jahren hatte er in Washington an einer Konferenz teilgenommen, sein bisher einziger Besuch in der Metropole. Die Veranstaltung damals hatte bloß zwei Tage gedauert, und er hatte nur noch bruchstückhafte Erinnerungen an die Reise, unter anderem an den Dulles Airport. Dieser beeindruckende Flughafen war einer der größten in den USA, und er lag rund vierzig Kilometer westlich von Downtown D.C. Selbst bei günstiger Verkehrslage, glaubte er sich zu erinnern, dauerte die Fahrt in die Stadt knapp fünfundvierzig Minuten. Nach einer endlosen Schlange an der Passkontrolle und einer noch längeren Wartezeit auf seinen Koffer ging Peter eine Stunde nach seiner Ankunft endlich durch den Zoll und erreichte kurz darauf den Ausgang. Ein etwa fünfzigjähriger Mann, augenscheinlich mexikanischer Abstammung, wartete dort bereits auf ihn mit einem kleinen Plakat, auf dem mit dickem schwarzem Filzstift sein Name stand: **Peter Mormerin**.

Murdock7 hatte Peter während ihres letzten Kontakts mitgeteilt, dass der Transfer vom Flughafen und die Hotelbuchung arrangiert seien. Er müsse nur in das Flugzeug steigen und es nach der Landung wieder verlassen. Um den Rest würde er sich kümmern. Dennoch waren die drei Tage, die zwischen der Entscheidung zu fliegen und dem tatsächlichen Abflug gelegen hatten, sehr hektisch gewesen. Nur unter größten Anstrengungen hatte er in dieser kurzen Zeit alles Notwendige arrangieren können. Allein der Flug war wegen der kurzfristigen Buchung fast doppelt so teuer wie normal gewesen. Doch das war ja zum Glück nicht sein Problem. Nun saß er in einer Limousine und fuhr auf der Dulles Access Road Richtung Washington

D.C. Während der Fahrt sagte niemand etwas. Peter war zu sehr mit seinen Gedanken beschäftigt, und der Fahrer schien auch nicht an einem Gespräch interessiert zu sein. Als sie am Holiday Inn Hotel in Georgetown ankamen, stieg er aus, ließ sich sein Gepäck vom Fahrer aus dem Kofferraum holen und ging in Richtung Hotellobby. Sekunden später war das Auto wieder im Verkehrsgetümmel verschwunden.

Nach dem Einchecken ging Peter auf sein Zimmer. Das Hotel gehörte zur Mittelklassekategorie: Es bot keinen besonderen Luxus, aber die Zimmer waren sauber und funktionell. Und auch die üblichen Einrichtungen wie ein kleiner Fitnessraum, eine Bar und sogar ein Pool waren vorhanden. Letzterer lag allerdings im Freien und war um diese Jahreszeit daher für ihn nutzlos.

Nachdem Peter seine Kleidung in den Wandschrank geräumt und den Koffer unter das Bett geschoben hatte, ließ er sich in einen Sessel fallen. Er angelte sich die Beschreibung der Hotelanlage, die auf dem Schreibtisch lag, und stellte erfreut fest, dass Highspeed-Internetzugriff auf jedem Zimmer zur Verfügung stand – genau darauf hatte er gehofft. Auf einem Blatt am Nachttisch lagen die entsprechenden Log-in Instruktionen. Er holte sein Notebook aus der Aktentasche, folgte den Anweisungen Punkt für Punkt und war kurz darauf online. Die Nachricht von Murdock7 stand an zweiter Stelle der neu eingegangenen Mails und war gewohnt prägnant: ‚Willkommen! Abholung morgen 19 Uhr pünktlich in der Lobby. Angenehmen Aufenthalt!'

„Mehr muss man nicht wissen", sprach Peter seine Gedanken laut aus, und schmunzelte. Mit Freundlichkeiten war er bisher nicht gerade überschüttet worden, aber immerhin war seit seiner Ankunft alles reibungslos abgelaufen und so, wie Murdock7 es beschrieben hatte. Nun saß er in Washington D.C. in seinem Hotelzimmer, mitten im politischen Machtzentrum der Welt, und fragte sich, was wohl als Nächstes auf ihn zukäme. Ein Blick auf den in den Nachttisch integrierten

Wecker verriet ihm, dass es erst kurz nach 16 Uhr war und somit noch etwas Zeit bis zum Einbruch der Dunkelheit blieb. Da das Treffen ohnehin erst am nächsten Tag stattfinden sollte, entschied er sich für einen Bummel durch die umliegenden Straßen.

Georgetown war ein historischer Stadtteil und hatte sich im Laufe der Jahre zu einem Shopping-, Restaurant- und Barviertel entwickelt. Nach ein paar Stunden ziellosen Umherschlenderns saß Peter gegen 19 Uhr im *Enzios*, einem elitären italienischen Restaurant. Die Linguine mit Red Clam Sauce auf seinem Teller dufteten verführerisch. Nach der langen Reise war er hungrig und stürzte sich geradezu darauf. Das Lokal hatte ein angenehmes Ambiente, das Essen war ausgezeichnet, und der Ober schenkte einem gerade genug Aufmerksamkeit, um es an nichts fehlen zu lassen, ohne dabei aber aufdringlich zu wirken. Peter fühlte sich für einen Moment wie auf einem Kurzurlaub, bis ihm der mysteriöse Anlass seiner Reise wieder bewusst wurde. Nach wie vor hatte er keine Ahnung, wer sein geheimer Gastgeber war und was dieser im Schilde führte. Als er abgeflogen war, hatte er sich noch regelmäßig nervös umgesehen, um festzustellen, ob ihm vielleicht jemand folgte, doch er hatte nichts Auffälliges entdecken können und sich allmählich beruhigt. Während seines Bummels durch die belebten Straßen von Georgetown jedoch waren ihm erneut Zweifel gekommen, und er hatte sich mehrfach umgedreht, ohne allerdings etwas Verdächtiges zu bemerken. Das Gefühl, jemand würde ihn beobachten, wurde er dennoch nicht los.

Jetzt, nach dem Essen, wurde er müde und entschied, zurück zum Hotel und zu Bett zu gehen. Er ließ sich die Rechnung bringen und verlangte eine Quittung. Diese würde er später an Murdock7 weiterreichen und sich die Spesen erstatten lassen.

Es waren nur ein paar Minuten Fußweg vom Restaurant zum Hotel, und als er endlich im Bett lag, nahm ihn Sekunden später ein tiefer, erholsamer Schlaf fest in seinen Griff. Am nächsten Morgen weckten ihn erst gegen 10 Uhr die durch das Fenster blinzelnden Sonnenstrahlen. Es war seit Tagen die erste durchgeschlafene Nacht gewesen. Peter fühlte sich frisch und voller Tatendrang.

Den Tag verbrachte er mit der Besichtigung einiger nahe gelegener Sehenswürdigkeiten: Lincoln Memorial, Washington Monument und etliche andere imposante Touristenattraktionen waren von seinem Hotel aus zu Fuß erreichbar und immer einen Besuch wert.

Punkt 19 Uhr stand er frisch geduscht und umgezogen in der Hotellobby und wartete auf seine Verabredung. Ein gepflegt aussehender Mann in dunkelgrauem Anzug trat kurz darauf auf ihn zu und begrüßte ihn mit den Worten: „Guten Abend Mr. Mormerin, würden Sie mich bitte zur Limousine begleiten?"

Der Mann war höflich, aber bestimmt, und seine Frage klang eher wie eine Anweisung.

„Murdock?", Peter blickte den Mann fragend an.

„Sie werden Ihren Gastgeber in Kürze treffen."

Damit machte er ohne ein weiteres Wort auf dem Absatz kehrt. Peter folgte ihm wortlos nach draußen und stieg in den Lincoln Mercury, der unmittelbar vor dem Hotel geparkt war. Die Fahrt dauerte fast zwanzig Minuten und schien kreuz und quer ziellos durch die Stadt zu führen. Als sie in ein Villenviertel einbogen und das Tempo verlangsamten, kam Peter die Umgebung zu seiner eigenen Überraschung plötzlich bekannt vor.

„Wo sind wir hier?", fragte er den Fahrer.

„Das ist Potomac, Bundesstaat Maryland. Eine der wohlhabendsten Gegenden in den Vereinigten Staaten!"

Jetzt erinnerte Peter sich. Während seines letzten Besuchs hatte ein ortskundiger Kollege ihn durch dieses luxuriöse Wohnviertel chauffiert und ihm die prunkvollen Villen der Politik- und Wirtschaftsgrößen der Vereinigten Staaten gezeigt. Als die Limousine auf eine Schotterstraße einbog, wunderte er sich über den Zustand dieser Straße. Dann erkannte er jedoch, dass es keine öffentliche Straße war, sondern die Zufahrt zu einer der Luxusvillen. Bald darauf fuhren sie an dem mit riesigen runden Säulen dekorierten Eingang vor, und die Limousine hielt an.

„Bitte folgen Sie mir, Mr. Mormerin."

Der Chauffeur war ausgestiegen und hatte die Wagentür für Peter geöffnet. Jetzt führte er ihn über den Parkplatz und ein paar Treppenstufen hinauf zum Eingang zwischen den Marmorsäulen. Ein grauhaariger, hagerer Mann Anfang siebzig öffnete die Tür. Er begrüßte Peter unerwartet herzlich, nannte aber seinen Namen nicht.

„Peter Mormerin", stellte Peter sich vor und reichte seinem Gegenüber die Hand. Dieser schüttelte sie kurz, doch anstatt eines Namens kam erneut nur ein freundliches Lächeln zurück. Der Mann sah für sein Alter zwar sportlich aus, aber Peter war dennoch überrascht von dem festen Druck, der sich um seine Hand legte. Einen weichen, womöglich gar schwitzigen Händedruck verband er mit einem Waschlappen oder unaufrichtigen Charakter. So aber wurde sein erster Eindruck der Sympathie noch verstärkt.

„Murdock?", startete Peter einen erneuten Versuch, den Namen seines Gegenübers in Erfahrung zu bringen. Seine Stimme klang aufgrund der unerwarteten Herzlichkeit des Empfangs unsicher. Freundlichkeit war etwas, das er von Murdock7 bisher noch nicht kannte.

Der alte Mann lachte laut auf, sah Peter dann jedoch mit ernstem Blick an: „Nenn mich einfach Joe! Es freut mich, Sie endlich persönlich zu treffen. Kann ich Sie Peter nennen?"

„Klar, die Freude ist ganz meinerseits – Joe."

„Momentan ist es nicht wichtig, Murdock kennen zu lernen. Ich werde euch später bekannt machen. Ich bin es, mit dem du sprechen willst, und jetzt komm erst mal rein!"

Er schloss die von geschliffenem Glas gesäumte, elegante Holztür hinter ihnen und führte Peter ins Haus.

Offene Karten

Peter war beeindruckt. Der Anschein des Überschwänglichen, den das parkähnliche Grundstück vermittelte, setzte sich im Inneren des Gebäudes konsequent fort. Der Eingangsbereich musste ungefähr vier Meter Durchmesser haben und war wohl gute zehn Meter lang. Links und rechts an den Wänden hingen verschiedene Gemälde von imposanter Größe. Er war nicht sonderlich vertraut mit dieser Art Kunst, aber zweifelsohne handelte es sich hierbei um echte Ölgemälde anstatt billiger Drucke, wie sie in seiner eigenen Wohnung hingen. Ein paar Vasen und Statuen rundeten die Dekoration in diesem Teil des Anwesens ab.

Am Ende des Flures lag ein imposantes Wohnzimmer mit gut und gerne achtzig Quadratmetern. Staunend blieb Peter im Durchgang stehen und musterte die Möbelstücke. Er bemerkte nicht einmal, dass Joe eine Tür auf der anderen Seite des Flurs öffnete und diskret auf ihn wartete. Als es ihm dann doch noch auffiel, war ihm seine offensichtliche Neugierde peinlich, und er entschuldigte sich hastig.

Gemeinsam traten sie in das Zimmer, das sich als kleine Privatbibliothek entpuppte. Die Einrichtung war im englischen Stil gehalten, und in der Mitte stand ein eleganter Ledersessel hinter einem mit Glanzlack überzogenen Tisch aus Teakholz. Auf der anderen Seite des Tisches standen zwei mit purpurrotem Stoff bezogene Sessel. Die Wände ringsum waren mit hohen Bücherregalen verstellt, und diese wiederum lückenlos mit Büchern gefüllt. Vor dem großen, zum Garten hin ausgerichteten Panoramafenster stand ein weiterer Sessel. Joe hatte sich bereits auf dem Ledersessel niedergelassen und bat Peter, ihm gegenüber Platz zu nehmen.

„Tee, Kaffee oder lieber etwas Kaltes zu trinken?“, offerierte er, nachdem er Peter ein wenig Zeit gelassen hatte, seine Faszination zu verdauen.

„Ein Tee wäre gut", entgegnete dieser und ließ seinen Blick erneut über die Bücherregale schweifen. Joe entschuldigte sich und verließ das Zimmer. Peter machte es sich in dem Sessel bequem. Plötzlich erschrak er und sprang auf. Erst jetzt hatte er bemerkt, dass sich eine weitere Person im Raum befand. Eine Person, die er kannte …

Der Mann mit dem blauen Audi hatte schon die ganze Zeit in einem Sessel am Fenster gesessen, allerdings hatte Peter ihn aus seiner Position bisher nicht sehen können.

„Hey Peter, lange nicht gesehen!"

Das Lächeln wirkte gespielt. Er streckte Peter die Hand zum Gruß entgegen, doch dieser ignorierte die Geste und wandte sich wütend an Joe, der gerade zurück in den Raum kam: „Was soll das denn schon wieder?!"

Hatte er etwa doch zu hoch gepokert und war in eine Falle gelaufen? Waren Murdock7, Joe oder wer auch immer, letztlich doch Verbrecher? Sein Gehirn arbeitete auf Hochtouren, aber Joe unterbrach seine Gedanken: „Lass mich erklären, welche Rolle mein Freund Garret spielt. Es gibt keinen Grund, emotional zu werden."

„Natürlich nicht, … abgesehen von der Kleinigkeit, dass er mich niedergeschlagen hat!"

Kaum hatte er Garret gesehen, war ihm klar gewesen, dass nur er es sein konnte, der sich damals auf dem Parkplatz herangeschlichen und ihn bewusstlos geschlagen hatte. Joe warf Garret einen strengen Blick zu – und dieser senkte den Kopf.

Die Anspannung wurde unterbrochen, als sich die Tür öffnete und eine elegant aussehende Dame Mitte fünfzig den Tee brachte.

„Darf ich dir meine werte Ehefrau Sherry vorstellen?", fragte Joe und bedankte sich mit einem Lächeln für den Tee.

„Schön, Sie kennen zu lernen", sagte Sherry zu Peter, während sie grünen Tee in eine flache Porzellantasse goss. Er erwiderte den Gruß höflich und bedankte sich, dann verließ Sherry den Raum.

Joe nahm die Konversation mit gelassenem Tonfall wieder auf: „Garret ist ein Freund." Er pausierte einen Augenblick, bevor er fortfuhr: „Sogar ein sehr guter Freund, und so sehr ich deine Voreingenommenheit verstehe, bitte ich dich doch, sie bis nach unserem Gespräch beiseite zu legen. Angesichts der Tatsache, dass du die weite Reise in die Staaten auf dich genommen hast, gehe ich davon aus, dass du an den Dingen, die hier vor sich gehen, ernsthaft interessiert bist. Dennoch muss ich dich vorab noch einmal warnen. Die Informationen, die du heute bekommen wirst, könnten dich in Gefahr bringen. Mit anderen Worten: Solltest du Zweifel haben, ist jetzt möglicherweise die letzte Gelegenheit, dich aus der Sache zurückzuziehen."

Er zögerte, bevor er weitersprach: „Und bitte versteh mich nicht falsch, das ist keine Drohung. Solltest du dich für einen Rückzieher entscheiden, bringt unser Chauffeur dich noch heute zum Flughafen, und zehn Stunden später landest du in München."

Unter normalen Umständen wäre Peter einfach aufgestanden und hätte den Raum verlassen. Garret hatte ihn niedergeschlagen, und jetzt sollte er ihn möglichst gar als Freund akzeptieren! Allerdings waren dies beileibe keine normalen Umstände. Zwar hatte Joe seine anfängliche Freundlichkeit für den Moment abgelegt, doch da war immer noch diese Aura, die ihn umgab. Alles, was er sagte, wirkte ehrlich und aufrichtig. Er machte den Eindruck eines weisen, alten Mannes. Also blieb Peter sitzen, nickte und hörte Joe weiterhin aufmerksam zu.

„Also gut, das hatte ich erwartet. Abgesehen von den Gefahren, bietet sich uns eine große Chance, Einfluss auf die Entwicklung der Gesellschaft zu nehmen."

Als er aufstand, verdüsterte sich sein Blick, und auf der Stirn wurde eine Zornesfalte sichtbar. Das nächste Wort spuckte er förmlich aus: „Kapitalismus!"

Peter sah verwundert zu Joe auf und beobachtete ihn skeptisch, während er mit der Definition von Begriffen wie Kapitalismus, Feudalismus und freier Marktwirtschaft fortfuhr. Fast eine Viertelstunde dauerte diese fast schon philosophische Ansprache, und Peter hatte noch immer nicht den leisesten Schimmer, worauf das Ganze hinauslaufen sollte.

„Mit gutem Grund wird der Begriff Kapitalismus oft negativ verwendet. Leider leben wir hier in den Staaten nicht, wie uns gerne eingeredet wird, in einem System der freien Marktwirtschaft, sondern im Kapitalismus! Und Europa ist uns diesbezüglich dicht auf den Fersen! Dieses System zerstört die Umwelt, zerstört die Gesellschaft und verhindert eine gleichmäßige Verteilung der Ressourcen. Am Ende werden ein paar Reiche auf einem zerstörten Planeten inmitten von Hungernden und Leidenden sitzen!"

Bei dem letzten Satz hatte Joe nicht einmal mehr versucht, seine Wut zu verhehlen.

„Freie Marktwirtschaft definiert sich durch die Bedürfnisbefriedigung der Märkte, während der Kapitalismus von den Eigentumsverhältnissen der Produktionsmittel abhängig ist. Hier genau liegt unser Problem. Es ist ein System, das die Reichen auf Kosten der Armen immer reicher macht. Die Bedürfnisbefriedigung der Märkte ist schon lange nicht mehr das Thema. Vielmehr geht es heutzutage um die Bedürfnisse der Unternehmen und darum, immer neue Märkte zu schaffen, um vorgegebene Absatzzahlen zu erreichen."

„Ich bin mit dieser Thematik vertraut", bemerkte Peter trocken und fragte sich, warum Joe ausgerechnet ihm diese Dinge erzählte.

„Unser eigentliches Thema dreht sich aber um das Bündnis", fuhr Joe ungerührt fort, als hätte er Peters Einwurf gar nicht gehört. „Wir befinden uns derzeit in einer Phase des Sozialabbaus. Ausgelöst durch das Ende der Sowjetunion und der bipolaren Weltordnung, fiel mit dem Sozialismus eine mächtige Alternative zur Marktwirtschaft weg, die nun mangels Konkurrenz als einzig überlebendes System immer weniger sozial wird. Eine Pauschallösung gibt es leider nicht. Die Politiker, in deren Händen die Verantwortung für eine gerechtere Weltordnung eigentlich liegt, sind viel zu schwach und verfolgen vor allem ihre eigenen Interessen – meist die Entwicklung ihrer Karriere. Genau an dieser Stelle kommt das Bündnis ins Spiel!"

Joe legte erneut eine Pause ein. Seine Wangen waren gerötet, und er atmete schwer – offensichtlich regte er sich auf. Er stand auf, ging durch den Raum und blieb vor dem großen Fenster stehen. Dort starrte er eine Weile in den Garten, bevor er weitersprach.

„Die Entstehung des Bündnisses ist glückliches Ereignis und tragische Geschichte zugleich. Immer wieder gab es in den letzten Jahren Menschen, die sich für die Eindämmung des Kapitalismus eingesetzt haben. Einer davon war Kathy Wirnstein, eine junge attraktive und forsche Journalistin, … bis sie eines Tages ermordet aufgefunden wurde. Man vermutete, dass das FBI dahinter steckte. Sie hatte einige sehr kritische Artikel über den Staat und das gesamte System unseres Landes veröffentlicht und damit immer wieder auf sich aufmerksam gemacht und für Unruhe gesorgt.

Mittlerweile hat sie in bestimmten Kreisen den Status einer Märtyrerin erreicht, und ihr Tod war gewissermaßen die Initialzündung, die zur Gründung des Bündnisses führte!"

Wieder unterbrach Joe seine Ansprache, und diesmal wirkte es wie eine Gedenkminute.

„Unter anderem verwies Kathy auf Missstände in unserem kapitalistischen System und philosophierte über den Niedergang von Demokratie und Umwelt – verursacht durch habgierige Manager und korrupte politische Entscheidungsträger. Wiederholte Anklagen und selbst eine anonyme Morddrohung konnten sie nicht einschüchtern. Eines Tages hat dann wohl jemand in einflussreicher Position entschieden, dass sie zu gefährlich wäre. Der Rest ist schnell erzählt."

Dem Anflug von Trauer folgte nun ein unterdrückter Wutausbruch: „Der Prozess war eine Farce, wie bei diesen Fällen üblich. Verschleppte, beziehungsweise verloren gegangene Beweise und praktisch keine Zeugen, weil an diesem Tag eine Ausgangssperre verhängt worden war. Einziger Zeuge war ein Obdachloser namens Steve. Er sagte aus, dass zwei Männer vom FBI Kathy abgeholt und sich trotz ihrer eindringlichen Forderung geweigert hätten, ihn mitzunehmen. Steve konnte sogar eine relativ gute Beschreibung der beiden Männer und des Fahrzeugs abgeben. Alles ohne Erfolg – man servierte ihn ab und diskreditierte ihn wegen seines Alkoholkonsums, und am Ende hatte er noch Glück, nicht selbst als Täter angeklagt und hingerichtet zu werden. Nur die Aussage von Martin, dem Chefredakteur der Zeitung, für die Kathy gearbeitet hatte, bewies, dass Steve nicht der Mörder sein konnte, weil er zum Zeitpunkt von Kathys Tod bei Martin im Büro saß. So blieb zwar der Verdacht bestehen, dass dieser Mord von jemandem aus der Regierung in Auftrag gegeben worden war, doch die Akte wurde geschlossen."

Peter hörte gebannt zu und saß jetzt kerzengerade in seinem Sessel.

„Der Fall hat einiges an Staub aufgewirbelt und sich damals hartnäckig in den Zeitungen gehalten. Was Kathy zu Lebzeiten nicht gelungen war, nämlich das Interesse der breiten Öffentlichkeit für ihre Sache zu gewinnen, ist durch ihren Tod definitiv eingetreten. Falls die betroffenen Personen unserer politischen und wirtschaftlichen Führungsriege gedacht hatten, das Thema wäre mit dem Schließen der Akte vom Tisch, so stellte sich heraus, dass dies erst der Anfang ihrer Probleme sein sollte!"

Joe nahm einen Schluck Tee, bevor er fortfuhr: „Aus der gemeinsamen Trauer um Kathy entwickelte sich zwischen Martin und Steve eine gewisse Freundschaft. Später wurden sie zu Verbündeten, denn ihre Abscheu gegenüber den Mördern und ihr tiefes Verlangen nach Gerechtigkeit brachte die beiden dazu, das Bündnis zu gründen."

Peter hatte immer noch nicht die geringste Vorstellung, worum es sich bei dieser Vereinigung handelte, und wollte gerade den Mund öffnen, als Joe ihm zuvorkam: „Das Bündnis ist eine sehr wirkungsvolle Vereinigung, die sich in den Rängen der Politiker und Wirtschaftsbosse einen Namen gemacht hat. Dank seiner Mitgliederstruktur ist es mit ausreichend Kapital ausgestattet und versucht, gewissen kapitalistischen Machenschaften Einhalt zu gebieten. Mithilfe großflächiger Werbungen und Anzeigen in bekannten Zeitungen und Illustrierten macht die Vereinigung immer wieder auf die Missstände des kapitalistischen Systems aufmerksam und erreicht somit eine stetig wachsende Mitgliederzahl. Neben einfachen Bürgern sind auch Menschen aus Gesellschaftsschichten, die man hier nicht erwarten würde, vertreten – wie zum Beispiel Anwälte und Politiker. Andere treten wiederum nur als anonyme Geldgeber in Erscheinung. Das heißt, selbst in der Zielgruppe, der die Kritik des Bündnisses gilt, gibt es Menschen, die mit der Entwicklung in unserem Land unzufrieden sind. Diese Leute haben das Problem der Zeit erkannt und sind zu der Einsicht gekommen, dass grenzenlose Raffgier die Gesellschaft in den Untergang führen wird.

Trotz guter Zuwachsraten erstreckt sich das Bündnis zwar immer noch über einen relativ kleinen Mitgliederkreis, doch sind wir momentan dabei, international aktiv zu werden."

„Deutschland?" Peter hatte seit längerer Zeit nur dagesessen und gebannt Joes Worten gelauscht. Jetzt aber konnte er seine Fragen nicht mehr zurückhalten.

„Unter anderem. International auch deswegen, weil wir in einer Welt leben, die von global tätigen Unternehmen gesteuert wird. Was passiert, wenn man diesen Aspekt außer Acht lässt beziehungsweise ihm nicht gewachsen ist, demonstriert unsere politische Riege ja eindrucksvoll genug." Joe drehte sich um und sah Peter beschwörend an. „Kleine Strohfeuer haben wir schon viele entzündet, aber langfristig wollen wir den Flächenbrand. Nur so werden wir in der Lage sein, unsere Ziele zu erreichen, die wiederum nur mit einem global aufgesetzten Konzept realisierbar sind!"

Joe ging zurück zu seinem Platz hinter dem Schreibtisch und nahm abermals einen Schluck Tee. Während er die Tasse wieder abstellte, wich die Anspannung allmählich aus seinem Gesicht, und sein fast väterlicher Ausdruck kehrte zurück. Dann lehnte er sich entspannt nach hinten und schien seine Ausführungen beendet zu haben. Peter erhob sich aus seinem Sessel und begann, mit verschränkten Armen im Raum auf und ab zu gehen.

„Zweifelsfrei edle Motive, dennoch klingt die Geschichte irgendwie … dramaturgisch. Ich weiß nicht, ob ich das alles so einfach glauben kann. Versteh mich nicht falsch Joe, ich will nicht urteilen. Aber selbst, wenn das alles wahr ist, bin ich der falsche Ansprechpartner. Ich bin Wissenschaftler und kein Aktivist. Ab und an schreibe ich zwar mit spitzer Feder über eine neue Posse unserer Politiker und hebe den einen oder anderen Missstand hervor, aber das war's. Das Bündnis hingegen …," er zögerte kurz, doch dann schossen die Worte scharf aus ihm heraus, „das Bündnis mordet und scheint auch sonst vor keiner Straftat zurückzuschrecken!"

Bevor Peter sich noch weiter aufregen konnte, wurde er von Joe scharf unterbrochen: „Nein, da liegst du falsch!"

Beide Männer fixierten einander.

„Genau darin nämlich liegt unser Problem – und genau deswegen brauchen wir deine Hilfe." Nachdem Joe einmal tief durchgeatmet hatte, fuhr er mit seiner gewohnt ruhigen Art fort: „Wir kämpfen zwar mit harten, aber durchwegs legalen Mitteln. Nie haben wir einen Menschen ermordet oder ihm auch nur ein Haar gekrümmt. Dich haben wir angesprochen, weil wir jemanden suchen, der sowohl die Fähigkeiten als auch die Überzeugung mitbringt, für unsere Sache einzustehen. Natürlich legitimieren wir weder Mord noch andere Verbrechen. Und genau das ist der zweite Grund, warum wir dich hierher gebracht haben und für uns gewinnen wollen."

Peter hatte inzwischen den Platz auf seinem Sessel wieder ein- und die Rolle des Zuhörers angenommen.

„In letzter Zeit will offenbar jemand den Ruf unserer Organisation schädigen. Zwei Personen, deren Machenschaften wir ans Licht der Öffentlichkeit bringen wollten, wurden kürzlich auf grausame Art und Weise ermordet. Da wir bereits Kampagnen gegen diese Männer gestartet hatten, gehören wir natürlich zum Kreis der Verdächtigen!"

Peters Voreingenommenheit begann zu bröckeln, und wie schon zu Beginn des Gesprächs hatte er den Eindruck, es gebe keinen Anlass, an Joes Worten zu zweifeln. Woran das lag, konnte er nicht erklären, er wusste nur, dass er dem Mann aus irgendeinem Grund vertraute.

„Bisher gibt es praktisch keine Anhaltspunkte oder Verdächtige. Wer immer auch dahinter steckt, agiert höchst professionell und hinterlässt keine Spuren. Zumindest der zweite uns bekannte Mord wurde von einer dritten Person ausgeführt. Wir vermuten, dass der für die Tat verantwortlich gemachte Verrückte dazu gezwungen oder zumindest gedrängt wurde. Ob hierbei Drogen oder Psychotricks im Spiel waren, entzieht sich unserer Kenntnis. Auf jeden Fall kennt der Täter seinen Auftraggeber nicht und kann dessen Identität somit auch nicht preisgeben.

Für das Bündnis ergeben sich daraus zwei Möglichkeiten: Entweder wird gezielt manipuliert, oder jemand handelt aus ähnlicher Motivation heraus wie das Bündnis. Wie auch immer, im Gegensatz zu uns scheint dieser Jemand weder ethische noch moralische Grenzen zu kennen!"

Joe wirkte mittlerweile müde, und so kamen seine nächsten Worte für Peter nicht sonderlich überraschend: „Es war ein langer Abend, ich fühle mich ausgebrannt und müde. Und ich glaube, dass auch Peter Zeit braucht, das Gehörte zu verdauen.

Wir sollten das Gespräch morgen fortsetzen. Eines jedoch schulde ich dir noch, und das duldet keinen Aufschub."

Er wandte sich Garret zu, der immer noch auf seinem Stuhl saß und nun zustimmend nickte. Joe warf ihm einen flüchtigen Blick zu und sagte: „Garret wurde von uns nach Deutschland gesandt, um den einzigen Verdacht, den wir derzeit haben, zu überprüfen. Eher zufällig ist er dabei auf deine Arbeit gestoßen. Wir haben Informationen über dich eingeholt und entschieden, einen Versuch zu starten, dich für uns zu gewinnen."

Peter sah Garret erneut an. Seine Sympathie für diesen Mann hielt sich nach wie vor in Grenzen. Aber machte ihn das zum Mörder? Bevor er weiter darüber grübeln konnte, fuhr Joe fort: „Heute Abend hast du eine Erklärung über das Bündnis, seine Ziele und Moralvorstellungen erhalten. Außerdem hoffe ich, dass es mir gelungen ist, dir das Prekäre der Situation zu vermitteln. Jetzt liegt es an dir, die Dinge einzuordnen. Überleg dir gut, ob du für unsere Ideale eintreten und dich auf unsere Seite schlagen willst. Erst dann macht es Sinn, dich in weitere Details einzuweihen. Solltest du dich für eine Zusammenarbeit entscheiden, wird es in den nächsten Tagen Gelegenheit dazu geben, dich auch mit ein, zwei Schlüsselpersonen bekannt zu machen."

Joe stand auf und trat hinter seinem Schreibtisch hervor. Er war am Ende seiner Ausführungen angelangt. Peter schluckte.

„Es tut mir Leid, dass ich vorhin so ... spontan reagiert habe. Falls es tatsächlich ist, wie du sagst, scheint mir das Bündnis durchaus eine legitime Vereinigung zu sein."

Er bemerkte, dass er soeben zum ersten Mal den Begriff Bündnis verwendet hatte und fragte sich, ob das wohl ein Zeichen für unterbewusste Akzeptanz war.

„Ich habe eine ähnliche Weltanschauung und werde mir überlegen, was ich beitragen kann. Allerdings bin ich, wie gesagt, Wissenschaftler und kein Detektiv. Ermittlungen bei Mordfällen und anderen Verbrechen gehören meiner Meinung nach in die Hände der Polizei und nicht in die von Privatpersonen."

Joe fiel ihm ins Wort: „Das Bündnis steht für die Chancengleichheit der Menschen aller Schichten. Sein Ziel ist, das gesunde Gleichgewicht in der Gesellschaft wiederherzustellen. Mit terroristischen Aktivitäten, Attentaten oder sonstigen Verbrechen haben wir nichts zu tun. Wir stellen keine Forderungen an dich oder sonst jemanden. Wenn wir Potenzial sehen, bitten wir diese Menschen lediglich darum, uns zu helfen. Wir überlassen es jedem selbst, ob oder wie stark er sich einbringen möchte!"

„Es sei denn, derjenige heißt Peter Mormerin", warf Peter augenzwinkernd ein und erinnerte an den letzten Chat mit Murdock7, als dieser ihm mitgeteilt hatte, es gäbe keine Möglichkeit, sich aus der Angelegenheit zurückzuziehen.

Joe wiegte den Kopf und sagte: „Nun ja, besondere Situationen erfordern besondere Maßnahmen!"

Er zwinkerte ebenfalls und ging Richtung Tür.

„Ich würde sagen, du bleibst noch ein paar Tage unser Gast hier in Washington. Dann kannst du in Ruhe überlegen, wie du zu dem stehst, was ich dir erzählt habe. In zwei Tagen findet im Weißen Haus eine Konferenz statt. Wir werden versuchen, eine Zugangsgenehmigung für dich zu bekommen. Du solltest dir anhören, worum es dort geht!"

„Eine Pressekonferenz im Weißen Haus?", fragte Peter irritiert.

„Ja, Joseph H. Warner, der Vizepräsident der Vereinigten Staaten, wird sie halten", antwortete Garret mit einem süffisanten Grinsen. Peter starrte Joe entgeistert an. Dieser nickte ihm dezent zu und öffnete gleichzeitig die Tür. Mit einer höflichen Geste deutete er den Weg in den Flur hinaus.

Peter wusste, dass er jetzt zuerst mit sich selbst ins Reine kommen musste.

Die Vorbereitung

Joe fühlte sich ausgelaugt, als er an diesem Morgen aufstand. Und das lag nicht allein an der zu kurzen Nacht.

Als er sich zu Sherry an den Frühstückstisch setzte, fragte sie: „Ist das Treffen gestern Abend gut verlaufen?"

Joe zögerte und zog die Augenbrauen hoch. „Sagen wir, es gibt zumindest etwas Hoffnung."

Er nahm sich ein Stück Baguette aus dem Brotkorb und strich lustlos etwas Erdnussbutter darauf.

„Ich weiß, es ist schwierig für dich, wenn ich so beschäftigt bin." Dann nahm er ein Keramiktöpfchen mit Erdbeermarmelade, überlegte kurz, stellte es wieder hin und starrte die Aprikosenkonfitüre an. Nach einer Weile räusperte er sich und fuhr fort: „Es tut mir Leid, mein Schatz. Ich kann dir momentan nicht sagen, was los ist. Bitte glaub mir, ich versuche immer, das Beste für dich und unsere Töchter zu tun. Manchmal ist es schwer, Beruf und Privatleben in Einklang zu bringen. Aber ich garantiere dir, alles zu erzählen, sobald es möglich ist."

Dann stand er auf.

„Ich muss noch einiges für die Pressekonferenz morgen vorbereiten und werde es vermutlich nicht schaffen, heute Abend nach Hause zu kommen."

Sherry wusste, dass für derartige Situationen ein Zimmer im Weißen Haus eingerichtet war. Nur, wenn es sich absolut nicht lohnte, den Nachhauseweg anzutreten – wie in Krisensituationen oder während langwieriger mehrtägiger Konferenzen – machte er Gebrauch von dieser Möglichkeit. Er stand auf, ging zur Garderobe und zog seine schwarzen Lederschuhe an. Sherry folgte ihm. Er drehte sich um und nahm sie in den Arm. Für eine Weile standen sie einfach nur da und genossen die gegenseitige Nähe. Dann sagte sie zärtlich: „Pass auf dich auf!" und gab ihm einen Kuss auf die Lippen.

Wenig später rollte der schwarze Jaguar aus der Hofeinfahrt des Warner Anwesens, und Joe blickte, als er rechts auf die Straße einbog, noch einmal zurück zum Eingang der Villa, wo Sherry ihm nachschaute. Er vermisste sie schon jetzt.

An der nächsten Kreuzung ordnete sich Joe wie gewohnt rechts ein und setzte den Blinker. Doch kurz bevor der Jaguar zum Stillstand kam, riss er urplötzlich das Steuer nach links und zwängte sich vor das erste Fahrzeug direkt an den Anfang der Schlange. Als die Ampel endlich auf Grün schaltete, gab er Gas und bog ab. Hinter ihm ertönte ein wildes Hupkonzert. Das Getöse galt jedoch nicht ihm, wie er mit einem Blick durch das linke Seitenfenster erkannte. Ein silberfarbener Ford Explorer hatte ebenfalls versucht, sich auf die Linksabbiegerspur zu drängen. Aber die anderen Fahrer in der Schlange hatten offensichtlich genug, und ein alter Cadillac mit abblätterndem Lack blockierte das Vorhaben buchstäblich. Der Explorer stand jetzt eingekeilt und konnte weder vor noch zurück.

„Dieser Mistkerl lässt mich tatsächlich beschatten!“, fauchte Joe vor sich hin, bog an der nächsten Ecke erneut rechts ab und trat das Gaspedal voll durch. Der Jaguar beschleunigte und erreichte ein paar Sekunden später das Ende der Straße. Joe hatte zwar vermutet, dass seine Telefonate überwacht und eMails und Briefe durch den Sicherheitsdienst gescannt würden. Mit einer Beschattung allerdings hatte er nicht gerechnet. Die Idee zu diesem Test war ihm spontan gekommen, als er am Morgen in den Jaguar gestiegen war – eine weise Entscheidung, wie sich soeben gezeigt hatte.

Die Kommunikation über und mit Peter Mormerin hatte er ausschließlich über sichere Kanäle geführt, das Treffen allerdings ohne große Vorsichtsmaßnahmen abgehalten, da er Peter nicht durch ein Versteckspiel abschrecken wollte. Hoffentlich war das kein Fehler gewesen.

Nach der nächsten Kurve lag die Auffahrt zum Highway vor ihm, und zwanzig Minuten später hatte er die Stadt bereits weit hinter sich gelassen. An der Ausfahrt 10B setzte er den Blinker und fuhr rechts ab. Er blickte nur flüchtig zurück, denn er glaubte zu spüren, dass ihm niemand mehr folgte. Nach weiteren zehn Minuten auf der von Nadelbäumen gesäumten Landstraße bog er auf einen unbefestigten Flurweg ein, dem er einige hundert Meter lang in den Wald folgte. Am Ende des Weges stand sein Wochenendhaus.

Bis auf ein paar Meter fuhr er an das Holzhaus heran und parkte den Jaguar. Mit tiefen Atemzügen sog er die frische Waldluft in seine Lungenflügel, während er den Rücken durchstreckte. Ein paar Minuten verweilte er so und genoss die Stille des durch die Bäume abgeschirmten Ortes. Anschließend ging er zum Eingang des Hauses und holte mit einem zielsicheren Griff hinter die Regenrinne den Schlüssel hervor. Während er die Tür öffnete und ins Innere des Gebäudes trat, kamen Erinnerungen an die vielen erholsamen Wochenenden in ihm auf, die er hier mit seiner Familie verbracht hatte.

Das Haus bestand aus einem Keller, dem Erdgeschoss und einem kleinen Obergeschoss. Das Erdgeschoss bestand aus einem Raum mit Kochecke, Esstisch und Sofa. Nebenan gab es noch zwei kleine Schlafzimmer. Im Obergeschoss war ein großer Schlafsaal, der bis zu zehn Personen auf einer Art Matratzenlager Platz bot. Hatten die Warners keine Gäste, diente dieser früher den Kindern als das so genannte ‚Räuberlager'.

Bevor Joe das Haus übernommen hatte, war es von zwei Mönchen eines nahegelegenen Klosters bewohnt worden. Nachdem die Ordensbrüder irgendwann ins Kloster umgezogen waren, hatte das Gebäude einige Jahre leer gestanden und verwahrloste. Allerdings lag es auf dem viele Hektar großen Grundstück der Abtei und konnte daher nicht zum Verkauf angeboten werden. Als Joe einmal zu repräsentativen Zwecken das Kloster besucht hatte, war er auf das Haus aufmerksam geworden und fand Gefallen daran. Über den Klostervorsteher, einen seiner Parteifreunde, machte er bald darauf den Deal klar und war wenig später stolzer Langzeitmieter des Blockhauses. Es dauerte ein weiteres Jahr, bis alle Renovierungsarbeiten abgeschlossen waren. Seither genossen die Warners die frische Luft und die Abgeschiedenheit im Wald so oft wie möglich. Gelegentlich feierten sie hier auch Geburtstage und Weihnachtsfeste.

Wie üblich war es etwas stickig, wenn längere Zeit niemand im Haus gewesen war. Joe öffnete ein Fenster und marschierte dann am schweren Kaminofen vorbei quer durch den Wohnraum in eines der Schlafzimmer. Dort ging er zu dem Sekretär in der hinteren Ecke und holte aus der untersten Schublade eine Kassette aus Mahagoniholz hervor. Er öffnete das Zahlenschloss, und als er den Deckel hob, kamen einige Dokumente zum Vorschein. Er entnahm die Blätter und legte sie fein säuberlich auf den Sekretär. Dann schloss er das Kästchen wieder und stellte es zurück an seinen Platz. Eine Weile lang starrte er auf das Schriftstück. Es war das Protokoll eines der ominösen Treffen zwischen dem Präsidenten, seinem engsten Stab und einer Delegation von leitenden Managern großer Wirtschaftsunternehmen.

Nun holte er aus seiner Aktentasche einen weißen, versiegelten Umschlag und den tragbaren Computer. Beides stellte er ebenfalls auf den Sekretär, bevor er die Versiegelung des Umschlags brach, um daraus das Skript für die morgige Pressekonferenz zu entnehmen.

Als er die Zeilen überflog, murmelte er: „Die Typen von der Presseabteilung haben sich mal wieder die größte Mühe gegeben, den Leuten Bullshit als Gold zu verkaufen!“

Die Menschen in diesem Land waren noch nie durch soziale Leistungen verwöhnt worden, und willkürliche Kündigungen gehörten zum Tagesgeschäft. Aber als dann auch noch die letzten Rechte der Arbeitnehmer gestrichen worden waren, die Wochenarbeitszeit immer länger und die Löhne immer geringer wurden, wollten sich die Menschen die Ungerechtigkeit nicht mehr länger gefallen lassen und drohten mit einem Aufstand.

Die Regierung hatte sich nicht anders zu helfen gewusst, als eine Ausgangssperre zu verhängen. Um die Situation wieder in den Griff zu bekommen, wurden ein paar Zugeständnisse gemacht, und die Volksseele beruhigte sich wieder.

Das war vor ungefähr zwei Jahren gewesen. In der Zwischenzeit hatte die Regierung neue, subtilere Wege gefunden, die Entmündigung des Mittelstands fortzusetzen. Unter anderem hatte man sich damals darauf geeinigt, dass während der nächsten zwei Jahre die staatlichen Leistungen wie Social Security und Arbeitslosengeld einer Art Immunität unterliegen sollten und per Gesetz nicht gekürzt werden dürften. Jetzt war die Zeit abgelaufen, und die Thematik musste wieder aufgegriffen werden.

Joe fuhr sein Notebook hoch und begann zu tippen. ‚Memorandum', lautete die Überschrift. Der Inhalt der folgenden Zeilen würde erneuten Aufruhr in der Bevölkerung erzeugen und Kampagnen gegen die amtierende Regierung und die Riege der beteiligten Unternehmen auslösen. Er hatte ausreichend Dokumente in der Hand, um die Wahrheit seiner Ausführungen zu belegen! Allerdings plante er, der Presse nur einige dieser Beweise zuzuspielen. Die anderen – weitaus skandalträchtigeren – würde er noch vor der Pressekonferenz an einen Freund weitergeben, um so die Sicherheit seiner Person und vor allem die seiner Familie zu gewährleisten. Er würde sich nicht länger vor diesem elenden Lügner verstecken!

Es musste ungefähr eine Stunde vergangen sein, seit er begonnen hatte, das Memorandum zu schreiben. Gerade als er den Entwurf auf einen USB-Stick speichern wollte, schreckte ihn ein Geräusch auf.

Es klang wie Motorengeräusch. Andererseits war das schier unmöglich – zu abgelegen war die Blockhütte, als dass sich jemand hierher verirren konnte. Wieder hörte er das Geräusch, diesmal allerdings etwas lauter. Dank der Stille in dieser Gegend konnte man Geräusche schon aus einiger Entfernung wahrnehmen. Er hielt den Atem an und lauschte genauer – eindeutig war es das Brummen eines Motors. Fieberhaft überlegte Joe, wer einen Grund haben könnte, hier aufzutauchen.

Das Geräusch kam immer näher.

Blitzschnell wirbelte Joe herum. Rasch analysierte er die Situation, griff nach dem Notebook und schaltete es aus. Dann zog er die hölzerne Kassette wieder hervor und legte die Dokumente zurück. In geduckter Haltung eilte er aus dem Schlafzimmer hinüber zum Fenster des Wohnraums.

Gerade in dem Moment, als er auf den Parkplatz vor seiner Blockhütte blicken konnte, stiegen zwei Männer aus einem Wagen und gingen in Richtung Haustür. Zwar kannte er keinen der beiden, wusste aber sofort, wer sie geschickt hatte. Der silberfarbene Ford Explorer parkte hinter seinem Jaguar und versperrte den Weg zurück zur Straße.

„Dieser Mistkerl!“, zischte Joe leise und wartete auf seine unliebsamen Besucher.

Die andere Sicht

Als Garret an diesem Freitagmorgen ins Hotel kam, um ihn abzuholen, war Peter sichtlich nervös. Erst vor zwei Stunden hatte er erfahren, dass Joe ihm tatsächlich die Teilnahme an der Veranstaltung ermöglichen konnte. Nie im Leben hätte er gedacht, einmal bei einer Pressekonferenz im Weißen Haus dabei zu sein. Alles, was er über den Sitz des Präsidenten wusste, stammte aus einem Reiseführer. Und er konnte sich nur noch daran erinnern, dass es im Weißen Haus einhundertzweiunddreißig Räume, mehrere Küchen und fünfunddreißig Toiletten gab.

Die Anfahrt von Georgetown nutzte Garret, um Peter mit einigen Verhaltensregeln vertraut zu machen. Dieser wollte wiederum unbedingt von Garret wissen, wie es möglich gewesen war, auf die Schnelle die notwendige Sicherheitsfreigabe zu bekommen.

„Wenn man weiß, mit wem man wie sprechen muss, ist alles halb so wild", lautete die wenig informative Antwort.

Peter konnte sich vorstellen, dass der Zugang zum Weißen Haus in diesen Tagen kein leichtes Unterfangen war – speziell für ausländische Staatsbürger. Deshalb brummte er nur ein ironisches „Aha!" und beschloss, das Thema auf sich beruhen zu lassen. Was ich nicht weiß, kann ich auch nicht versehentlich ausplaudern, dachte er und schwieg für den Rest der Fahrt.

Nach ihrer Ankunft am Weißen Haus durchliefen Garret und Peter das übliche Sicherheitsprozedere. Anschließend führten zwei Beamte sie durch das Gebäude bis zum Oval Office und wiesen ihnen dort zwei Stühle zu.

„Höchst ungewöhnlich", flüsterte Garret.

„Was meinst du?", entgegnete Peter ebenso leise.

„Pressekonferenzen in diesem Raum sind eher selten. Ich frage mich, ob es einen besonderen Grund dafür gibt."

Peter sah ihn an. Vor nicht allzu langer Zeit hatte dieser Typ ihn niedergeschlagen. Jetzt aber musste er sich auf ihn verlassen.

Sie waren deutlich zu früh, und nachdem Peter den ovalen Raum eingehend beobachtet hatte, fing er an, sich zu langweilen. Doch dann trudelten nach und nach weitere Teilnehmer ein und zogen seine Aufmerksamkeit auf sich. Es dauerte nicht lange, bis alle Stühle besetzt waren. Eine Gruppe von Journalisten, die sich offensichtlich kannte, begann ein angeregtes Gespräch. Peter kannte außer Garret niemanden, und niemand interessierte sich für ihn.

Als Joe ein paar Minuten später endlich den Raum betrat, wurde er von einigen Männern begleitet. Sicherheitspersonal, nahm Peter an. Joe begab sich hinter das Resolute Desk, nahm dort Platz und schaute in die Runde. Als sein Blick auf Peter fiel, nickte er ihm kurz zu.

Dieser erwiderte den Gruß und wunderte sich über die Vorgehensweise. Die Journalisten, die so eifrig diskutierten, hatten Joes Ankunft nicht gleich bemerkt und mussten von einer Kollegin darauf aufmerksam gemacht werden. Joe wartete geduldig, bis schließlich Ruhe einkehrte.

„Irgendetwas stimmt nicht mit ihm“, flüsterte Garret Peter ins Ohr. „Sieh dir sein Gesicht an.“

Peter erschrak. Wie konnte ihm das bisher entgangen sein? Das Gesicht von Joseph H. Warner war aschfahl, seine Augen blutunterlaufen.

„Er sieht nicht gut aus, vielleicht ist er krank. Vorgestern hat er völlig gesund gewirkt. Hast du ihn danach noch mal gesehen?“, fragte Peter.

„Nein. Eigentlich wollte er sich gestern noch einmal bei mir melden, hat es aber nicht getan. Ich dachte, er sei wohl zu beschäftigt.“

In diesem Augenblick stand Joe auf, und ein Raunen ging durch den Raum. Die anderen mussten jetzt ebenfalls bemerkt haben, dass mit dem Vizepräsidenten etwas nicht stimmte.

Während er aufstand, musste er sich auf dem Schreibtisch abstützen, und es war offensichtlich, welche Anstrengung ihn dies kostete. Als er zu sprechen begann, klang seine Stimme unsicher und brüchig.

„Der Präsident der Vereinigten Staaten ist ..."

Peter starrte gebannt auf Joe und hörte, wie dieser jetzt angestrengt, ja fast leidend stöhnte. Er bemerkte auch seinen leeren Blick, der ins Nichts starrte. Was ist nur los mit ihm?, fragte sich Peter, wurde jedoch von Joes erneuten Worten unterbrochen.

„Der Präsident der Vereinigten Staaten ist ein Lügner und Verräter!"

Peter schnappte nach Luft. Hatte er gerade richtig gehört? Er blickte zuerst Garret an, dann die anderen Personen im Raum. Die Worte wiederholten sich währenddessen in seinem Kopf. Er war sich nicht sicher, ob er träumte oder dieser Satz wirklich von Joes Lippen gekommen war. Während er noch versuchte, die Situation einzuordnen, sah er, wie der Mann hinter dem Schreibtisch plötzlich anfing zu wanken und anschließend fiel.

„Verdammt!"

Garret stieß noch einen Fluch aus und sprang, genau wie einige andere Anwesende, von seinem Stuhl auf. Peter und er sahen einander erschrocken an. Fast gleichzeitig schoben sie sich in Richtung Resolute Desk. Allerdings kamen sie nicht weit, denn unmittelbar davor wurden sie von den Männern vom Sicherheitsdienst zurückgehalten. Mittlerweile herrschte ein tumultartiger Zustand in dem Raum, und einige der anderen Teilnehmer versuchten ebenfalls, zu Joe vorzudringen. Andere wiederum diskutierten und gestikulierten wild umher.

Peter stand irritiert im Raum und wusste nicht, wie er sich verhalten sollte. Plötzlich packte ihn Garret am Arm: „Lass uns von hier verschwinden, im Augenblick können wir nichts für ihn tun!“

Damit drehte er sich um und marschierte Richtung Ausgang. Peter folgte ihm wortlos. Gerade als sie die Tür erreichten, schrie jemand etwas, das Peter innehalten ließ, doch Garret bemerkte Peters Zögern und zischte knapp: „Komm jetzt!“

Peter gehorchte wie in Trance, aber die Worte gingen ihm nicht mehr aus dem Sinn: „... er hat aufgehört zu atmen, ... er hat aufgehört zu atmen!“

Niemand stellte ihnen beim Verlassen des Gebäudes Fragen oder versuchte, sie aufzuhalten. Wenige Minuten später saßen sie wieder in Garrets Wagen. Sie fuhren vom Gelände, und erst, als sie auf der Constitution Avenue angekommen waren, hatte Peter seine Fassung wiedergefunden.

„Hast du gehört, was er gesagt hat, bevor er zusammengebrochen ist?“

Garret nickte: „Ja, und ich glaube dieser Satz wird ihm eine Menge Ärger einbringen, sobald er wieder auf den Beinen ist.“

„*Wenn* er wieder auf die Beine kommt“, meinte Peter. „Als wir den Raum verließen, hat jemand gerufen, dass er aufgehört habe zu atmen.“

Garret starrte konzentriert auf die Straße. Er schien den letzten Satz nicht hören zu wollen.

„Den Präsidenten als Lügner und Verräter zu bezeichnen, ist kein Kavaliersdelikt. Ich hoffe für ihn und unser Land, dass dieser Ausspruch den Raum niemals verlässt!“

Eine Zeit lang schwiegen die Männer, dann fuhr Garret fort: „Ich habe keine Ahnung, was das heute war. Es war nicht abgesprochen.“

„Was denkst du, passiert mit dem Bündnis, wenn Joe nicht einsatzfähig ist?“

Garret schwieg erneut, und Peter wechselte das Thema: „Wo fahren wir eigentlich hin?“

„Entweder du fliegst zurück, oder du bleibst hier, bis wir wissen, was mit Joe los ist. So oder so würde ich vorschlagen, du kommst erst einmal mit mir."

„Und wo ist das?"

Peter hatte im Moment zwar auch keine bessere Idee, wollte aber zumindest wissen, wo er hingebracht würde.

Er starrte Garret an und wartete auf eine Antwort. Dieser schien es jedoch nicht für nötig zu halten, auf die Frage zu reagieren, und Peter verzichtete darauf, nachzuhaken. Idiot, dachte er nur und sah aus dem Seitenfenster, während sie auf der Tollroad Richtung Westen fuhren.

Nach einer Weile verließen sie die gebührenpflichtige Straße und bogen zehn Minuten später auf den Parkplatz hinter einem fünfstöckigen Bürogebäude ein. *Washington Blizzard*, las Peter auf dem Schild neben der Tür.

„Hi Garret, ich habe gehofft, dass du dich heute blicken lässt. Ich habe schon etliche Male versucht, dich telefonisch zu erreichen."

Sie standen im Büro eines deutlich übergewichtigen Mannes, und Peter wunderte sich, wer das sein könnte. Typisch Garret hatte dieser ihn weder vorgestellt, noch Peter erzählt, wer er war. Die beiden schüttelten sich die Hand, dann wandte sich wenigstens der Dicke an Peter: „Peter, nehme ich an? Ich bin Martin. Habe schon einiges von dir gehört. Schön, dich kennen zu lernen. Bitte, nimm Platz."

Wenigstens scheint Garret das einzige Arschloch hier zu sein, dachte Peter und erwiderte: „Das Vergnügen ist ganz auf meiner Seite!"

Die Männer nahmen Platz, und Peter musterte Martin genauer. Er war ein kleiner, unappetitlicher Typ mit etlichen Pfunden zu viel auf den Rippen. Aber obwohl er obendrein sehr hektisch wirkte, empfand er ihn nicht als unsympathisch.

„Erzählt, was hat euch hierher verschlagen?"

„Es geht um Joe!"

„Was ist mit ihm?“

Martin schien zu ahnen, dass es schlechte Neuigkeiten gab, denn er blickte Garret besorgt an.

„Genau weiß ich es auch nicht. Wir kommen gerade von einer dieser inoffiziellen Konferenzen.“

„Und, was ist dort passiert?“

„Joe hat von Anfang an schlecht ausgesehen, und unmittelbar nach Beginn seiner Rede ist er zusammengebrochen!“

Martin sank in seinem Stuhl zusammen.

„Habt ihr rausbekommen können, was mit ihm los ist?“, fragte er matt.

„Nein, wir haben uns schnell aus dem Staub gemacht, es war ein ziemliches Durcheinander, und die Typen von der Sicherheit haben niemanden an ihn rangelassen.“

Garret machte eine Pause und fixierte dabei den Aschenbecher auf dem Schreibtisch, dann fügte er mit ungewohnt leiser Stimme hinzu: „Als wir den Raum verließen, hat noch jemand gerufen, dass er aufgehört habe zu atmen.“

Martin presste die Luft aus seinem Mund und stützte sich auf die Stuhllehnen.

„Da ist noch was“, fuhr Garret fort, „unmittelbar bevor er zusammengebrochen ist, hat er gesagt, der Präsident sei ein Lügner und Verräter.“

Jetzt riss Martin die Augen auf und starrte die beiden Männer ungläubig an.

„Keine Ahnung, was wir tun sollen, deswegen sind wir hier.“

Garret ließ sich zurückfallen und signalisierte das Ende seiner Berichterstattung.

„Ehrlich gesagt bin ich ziemlich überrumpelt und muss das Ganze erst einmal verdauen. Spontan fällt mir nur ein, dass die ganze Sache überhaupt nicht nach Joe klingt. Weder ist mir bekannt, dass er gesundheitliche Probleme hatte, noch traue ich ihm ein derart impulsives und unbedachtes Vorgehen zu.“ Martin atmete schwer ein und stand auf:

„Unsere gesamte Arbeit der letzten Jahre gerät damit in Gefahr. Vermutlich sollten wir uns für eine gewisse Zeit zurückziehen und ruhig verhalten, zumindest, bis wir wissen, was mit Joe ist. Ich werde versuchen, seine Frau zu erreichen und hoffe, dass sie mir Auskunft über seinen Gesundheitsstand geben kann."

Er schüttelte den Kopf und verließ den Raum. Einige Sekunden später kam er wieder zurück: „Tut mir Leid, ich bin im Augenblick etwas durch den Wind. Ich brauche jetzt erst einmal einen doppelten Espresso. Kann ich euch auch etwas zu trinken anbieten?"

Garret entschied sich für einen normalen Kaffee, und Peter wählte ein Glas Wasser. Sein Mund war während der letzten Stunden trocken geworden.

„Die Ereignisse überschlagen sich in letzter Zeit, und ich verstehe ein paar Zusammenhänge nicht", sagte Peter, als sie mit ihren Getränken in das Büro zurückkehrten.

„Entschuldige", murmelte Martin, „ich bin immer noch schockiert und außerdem nicht ganz auf dem Laufenden darüber, was man dir bereits erzählt hat. Joe und ich sind eine Art informelle Führer beim Bündnis. Garret ist später dazu gestoßen und hat sich zu unserem Mann für besondere Situationen entwickelt. Dann gibt es noch Steve – er gehört auch zum engeren Kreis."

„Steve?", echote Peter.

„Du wirst ihn noch kennen lernen. Normalerweise arbeitet er hier. Heute hat er allerdings frei."

Martin nahm die Espressotasse und trank sie mit einem Schluck leer. In seinen fleischigen Fingern wirkte das Porzellan wie Puppengeschirr.

„Da du hier in meinem Büro bist, ist dein Gespräch mit Joe offenbar positiv verlaufen?" Fragend sah er Peter an.

„Ich hatte mir etwas Bedenkzeit erbeten. Aber ich habe den Eindruck, dass meine Entscheidung im Moment das geringste Problem ist."

In diesem Augenblick klingelte Martins Mobiltelefon. Nachdem er sich gemeldet hatte, bat er Garret und Peter, ihn für ein paar Minuten zu entschuldigen und verließ das Büro.

Als er fünf Minuten später zurückkam, atmete er abermals tief durch und sagte: „Vermutlich ist das die gute Nachricht des Tages – Joe liegt zwar im Koma, aber er lebt!"

Vor dem Abflug

Es war 9 Uhr morgens, als Peter aus dem Hotel auscheckte und mit seinem Gepäck in der Hotellobby Platz nahm. In fünfzehn Minuten war er mit Garret verabredet, und sie hatten fast zwei Stunden für ihr vorläufig letztes Gespräch eingeplant. Sein Rückflug nach Europa sollte um ein Uhr mittags starten. Es war also mehr als genug Zeit bis dahin.

Im Fernsehgerät an der Decke liefen gerade die Nachrichten von *Newschannel 8*, und so gespannt Peter auch lauschte, es wurde nicht das Geringste über die gestrigen Vorkommnisse im Weißen Haus berichtet. Zwar wusste er, dass es sich um eine geheime Konferenz gehandelt hatte, aber dass es der Regierung tatsächlich gelingen sollte, ein solches Geheimnis geheim zu halten, wunderte ihn dennoch.

Angesichts der Tatsache, dass Joe im Koma lag, wusste Peter nicht, wie es mit dem Bündnis weitergehen sollte. Garret und Martin hatten zwar noch eine Weile darüber diskutiert, waren allerdings zu keinem Beschluss gekommen.

In diesem Moment hielt Garrets Wagen vor dem Hotel, und Peter ging nach draußen.

Garret kam gleich zur Sache: „Wir fahren in ein Café nach Reston, dort lernst du Steve kennen. Martin hat ihn gestern kurz erwähnt, falls du dich erinnerst."

„Wünsche ebenfalls einen Guten Morgen. Danke, ich habe sehr gut geschlafen und genieße deine Gesellschaft immer wieder aufs Neue!", erwiderte Peter spitz.

Garret warf ihm einen Blick von der Seite zu, schwieg und fuhr los. Als sie an dem Coffeeshop ankamen, zeigte die Uhr kurz nach halb zehn. Sie suchten sich einen freien Platz und bestellten zwei Milchkaffees.

Die beiden Männer saßen einander gegenüber, blickten sich aber nicht an. Jeder fixierte einen unwichtigen Gegenstand im

Lokal und schien zu hoffen, dass die Dinge dadurch Bedeutung bekämen. Peter fixierte die große Getränkeübersicht an der Wand und Garret die schwarzgrauen Schlieren auf der Tischplatte. An dem Tag im Weißen Haus hatte Peter kurz geglaubt, das Eis zwischen ihnen wäre gebrochen, doch mittlerweile hatte sich dieser Gedanke längst als Utopie herausgestellt, und Peter konnte es kaum erwarten, bis der ihm noch unbekannte Steve endlich erschien.

Allerdings waren er und Garret ein Team – ob sie wollten oder nicht.

„Na, wie geht's?"

Weder Garret noch Peter hatten den Mann bemerkt, der jetzt vor ihnen stand.

Garret sprang auf und schüttelte dem Fremden die Hand.

„Geht so – und dir?", begrüßte er den Neuankömmling.

Dieser wandte sich Peter zu: „Ich bin Steve, schön dich kennen zu lernen!"

„Die Freude ist ganz auf meiner Seite", entgegnete Peter.

Die drei setzten sich, und Steve übernahm das Gespräch: „Martin hat mir unsere Situation grob geschildert, allerdings war er etwas unter Zeitdruck."

Dann hielt er abrupt inne, stand auf und wandte sich der Tafel mit den Getränken zu.

„Entschuldigt mich einen Moment, der Duft eurer Kaffees hat mir Appetit gemacht."

Er lächelte und ging hinüber zur Theke.

Na Gott sei Dank, dachte Peter, der erste Eindruck ist schon einmal nicht schlecht. Nur zwei Minuten später kam Steve mit einer dampfenden Tasse Cappuccino zurück.

„Ah, das ist besser!", sagte er und setzte sich wieder zu ihnen an den Tisch. „Lass mich dir zuerst ein paar Dinge über mich erzählen, damit du weißt, mit wem du es zu tun hast." Er lächelte verschmitzt. „Dann können wir über die Pläne und das weitere Vorgehen sprechen."

Peter nickte, lächelte ebenfalls kurz, und Steve fuhr fort.

„Die Geschichte über die Entstehung des Bündnisses hast du bereits in groben Zügen gehört, wie mir Martin erzählt hat. Er war es übrigens, der mir die Rückkehr in ein normales Leben ermöglicht hat, indem er mir einen Job in seiner Redaktion verschafft hat. Die Bezahlung dort ist zwar nicht üppig, bringt mich aber über die Runden. Das Beste daran ist allerdings, dass ich dort an Dingen arbeiten kann, von denen ich überzeugt bin – Ziele, für die das Bündnis eintritt."

Er hielt kurz inne und nahm einen Schluck Cappuccino.

„Das war nicht immer so. Inzwischen frage ich mich manchmal, was schlimmer war – die Zeit auf der Straße oder die Zeit, in der ich nur gearbeitet habe, um Geld für persönlichen Luxus zu verdienen und einen großen Konzern immer reicher zu machen … und damit den Kapitalismus zu unterstützen."

Peter meinte, aus diesem Satz Verbitterung herauszuhören. Dann schreckte er plötzlich auf: Ein Angestellter hatte das Fernsehgerät an der Stirnseite des Raums eingeschaltet, mit voll aufgedrehter Lautstärke. Schnell griff der junge Mann nach der Fernbedienung und regulierte das Gerät auf ein erträgliches Niveau zurück. Steve und Garret waren gleichfalls zusammengezuckt und starrten nun auf den Bildschirm, aber nicht wegen des Lärms. In der Nachrichtensendung stand eine Sprecherin des Weißen Hauses vor den Kameras und verlas eine Pressemitteilung. Sie handelte von Joe.

Als die Frau im freudlos grauen Kostüm geendet hatte, blickten die drei Männer einander an. Es war die Rede von einem Schlaganfall gewesen und dass sich der Vizepräsident in einer kritischen Verfassung befände. Kein Wort über eine Konferenz, kein Wort über die skandalträchtige Aussage oder den Atemstillstand von Joe. Sie schwiegen ein paar Minuten und rührten konzentriert in ihren Tassen.

Nach einiger Zeit fragte Peter: „Wusstet ihr etwas von Joes gesundheitlichen Problemen?"

Die beiden anderen schüttelten die Köpfe, und Steve antwortete: „Nein, und ich glaube auch nicht, dass es tatsächlich ein Schlaganfall war. Uns bleibt wohl nichts anderes übrig, als abzuwarten, ob Martin Genaueres in Erfahrung bringen kann."

„Okay", ergriff Garret das Wort und sah Steve dabei an. „Daran können wir jetzt nichts ändern."

Steve verstand die Aufforderung.

„Von hier aus braucht ihr nur ein paar Minuten zum Flughafen. Wir haben also noch eine knappe Stunde Zeit. Ich habe mich kurz vorgestellt. Was willst du noch wissen?", fragte er Peter.

„Das Beste wird wohl sein, wenn ich kurz beschreibe, wie sich die Lage für mich im Moment darstellt."

Steve nickte zustimmend.

„In den letzten Tagen sind eine Menge Informationen auf mich eingeprasselt, und zum Teil macht gerade das es mir schwer, die Sache einzuordnen. Das Bündnis erscheint mir zwar als unterstützungswürdige Vereinigung, und ich bin mit dessen Ideologie durchaus einverstanden. Über die Legalität des Ganzen kann man wohl diskutieren, ich will mir aber kein Urteil erlauben."

Die Worte waren geradezu aus Peter herausgesprudelt, und nun sah er Steve mit fragendem Blick an. Als dieser ihn mit einer knappen Geste zum Fortfahren ermutigte, sprach er weiter: „Joe ist offenbar derjenige, der die Fäden zieht. Allerdings kann ich mir beim besten Willen nicht vorstellen, dass ein Mann in seiner Stellung so etwas offiziell machen kann."

Er schaute Steve und Garret abwechselnd fragend an. Keiner der beiden reagierte.

„Ich gehe daher davon aus, dass er im Hintergrund agiert und vor allem seine Verbindungen zum Erfolg beitragen." Dieses Mal gab er den anderen keine Gelegenheit zu antworten und sprach ohne Pause weiter: „Eure Rollen hingegen sind weitaus nachvollziehbarer. Was mich allerdings stört, sind zwei Fragen, auf die ich immer noch keine Antwort gefunden habe."

Fragend sahen Steve und Garret ihn an, während er den Keks, der auf der Untertasse seines Cappuccinos gelegen hatte, zerkrümelte.
„Erstens: Gibt es eine Verbindung zwischen den Mordfällen und euch?"

Wieder zögerte er, so dass Garret ungeduldig fragte: „Was noch?!"

„Was zum Teufel ist es, das ich konkret für euch tun kann und für das es sich lohnt, mich hierher zu bringen? Joes Erklärung dazu kling mir zu weit hergeholt."

Auf seinem Gesicht spielte ein sarkastisches Lächeln, und seine Augen blickten forschend von einem zum anderen. Steve wischte sich etwas Milchschaum von den Lippen und räusperte sich.

„Arbeiterfront!", sagte er dann. „Ist dir dieses Wort ein Begriff?"

Als Peter unsicher den Kopf schüttelte, fuhr Steve fort: „Diese Organisation wurde kurz nach Ende des Zweiten Weltkriegs gegründet, um die Rechte der Arbeiter in Deutschland zu vertreten, denn einige weitsichtige Arbeiter hatten die Gefahren in der Entwicklung der freien Marktwirtschaft hin zum Kapitalismus bereits erkannt. Die Organisation hatte damals allerdings keinen großen Einfluss, weil die Hilfsmaßnahmen des Marshall Plans schnelle Erfolge im Kampf gegen die Armut brachten. Die Leute hatten zu essen, der Wohlstand stieg sprunghaft auf ein ungeahntes Niveau, und jeder war zufrieden. Kaum jemand erkannte die Gefahr, die sich dahinter verbarg. Vor einigen Jahren, mit dem Abbau des Sozialstaats, begann die Unzufriedenheit im deutschen Volk massiv zu wachsen und parallel dazu auch die Anhängerschaft der Vereinigung.

Die führenden Personen erkannten die Chance und suchten den Dialog mit Wirtschaft und Politik. Demonstrationen und andere legale Mittel brachten gute Erfolge. Die Ergebnisse waren zwar noch im kleinen Stil, aber dennoch groß genug, um den Stein auch im europäischen Ausland ins

Rollen zu bringen. Die Arbeiterfront wurde unter verschiedenen Namen international. Speziell in der Schweiz und in Österreich gründete man schnell wachsende Schwestervereinigungen. So weit, so gut.

Leider geschah dann etwas, das die Geschichte zum Kippen brachte. Vor einigen Jahren wurde die Organisation von einigen schlauen Köpfen aus der rechtsradikalen Szene infiltriert."

Peter musste sich jetzt vorbeugen, weil Steve nur noch flüsterte.

„Nach außen hin wurde die Richtung der Organisation fortgeführt, aber insgeheim hatte man begonnen, eine neue Zielsetzung einzuschlagen."

„Und was ist diese neue Zielsetzung?", platzte es aus Peter heraus.

„Das Meiste basiert noch auf Gerüchten, aber den Erzählungen zufolge habe ich keinen Zweifel, dass diese Leute vor Gewalt nicht mehr zurückschrecken. Selbst von organisierten Morden ist die Rede! Zugegebenermaßen gibt es dafür bis jetzt keine handfesten Beweise."

„Ich verstehe immer noch nicht, wo hier die Verbindung zu euch oder mir ist?", warf Peter ein.

Steve fuhr unbeeindruckt fort: „Eine Sache ist ihnen trotz größter Bemühungen bis heute nicht gelungen: die Ausweitung über die Grenzen von Europa hinaus – vor allem nach Nordamerika. Dieser Schritt kann in Zeiten der Globalisierung den entscheidenden Vorsprung bringen."

Steve sah auf die Uhr.

„Viel Zeit haben wir nicht mehr, deshalb komme ich direkt auf den Punkt. Zu dem Zeitpunkt, als das Bündnis begann, sich einen Namen zu machen, wurden wir von diesen Leuten kontaktiert, und es kam zu einem Treffen. Das Resultat war natürlich fruchtlos, weil ziemlich schnell klar wurde, dass unsere Ziele sich um Welten voneinander unterschieden. Das Bündnis ist eine profitfreie Organisation, der es extrem wichtig ist, sich in einem legalen und vor allem gewaltfreien Rahmen zu bewegen. Wir konnten uns mit der Arbeiterfront auf keinerlei Konzept verständigen. Es schien ihnen nur um Macht und Geld zu gehen, und so lehnten wir ihren Vorschlag für eine Kooperation dankend ab. Sie wiederum machten keinen Hehl aus ihrem Ärger darüber und überzogen uns für einige Zeit mit subtilen Drohungen. Da sie hierzulande weder eine Lobby noch größere Präsenz haben, ist ihr Atem nicht lang genug. Zumindest dachten wir das und nahmen die Sache nicht weiter ernst. Kurz danach geschah der erste Mord an einer unserer Zielpersonen!"

„Du willst also damit andeuten, dass diese so genannte Arbeiterfront verantwortlich sein könnte …"

Weiter kam Peter nicht, denn Garret fiel ihm ins Wort.

„Gar nichts deuten wir an. Das sind Fakten!"

Wie üblich klang er aggressiv, und selbst Steve warf ihm einen genervten Seitenblick zu, als er sagte: „Das sind in der Tat die Fakten. Ab hier können wir nur mutmaßen. Allerdings sind gewisse Verdachtsmomente wohl nicht von der Hand zu weisen. Und damit sind wir auch bei deiner Rolle angekommen!"

Peter zog erstaunt die Augenbrauen hoch. „Ihr sucht also tatsächlich eine Art Privatdetektiv?"

Steve blickte ihm wortlos in die Augen.

„Ich bin ein Schreibtischtäter!", entfuhr es Peter eine Spur zu laut, dann starrte er in seine leere Tasse und dachte, dass er jetzt einen doppelten Korn vertragen könnte.

„Uns ist vollkommen bewusst, was wir von dir verlangen. Und an dieser Stelle kann ich auch deine andere Frage beantworten. Wir sind ein großes Risiko eingegangen, indem wir dir Joes wahre Identität offenbart haben, wir hielten es für die einzige Möglichkeit, dich auf unsere Seite zu bringen. Nur so konnten wir dir die Wichtigkeit des Themas vermitteln."

Erneut entstand eine Pause.

Peter schüttelte immer noch den Kopf, als er wieder das Wort ergriff: „Nehmen wir einmal rein hypothetisch an, ich wäre dazu bereit. Ich habe nicht die geringste Ahnung, wie man jemanden ausspioniert oder gar als Maulwurf arbeitet."

Fast musste er bei diesen Worten lachen, denn er fühlte sich wie ein Darsteller in einem Kriminalroman. Den Männern ihm gegenüber aber schien das Thema todernst zu sein.

Mit steinerner Miene antwortete Steve: „Wer spricht denn von spionieren? Du sollst einfach zu einem Treffen dieser Leute gehen und dich ein bisschen umhören. Mit deinem Hintergrundwissen wirst du niemandem auffallen. Eben ...", er zögerte einen Moment, dann erhellte sich seine Miene etwas, „ja, eben wie ein Maulwurf."

Er lachte kurz auf, doch als Peter nicht einstimmte, wurde Steve auch sofort wieder ernst.

„Ich will die Sache nicht herunterspielen. Es ist uns klar, dass das alles nicht ganz ungefährlich ist. Wir bitten dich auch nur darum, weil wir keine Alternativen sehen. Weder wollen wir dich überreden, noch sind wir in der Lage, dir einen großartigen finanziellen Anreiz zu bieten. Es macht alles nur Sinn, wenn du von der Sache überzeugt bist."

Peter hatte den Kopf in der Zwischenzeit in den Nacken gelegt und betrachtete die Decke. Dann senkte er seinen Blick wieder und sah die Männer abwechselnd an.

„Was meine Überzeugung angeht, kennt ihr die Antwort ja schon. Für die Entscheidung, ob ich das Bündnis konkret unterstütze, brauche ich ein paar Tage. Ich denke, das ist verständlich. Eine Antwort steht allerdings noch aus, und bevor ich die nicht bekomme, fange ich gar nicht erst an, über eine Mitarbeit nachzudenken. Wie seid ihr auf mich gekommen? Ich glaube nicht, dass ihr rein zufällig auf mich gestoßen seid, genauso wenig wie ich diese Speicherkarte, mit der das ganze Schlamassel begonnen hat, zufällig gefunden habe!"

Er sah die beiden Männer herausfordernd an.

„Du hast recht, die Antwort schulden wir dir", sagte Steve. „Prinzipiell hat Joe dir die Wahrheit erzählt. Wir hatten Garret nach Deutschland geschickt, um mehr über diese Arbeiterfront und ihre führenden Köpfe in Erfahrung zu bringen. Leider nicht besonders erfolgreich – du kannst dir vermutlich vorstellen, wie unsichtbar ein Ausländer, der kein Deutsch spricht und die Gepflogenheiten der Deutschen nicht kennt, sich an einem Ort wie Regensberg bewegen kann."

„Regensburg", korrigierte Peter automatisch.

„Egal. Nur fehlten uns die Alternativen. Ich war es, der irgendwann auf deinen Namen aufmerksam geworden ist: Eine Zeitung hatte einen Artikel von dir abgedruckt. Insofern sind wir also tatsächlich über deine Arbeit auf dich gestoßen. Ich habe dann etwas im Internet recherchiert und den anderen davon erzählt."

Wieder blickte er auf die Uhr.

„Langsam drängt die Zeit, aber der Rest ist schnell erzählt. Wir haben Garret deinen Namen mitgeteilt, und er hat in Erfahrung gebracht, wo du wohnst. Eine Zeit lang ist er dir wie ein Schatten gefolgt."

Sein Gesichtsausdruck ließ jetzt so etwas wie ein schlechtes Gewissen erkennen.

„Er kann das wirklich gut, und ich bin mir sicher, du hast absolut nichts davon mitbekommen."

Peter verzog keine Miene.

„Die Nummer mit der Speicherkarte war nicht der einzige Versuch, dein Interesse zu gewinnen. Die vorigen Anläufe sind aber fehlgeschlagen. Als du den Köder endlich geschluckt hattest, haben wir über das Internet Kontakt mit dir aufgenommen und versucht, dich bei der Stange zu halten."

„Sehr witzig!", warf Peter ein.

„Genau", erwiderte Garret und stand auf. „Wir müssen los, sonst verpasst du tatsächlich dein Flugzeug … und das wollen wir doch beide nicht."

Er zwinkerte Peter zu. Du Arsch, dachte dieser wieder einmal und erhob sich ebenfalls.

Vor Garrets Wagen wandte sich Steve noch einmal an Peter: „Fühle dich nicht unter Druck gesetzt. Es ist einzig und allein deine Entscheidung. Nur aus Überzeugung heraus kannst du uns weiterhelfen."

Die beiden Männer verabschiedeten sich. Dann machten sich Garret und Peter auf den Weg. Ein paar Minuten später bogen sie in das Gelände des Dulles Airport ein. Vor dem Eingang, nahe Peters Gate, hielt Garret den Wagen an.

„Hier kannst du raus, vergiss dein Gepäck nicht!"

Peter zögerte, dann sagte er: „Nichts für ungut, danke für deine Mühen."

„Kein Problem, wir sehen uns!"

„Ich fürchte es!"

Mit diesen Worten nahm er seinen Koffer vom Rücksitz und verschwand im Flughafengebäude.

Die Rückkehr

Trotz erhöhter Sicherheitsmaßnahmen war das Check-in am Dulles Airport reibungslos verlaufen. Nun saß Peter in einer bis auf den letzten Platz besetzten Boeing 747 nach München. Die Sitze der Touristenklasse waren gewohnt unbequem, und an Schlafen brauchte er tagsüber ohnehin nicht zu denken. Unruhig rutschte Peter auf seinem Platz hin und her. In den letzten Tagen war viel passiert, und es galt, eine wichtige Entscheidung zu treffen.

Er blickte über die zwei Passagiere neben ihm hinweg, hinaus aus dem kleinen ovalen Fenster. Dort unterhalb der Tragflächen zog ein schier endloser Wolkenteppich vorbei. Und wie in Kindertagen überkam ihn das Verlangen, in diesem weißen Wattemeer herumzutollen.

Dann fiel ihm auf, dass er nicht mehr das Gefühl hatte, verfolgt zu werden. Ein Gefühl, das er sich ja nicht bloß eingebildet hatte. Garret war ihm tatsächlich vor seiner Reise in die Staaten nahezu auf Schritt und Tritt gefolgt. Wo er wohl die Grenze seiner Verfolgung gezogen hatte? Peter hatte keine Ahnung und wollte lieber nicht weiter darüber nachdenken.

Selbst im Flugzeug war Garret in seiner Nähe gewesen, ohne dass Peter ihn bemerkt hatte. Allem Verdacht zum Trotz war er nie auf die Idee gekommen, ernsthaft zu überprüfen, ob ihm jemand nachschlich. Unterbewusst schüttelte Peter den Kopf. Allein der Gedanke ärgerte ihn noch jetzt, aber zumindest war es nun vorbei. An Bord dieser Maschine gab es niemanden, der ihn ausspionieren wollte.

Seine Gedanken wanderten zurück zu der Entscheidung, die vor ihm lag. Was würde passieren, wenn er bei seinen Nachforschungen den falschen Leuten auf die Füße trat und sie dabei auf sich aufmerksam machte? Steve hatte keinen Hehl aus deren Gewaltbereitschaft gemacht. Peter war zwar ein sportlicher Typ und konnte sich notfalls zur Wehr setzen, aber was würde er tun, falls ihn jemand mit einem Messer oder gar einer Schusswaffe angreifen sollte? Er hatte nicht den geringsten Schimmer. Wenn er ehrlich war, würde ihn vermutlich selbst ein Faustangriff überfordern.

Er richtete seinen Blick wieder ins Innere des Flugzeugs, wo die Flugbegleiterinnen gerade mit ihren Blechwägelchen den Gang entlang kamen und die erste Mahlzeit servierten. Er wählte das Fischgericht und dazu ein Glas Weißwein. Während er mit an den Körper gedrückten Ellbogen den ersten Bissen Fisch mühsam in den Mund jonglierte, kreisten seine Gedanken weiter um die Arbeiterfront und die damit verbundene Bitte des Bündnisses. Lehnte er ab, wäre das Thema endgültig vom Tisch und er konnte zurück in seinen Alltag, wie er ihn vor dem Fund der Speicherkarte gelebt hatte. Zumindest hatten seine neuen ‚Freunde' ihm das versprochen. Würde er hingegen deren Vorstellungen folgen, könnte er nicht nur den Mitgliedern des Bündnisses einen enormen Gefallen erweisen, sondern endlich einmal aktiv für seine Ideologie eintreten. Damit verbunden wäre ein großes Stück persönliche Genugtuung – allerdings auch ein gewisses Risiko.

Er hatte mit Steve nicht darüber gesprochen, ob es noch andere potenzielle Kandidaten für diese Aufgabe gab. Vermutlich war er aufgrund des Zeitdrucks der Einzige, der rechtzeitig helfen konnte. Außerdem stand zu befürchten, dass der Ruf der Organisation durch die rätselhafte Mordserie weiter Schaden nehmen würde und dadurch irreparabel wurde. Sollte er absagen, könnte es für Martin & Co. zu spät werden, adäquaten Ersatz zu finden. Wie Peter es auch drehte und wendete, es war eine schwere Entscheidung, und er beschloss letztlich, sie weiter aufzuschieben.

Die Mahlzeit war für ein Flugzeugessen nicht schlecht gewesen, aber seine eingeengte Position hatte Peter den Genuss dennoch verdorben. Nun legte er das Besteck zur Seite und starrte auf die Rückenlehne des Sitzes vor ihm. Als die Stewardess eine halbe Stunde später das Tablett endlich abräumte, stand er auf und versuchte, sich im Gang ein wenig zu strecken. Dabei dachte er an Lisa. Etwas mehr als eine Woche war vergangen, seit er sie das letzte Mal gesehen hatte, und trotz der zuletzt fast sintflutartig auf ihn einstürmenden Ereignisse hatte er immer wieder an sie gedacht und sich auf das Wiedersehen gefreut. Nun wünschte er sich, er hätte zwischendurch wenigstens einmal angerufen. Möglicherweise hätte sie angeboten, ihn vom Flughafen abzuholen. Sollte er schon wieder einmal, wenn es um eine Frau ging, versäumt haben, das Richtige zu tun? Spielte er vielleicht schon gar keine Rolle mehr in ihren Gedanken, nachdem er sich seit seinem Abflug kein einziges Mal gemeldet hatte? Er setzte sich wieder auf seinen Platz und nickte nun doch noch ein.

Etwa zehn Stunden nach dem Take-off ging Peter übermüdet und schlecht gelaunt durch den Zollbereich des Münchner Flughafens. Als er den Ausgang passierte, erkannte er hinter der Absperrung ein bekanntes Gesicht – es war Lisa.

Er fand keine Worte, als er ihr gegenüber stand, aber das Strahlen in seinen Augen war ohnehin weit aussagekräftiger. Sie begrüßte ihn überschwänglich und ohne ein Anzeichen von Ärger, weil er sich nicht gemeldet hatte. Fast hätte er sie im Überschwung seiner Emotionen geküsst, beließ es aber dann doch bei einer innigen Umarmung. Alles zu seiner Zeit, dachte er glücklich.

Auf dem Weg zum Parkplatz überschüttete sie ihn mit Fragen. Eine Weile lang genoss er einfach ihren Redefluss und lächelte still vor sich hin, bis sie plötzlich stehen blieb und sich mit gespieltem Ärger beschwerte: „Du hörst mir überhaupt nicht zu!“

„Natürlich tue ich das! Ich versuche nur gerade, mich an deine erste Frage von vor fünf Minuten zu erinnern. Bisher gab es noch keine Gelegenheit zu antworten“, entgegnete er und fing an zu lachen. „Woher wusstest du eigentlich, wann ich ankomme?“

„Das Datum hast du mir ja freundlicherweise gerade noch mitgeteilt, und so viele Flüge aus Washington gibt es nun auch wieder nicht!“

Peter erinnerte sich jetzt, dass er ihr in ihrem letzten Telefonat doch sein Rückflugdatum mitgeteilt hatte. Spaßeshalber hatte er sogar noch erwähnt, dass sie ihn ja abholen könne – allerdings nicht im Traum daran gedacht, dass sie es tatsächlich tun würde. Deshalb hatte er diesen Teil des Gesprächs offenbar wieder vergessen.

Während der Fahrt nach Regensburg erzählte Lisa, wie sie die Tage seit ihrem letzten Treffen verbracht hatte, und Peter war froh, dass er die Frage nach seiner Reise mit den Sätzen abtun konnte: „Es war sehr anstrengend, und es gibt viel zu erzählen. Allerdings wäre es mir lieber, wenn wir uns darüber unterhalten könnten, nachdem ich ausgeschlafen habe. Ich bin heute einfach zu erledigt. Vielleicht morgen bei einem Kaffee?“

Immer noch hielt er es nicht für sinnvoll, sie in die Geschehnisse einzuweihen. Und er hatte vollkommen vergessen, sich eine glaubwürdige Alibiversion zurechtzulegen. Damit war das Thema vorerst vom Tisch.

An Peters Wohnung angekommen, fragte er: „Willst du noch auf eine Tasse Kaffee mit hoch kommen?“

„Erstens habe ich meinen Morgenkaffee schon getrunken, und außerdem solltest du dich erst mal ausschlafen und wieder zu dir kommen. Es würde mich kränken, wenn du am helllichten Tag in meinen Armen einschliefst!“

Dazu umspielte das ihm bereits vertraute Lächeln ihre Lippen. Sie verabschiedeten sich mit einer erneuten Umarmung, und Peter fragte sich, ob jemals mehr daraus werden würde.

Als er seine Wohnung betrat, schlug ihm der Geruch von Einsamkeit und Abwesenheit entgegen. Wohnungen, in denen sich über einen längeren Zeitraum hinweg niemand aufhält, nehmen für gewöhnlich diesen eigenartigen Geruch an. Als Single, der oft auf Reisen war, kannte er das. Allerdings wunderte es ihn, dass nun schon eine Woche Abwesenheit ausreichte, um hier den Eindruck von Leere zu erzeugen. Lag es nur daran, dass er sich wünschte, Lisa wäre bei ihm?

Bei dem Gedanken, dass vor kurzem Garret in seine Wohnung eingebrochen war, stellten sich Peter die Nackenhaare auf und er sog misstrauisch die Luft ein. Noch jetzt machte es ihn nervös, dass jemand nach Lust und Laune in seiner Wohnung ein- und ausgegangen und fast unbemerkt geblieben war. Erst als er jeden Winkel seines Apartments inspiziert hatte, entspannte er sich langsam.

Obwohl es noch früh am Morgen war, fühlte Peter sich hundemüde. Wenn er sich jetzt allerdings schlafen legte, würde er eine ganze Woche damit kämpfen, wieder einen geregelten Rhythmus zu finden. Also beschloss er, zuerst seinen Koffer auszupacken und dann eine heiße Dusche zu nehmen.

Frisch geduscht und mit der Hintergrundmusik einer laufenden Waschmaschine, setzte er sich eine Stunde später vor seinen Computer und nahm einen tiefen Schluck Orangensaft. Kaum hatte er den Internetbrowser gestartet, öffnete sich seine Startseite mit den aktuellen Tagesnachrichten. Als er die erste Schlagzeile las, wäre ihm fast das Glas aus der Hand gefallen.

Das Treffen

„Was denkt ihr, wie er sich entscheiden wird?", fragte Garret stirnrunzelnd.

Das dezimierte Führungstrio des Bündnisses saß in Martins Büro im Washington Blizzard. Steve starrte schweigend vor sich hin.

„Er ist schon zu involviert, um einen Rückzieher zu machen", meinte Martin.

„Für wie gefährlich hältst du diese Leute tatsächlich?"

„Schwer zu sagen, aber ich denke, dass es auf keinen Fall schaden kann, wenn jemand von uns vor Ort ist."

„Eine Art Leibwächter?"

„Nenn's wie du willst. Wir sollten jedenfalls wissen, was vor sich geht. Und dir gefällt es da drüben doch ohnehin recht gut!"

Garret verzog verächtlich das Gesicht und antwortete: „Warum geht er nicht zur Polizei, wenn er Probleme bekommt?"

„Polizei ...? Hast du schon mal die Geschichten über die Polizei dort drüben gehört? Die kommen selbst zu spät, wenn eine Großmutter eine Dose Erbsen im Supermarkt klaut!"

Die Männer lachten, wurden aber schnell wieder ernst, und Martin sagte: „Spaß beiseite, hoffen wir mal, dass er bloß nicht auf die Idee kommt, zu den Bullen zu gehen."

Martin und Steve schauten Garret an. Er war der einzige von ihnen, der sowohl die Skrupellosigkeit als auch die körperlichen Möglichkeiten hatte, im Falle von Handgreiflichkeiten tatsächlich etwas auszurichten.

„Ich hab's befürchtet! Noch so ein Scheißflug zu den *Krauts*! Und dann auch noch Babysitten! Kann der nicht allein auf sich aufpassen?"

Als er Steves tadelnden Blick sah, fügte er mürrisch hinzu: „Schon gut, ich mach's. Hier habe ich momentan ja eh nichts zu tun."

Er war der einzige, der praktisch als Vollzeitkraft vom Bündnis finanziert wurde. Deshalb gab es auch keinen triftigen Grund, warum er diese Aufgabe nicht wahrnehmen sollte. Zwar hasste er die langen Überseeflüge, aber bei dem Gedanken an Schweinshaxen und Weizenbier sah das Ganze nur halb so schlimm aus. Trotzdem fluchte er: „Verdammt, momentan geht einfach alles schief! Erst bringt einer unsere Zielpersonen um, dann kippt Joe aus den Latschen, und jetzt müssen wir uns noch um einen Typen in Deutschland kümmern!"

Martin tätschelte ihm freundschaftlich den Rücken: „Ja ja, wenn es anfängt, Scheiße zu regnen, dann richtig! Aber du machst das schon."

Garret murrte und wandte sich an Steve: „Was ist eigentlich mit dir los, sprichst du heute nicht mit uns?"

Steve sah ihn beinahe mitleidig an. Er war immer der ruhigste der drei Männer gewesen. Sein bewegtes Leben hatte ihn reifen lassen, und von Ad-hoc-Aktionen hielt er ohnehin nicht viel. Dem Gespräch hatte er nur mit einem Ohr zugehört, denn seine Gedanken kreisten gerade um Joe.

Joe war stets der Denker und Lenker unter ihnen gewesen. Die vielen Jahre in der Politik hatten ihn abgebrüht und zu einem kühlen Planer gemacht. Martin, der Gründer des Bündnisses, war durch ihn praktisch auf Rang zwei abgerutscht, galt aber immer noch als Sprecher der Organisation, weil Joe ja nicht öffentlich auftreten konnte. Entscheidungen wurden dennoch grundsätzlich von Joe, Martin, Steve und Garret gemeinsam getroffen. Da sie zu viert waren, gab es bei Abstimmungen allerdings manchmal ein Unentschieden. Wäre dieses Problem nicht von vornherein gelöst worden, hätten sie vermutlich – wie in einer großen Koalition – lange diskutiert und nie etwas umgesetzt. So jedoch hatten sie sich darauf geeinigt, dass Joe das Zünglein an der Waage bildete. Bei Stimmengleichheit war also Joes Ansicht ausschlaggebend. Joe war es auch, der Martin und Garret immer wieder ermahnte, ihre Emotionen unter Kontrolle zu halten. Wer die Nerven verlor, machte leichter einen Fehler. Nun stand Joe ihnen nicht mehr zur Verfügung, und Steve wusste, dass weder Garret noch Martin das nötige Format hatten, um in seine Fußstapfen zu treten.

Garret war der Mann fürs Grobe. Wann immer es galt, jemanden einzuschüchtern, oder wenn körperliche Arbeit gefragt war, schickte man ihn.

Martin hingegen hatte viele Verbindungen und gute Ideen, aber obwohl er die Vereinigung ins Leben gerufen hatte, wäre diese nie zu dem geworden, was sie heute war, wenn er es nicht geschafft hätte, seinen Freund Joe an Bord zu holen. Er war schlau und gewieft, aber ihm fehlte die Besonnenheit. Außerdem war er zu oft hektisch und überdreht.

Bliebe nur er selbst, dachte Steve, wies den Gedanken aber gleich wieder von sich. Er war nicht dumm, hatte aber weder Joes Verbindungen noch sein Charisma. Die Zeit auf der Straße hatte ihn geprägt. Er hatte erkannt, dass das Wichtigste ist, zu wissen, was man will – und niemals aufzugeben. Möglicherweise würde ihn diese Grundeinstellung, gepaart mit der inneren Ruhe, früher oder später in die Rolle des Leitwolfs verpflichten. Jetzt aber fühlte er sich noch nicht reif dafür. Und wenn es einmal so weit wäre, müsste der Anstoß dazu von den anderen kommen. Sich selbst für diese Rolle anzubieten, wäre in seinen Augen Anmaßung. Dennoch legte er Wert darauf, die Krisensituation pragmatisch anzugehen.

„Sind wir uns einig, dass das Bündnis eine Zukunft haben wird, selbst wenn Joe nicht zurückkehren sollte?", fragte er.

Martin und Garret schauten ihn fragend an und nickten.

„Gut, wir sind uns also einig. Trotzdem müssen wir uns darüber unterhalten, *wie* es weitergehen soll. Der Erfolg des Bündnisses beruht neben Joes Arbeit wohl hauptsächlich auf der symbolischen Wirkung unserer Liste. Die Existenz dieser Liste hat sich herumgesprochen, und einige Wirtschaftsbosse haben eine verdammte Angst, dass ihre Namen darauf erscheinen könnten."

Über Garrets Gesicht huschte ein leichtes Lächeln, und Steve fuhr fort: „Nun, auch wenn durch die Morde in der letzten Zeit die Angst vor dieser Liste sogar zunimmt, ist das wohl kaum die Art von Public Relations, die wir uns wünschen, oder?“

Martin und Garret schüttelten jetzt betroffen die Köpfe.

„Dieser Killer hat unsere Liste zu einer Todesliste gemacht. Wenn das den Leuten erst einmal bewusst wird, sind wir und das Bündnis vermutlich am Ende, weil wir uns vor Untersuchungen und Klagen nicht mehr retten können. Die zentrale Frage ist also, woher diese Person die Namen bekommt und was wir dagegen unternehmen können. Die Liste selbst kennt niemand außer uns Dreien …“

„Und Peter“, unterbrach Garret ihn.

„Dank deiner Tollpatschigkeit! Wer weiß, wer sie noch alles gesehen hat, nachdem die Liste öffentlich im Netz stand“, fauchte Martin ihn an. „Aber immerhin haben wir ja Peter an Bord geholt, um dieser Arbeiterfront auf den Zahn zu fühlen.“

Steve konterte ruhig, aber bestimmt: „Du weißt selbst, dass Peter noch nicht zugesagt hat. Und wer die Liste im Internet entdeckt hat, können wir unmöglich prüfen. Aber vielleicht werden wir ja auch abgehört oder anderweitig überwacht. Ansonsten wäre es kaum möglich, dass jemand genau weiß, auf welche unserer Zielpersonen wir es als nächstes abgesehen haben. Sobald wir uns auf eine Person festlegen, heftet sich dieser Jemand an deren Fersen und zieht sie aus dem Verkehr. Glaubt ihr nicht, dass diese Leute dabei zwangsläufig Spuren hinterlassen?“

Martin zündete sich eine Zigarette an und wirkte genervt, als er sagte: „Es gibt viele Möglichkeiten. Die Arbeiterfront, Joes Feinde und viele andere. Wir wissen es einfach nicht und können es auf die Schnelle auch nicht herausfinden. Warum warten wir also nicht einfach und sehen uns an, was Peter herausfindet? Hektisch durch die Gegend zu rennen und die Hühner scheu zu machen, bringt niemandem was!“

„Das sagt der Richtige", warf Garret spöttisch ein.

„Peter hat noch nicht zugesagt!", wiederholte Steve gereizt. „Und die Zeit rennt uns davon."

„Nun bleibt mal locker." Martin blies den Rauch in die Luft und versuchte, die Situation herunterzuspielen. „Wir machen weiter wie abgesprochen und sehen uns um. Wenn wir auf einen Verdächtigen stoßen, können wir dem ja ebenfalls auf den Zahn fühlen. Einverstanden?"

Die beiden anderen nickten, und Steve sagte: „Es gibt aber noch was, über das wir uns Gedanken machen sollten. Wie ihr wisst, ist dieser Howard Pierce seit rund einer Woche verschwunden. Die Presse bekommt langsam Wind von seinen Plänen. Zumindest wissen sie von der geplanten Abspaltung und dass er als Urheber der Idee gilt."

„Und, wo ist das Problem?" Martin hustete den Satz mehr als dass er ihn sprach und hatte offenbar schon ein paar Zigaretten zu viel geraucht.

„Das Problem ist, dass er der nächste auf der Liste ist und wir bereits den ersten Artikel über ihn geschaltet haben! Sollte er ermordet werden, würde sich der Verdacht gegen das Bündnis verstärken!"

„Hört sich an, als ob das Thema noch schneller heiß wird, als wir das verdammt noch mal erwartet haben!", polterte Garret wieder dazwischen.

„Genau so ist es. Ich denke, wir sollten ihn von der Liste streichen", sagte Steve.

Martin öffnete gerade den Mund, als ihn der nächste Hustenanfall packte. Erst nach einer halben Ewigkeit gelang es ihm zu krächzen: „Okay, ich denke, das war's für heute. Halten wir also erst einmal die Beine ruhig und bringen das Schiff wieder auf Kurs."

„Ich besorge mir jetzt ein Flugticket und melde mich dann aus Europa wieder", sagte Garret gelangweilt und stand auf.

„Die gehabte Kontaktnummer, wenn du drüben bist?", fragte Martin.

„Ja."

„Wir kriegen das schon in den Griff! Oder wie Joe zu sagen pflegte: *Jungs, lasst uns erst mal eine Runde Golf spielen, bevor der Sturm losbricht und der Rasen zu nass wird – alles andere löst sich von selbst.*"

Die Männer lachten befreit auf. Dann verließen Steve und Garret die Redaktion. Fünf Minuten später trat auch Martin aus dem Gebäude und fuhr in seinem alten Ford den Reston Parkway entlang Richtung Old Town. Am Parkplatz des Herndon Cemetery stellte er den Wagen ab und ging mit schleppenden Schritten den Kiesweg hinauf auf den kleinen Hügel. Seit nunmehr fast zwei Jahren kam er in unregelmäßigen Abständen hierher zurück. Manchmal brachte er frische Blumen mit, zündete eine neue Kerze an und verharrte dort für einige Minuten.

Als sein Blick auf die Namensgravur am Grabstein fiel, wurden sein Herz schwer und seine Augen feucht.

Wettlauf gegen die Zeit

Topmanager noch immer spurlos verschwunden!

Seit einer Woche fehlt nach wie vor jede Spur von Howard Pierce, verantwortlicher Direktor des Bereichs Corporate Strategies bei dem US-Konzern Global Communications Inc. Nach dem Mord eines Verrückten an Michael Heerhausen und dem Verschwinden von Lee Kung Sea ist das bereits der dritte Fall in diesem Jahr, bei dem ein Topmanager möglicherweise Opfer einer Straftat wurde. Die Polizei sieht jedoch keine Verbindung zwischen den Fällen.

Erkennt ihr die Zusammenhänge tatsächlich nicht, oder haltet ihr euch aus ermittlungstechnischen Gründen bedeckt?, fragte sich Peter und griff nach der Maus. Er klickte auf das kleine Kreuz am rechten oberen Bildschirmrand und schloss das Browserfenster mit den Tagesnachrichten der Washington Post.

Klar und deutlich konnte er sich an den Namen Howard Pierce erinnern. Er war einer der beiden blau markierten Einträge in der Liste gewesen. Offensichtlich verfolgte jemand eine Strategie. Man musste nicht einmal wissen, dass die Betroffenen auf der Liste des Bündnisses standen – nein, allein die Tatsache, dass es sich in allen drei Fällen um Topmanager führender Wirtschaftsunternehmen handelte, sollte ausreichen, um eine Verbindung nahe zu legen. Eine Erkenntnis allerdings war ihm gerade erst beim Lesen des Artikels gekommen.

Das erste Opfer war asiatischer Herkunft, und auch wenn Lee Kung Sea derzeit noch als vermisst galt, hätte Peter gewettet, dass es nur eine Frage der Zeit war, bis seine Leiche gefunden würde. Im zweiten Fall hatte es einen Deutschen getroffen und diesmal einen Amerikaner. Das war kein Zufall – hier setzte jemand ein Zeichen. Noch bevor das Bündnis es geschafft hatte, global zu werden, war dieses Vorhaben jemand anderem gelungen – dem Killer!

Die Zeit drängte, und zwar nicht nur für das Bündnis, sondern vermutlich auch für Howard Pierce und einige andere Kandidaten, deren Namen den Weg auf die Liste gefunden hatten. Wenn es nicht ohnehin schon zu spät war für Howard Pierce, würde er bestimmt bald den beiden anderen Männern in ihr Schicksal folgen.

Damit war Peter klar, dass die Entscheidung, ob er das Bündnis unterstützen würde, keinen Aufschub duldete. Wobei es nicht mehr nur seine persönliche Entscheidung war, ob er die nötige Lust und Zeit aufbringen und ein gewisses Risiko eingehen wollte – es war die Entscheidung des Moralempfindens. Würde er seine Hilfe verweigern, hätte wohl kaum jemand eine realistische Chance, den Killer zu finden. Die amerikanische Polizei tappte scheinbar noch völlig im Dunkeln, und selbst wenn sie den Tipp bekäme, den Schuldigen bei der Arbeiterfront zu suchen, so würden mit Sicherheit Wochen vergehen, bis alle bürokratischen Hürden eines internationalen Einsatzes genommen wären. Und wenn Peter zur deutschen Polizei ginge, würde er mehr über das Bündnis und seine eigene Verbindung dazu erzählen müssen, als ihm lieb war.

Das Bündnis. Genau genommen wusste Peter so gut wie nichts über Garret, Martin und Steve, musste ihnen jetzt aber blind vertrauen. Große Sympathie empfand er für sie jedenfalls nicht.

Garret war ein Redneck, ein Prolet. Die Beule, die er Peter verpasst hatte, war noch das geringste Übel an ihm. Er hatte keine Manieren und eine barsche, unfreundliche Art. Eines jedoch musste Peter ihm zugute halten: Er kämpfte für die richtige Sache, und es konnte nie schaden, jemanden fürs Grobe auf seiner Seite zu haben.

Von Steve wusste er nur, dass er ein bewegtes Leben hinter sich hatte und einen ganz vernünftigen Eindruck machte. Wenn einmal Zeit sein sollte, ihn näher kennen zu lernen, konnte Peter sich bei ihm noch am ehesten vorstellen, eine gemeinsame Ebene zu finden.

Martin war schnell beschrieben: intelligent und gerissen, aber in Peters Augen ein chaotischer Clown – eindeutig nicht sein Fall.

Diese drei Typen hätten ihn sicher nicht vom Bündnis überzeugt. Bei Joe war das anders gewesen – dieser Mann hätte ihn vermutlich auch zum Pferdestehlen überreden können. Seine Entscheidung war also gefallen.

Ungläubig schüttelte Peter den Kopf über das, was er in den letzten Tagen erlebt hatte. Eigentlich konnte er es selbst noch immer nicht glauben: Der Vizepräsident der USA hatte ihn zu einem Gespräch zu sich nach Hause eingeladen und ihn obendrein um seine Hilfe gebeten! Natürlich schmeichelte ihm das, aber bestimmt hätte es nicht gereicht, um ihn zu überzeugen. Menschen imponierten ihm nicht, nur weil sie Politiker waren. Im Gegenteil, der Anteil an Scharlatanen unter ihnen war wahrscheinlich höher als in anderen Berufssparten. Es waren vielmehr Joes Persönlichkeit und seine Ideale, die ihn überzeugt hatten. Sein Charisma, seine Art, Probleme zu behandeln und seine Ausstrahlung. Peter hatte einst in diversen Büchern gelesen, dass die Entscheidung über Sympathie oder Antipathie in den ersten Sekunden des Kennenlernens fällt. Er hatte Joe sofort gemocht und bedauerte, keine Gelegenheit für ein weiteres Gespräch gehabt zu haben. Möglicherweise würde es sogar nie mehr eine Gelegenheit für ein zweites Treffen geben. Andererseits hatte ihn vermutlich gerade das mit dem Bündnis zusammengeschweißt. Mit dem Bündnis lebten Joes Ideale weiter.

Er wandte sich wieder seinem Computer zu, um Informationen über die Arbeiterfront zu suchen. Nach kurzer Zeit stieß er auf deren Webseite und las dort: Antifaschismus, Antikapitalismus, Antiglobalismus! Anti dies und Anti das, dachte er sarkastisch. Diese Typen waren offenbar gegen alles und jeden, und selbst ihre zentrale Botschaft, eine kommunistische

Organisation zu sein, die für die Abschaffung der Klassengesellschaft eintrat, wirkte konstruiert und unwirklich.

Eine Weile studierte Peter die Botschaften auf der Seite und merkte, wie ein unangenehmes Gefühl in ihm aufstieg. Er hielt nicht viel von Extremisten. Seiner Meinung nach lag die Lösung der meisten Probleme in den Worten Mäßigung und Ausgewogenheit. Fast alles im Leben drehte sich um Balance, und wann immer ein gewisser Ausgleich zwischen zwei Gegensätzen stattfand, wandten sich die Dinge zum Guten.

Im Fall der Arbeiterfront hatte er den Eindruck, dass entweder Extremisten oder geldgierige Kriminelle dahinter steckten. Letztere könnten ein Interesse an den Spenden oder Beiträgen der Mitglieder haben und versuchen, sich mit vollmundigen Versprechungen die Sympathien irregeführter Außenseiter oder anderer gesellschaftlicher Randerscheinungen zu erschwindeln. Die Zielgruppe wurde bereits auf dieser Webseite mit Durchhalteparolen gefüttert. Den aggressiv formulierten Aufrufen nach zu urteilen, konnte Peter sich gut vorstellen, dass diese Leute nicht vor Gewalt zurückschreckten.

‚Der Raffgier der Oberschicht muss endlich Einhalt geboten werden', lautete einer der Einträge. In diesem Punkt stimmte er zwar mit dem Verfasser überein, glaubte allerdings nicht, dass man dazu ein ganzes System stürzen und zum Kommunismus zurückkehren müsse, wie im Schlusssatz vermerkt war.

Nur: Was wäre ein vernünftiger Weg? Vielleicht müsste man eine Weltregierung schaffen, in der schlaue Menschen, wie zum Beispiel der Generalsekretär der Vereinten Nationen, säßen. Natürlich müssten diese im Unterschied zum Generalsekretär mit der nötigen Macht ausgestattet sein, um den Raffhälsen Einhalt zu gebieten.

„Gar nicht so einfach", murmelte Peter schließlich und klickte auf den Veranstaltungskalender.

Mindestens einmal pro Woche zogen die Stimmungsmacher der Vereinigung mit verschiedenen Themen quer durch das ganze Land, stellte Peter zufrieden fest. Es würde also nicht schwer sein, sich dort einmal umzuhören. Bereits für morgen war der nächste Termin mit dem Titel *Gegen die Globalisierung* angesetzt. Ein Schauer lief ihm über den Rücken, als ihm bewusst wurde, dass er sich tatsächlich mitten unter diese Leute begeben musste. Die Veranstaltung sollte in Gera stattfinden, fast zweihundertsechzig Kilometer von Regensburg entfernt. Da es aber galt, keine Zeit zu verlieren, würde er auf jeden Fall hinfahren.

Er holte den Zettel mit dem Namen hervor, den Garret ihm kurz vor seinem Abflug vom Dulles Airport noch übergeben hatte.

„Das ist dein Mann – finde ihn, aber lass dir auf keinen Fall anmerken, dass du etwas über das Bündnis weißt und dass es eine Verbindung zwischen uns und dir gibt. Könnte sonst verdammt unangenehm für dich werden!“, hatte er gesagt.

Alexander Wehrmann, stand mit kritzeliger Handschrift auf dem Zettel. Vermutlich ist das der Typ, mit dem sie Kontakt hatten, dachte Peter und versuchte, auf der Webseite der Arbeiterfront irgendwo einen Hinweis auf ihn zu finden. Allerdings schienen Namen – abgesehen von Marx, Engels und anderen sozialistischen Philosophen – dort generell keine Erwähnung zu finden.

„Mist!“, entfuhr es Peter, während er sich die Adresse des Veranstaltungsorts aufschrieb. Er war ja für morgen mit Lisa verabredet! Aber so sehr er sich auf das Treffen freute und so Leid es ihm tat, duldete seine Recherche keinen Aufschub.

Er griff nach dem Telefon, wählte ihre Nummer und fühlte sich miserabel. Als Lisa abhob und er sich meldete, freute sie sich, von ihm zu hören. Dann, während er erklärte, dass er den Termin für ihr Treffen verschieben müsse, war ihre Enttäuschung ebenso deutlich. Zwar versuchte sie diese mit den Worten: „Tja, so ist das eben mit geschäftigen Männern: immer mit einem Bein in der Tür“, zu überspielen, aber die Tonlage verriet ihre Gefühle. Das Gespräch war kurz, und beide waren niedergeschlagen, als sie auflegten. Peter hoffte, keinen dauerhaften Schaden angerichtet zu haben und schwor sich, seinen Bemühungen um Lisa höchste Priorität zu geben, sobald die Lage es zuließ.

Als nächstes galt es, das Bündnis über seine Entscheidung zu informieren. Peter startete das Chatprogramm. Es überraschte ihn nicht mehr, dass Murdock7 online war. Mit einem Rechtsklick öffnete er ein Chatfenster und tippte kurz: „Hi!"

„Hi Peter, wie war der Rückflug?", erschien prompt auf seinem Bildschirm.

Jetzt erst fiel Peter auf, dass er immer geglaubt hatte, mit Joe kommuniziert zu haben. Der konnte es aber diesmal nicht sein, und so schrieb er zurück: „Mit wem habe ich eigentlich das Vergnügen?"

„Martin. Wer immer gerade Zeit hat, meldet sich unter Murdock7 an."

„Aha, ich habe mich schon gewundert, wie man immer online sein kann."

„☺", kam von Murdock7 zurück.

„Ich habe mich entschieden."

„Und?"

„Morgen findet eine Veranstaltung der Arbeiterfront statt, und ich werde daran teilnehmen!"

„Willkommen an Bord!"

„Danke!"

„Denk dran: Diese Leute sind nicht zimperlich – pass also auf, was du tust und sagst. Also, alles Gute! Ich muss gleich los."

„Okay, bis dann!"

Der nächste Tag verlief unspektakulär. Peter schlief lange, frühstückte in aller Ruhe und war froh festzustellen, dass er die Zeitumstellung nach der Reise gut überstanden hatte. Der Jetlag, der ihn früher oft arg gequält hatte, war diesmal kein Thema.

Als Peter am Spätnachmittag seine Wohnung verließ, fühlte er sich noch immer frisch. Nach fast drei Stunden Fahrt folgte er der Anweisung seines Navis und steuerte den Volvo auf einen düsteren Parkplatz in der Nähe des Bahnhofs. Während er ausstieg, musterte er die alte Fabrikhalle, und ein ungutes Gefühl beschlich ihn. Ganz schön unheimlich hier, dachte er und flüsterte: „Ein freakiger Ort für einen Haufen Freaks!“

Da schon etliche andere Fahrzeuge auf dem Parkplatz standen, entschloss er sich, in das Gebäude zu gehen. Nachdem er den Bau einmal fast umrundet hatte, bemerkte er eine rostige Metalltür auf der Rückseite. Daran war mit Klebeband ein Blatt Papier in einer Folie befestigt.

Gegen die Globalisierung! Veranstaltungsbeginn 19:30 Uhr, hatte ein billiger Tintenstrahldrucker mühsam darauf gedruckt. Peter warf einen Blick auf seine Armbanduhr. Noch fünfzehn Minuten. Er war unschlüssig, ob er schon hineingehen sollte. In diesem Moment bogen vier Männer um die Ecke und verschwanden in dem Gebäude, ohne Peter die geringste Beachtung zu schenken. Spontan zwängte er sich hinter ihnen durch die rostige Eisentür und betrat einen Gang, der von grellem Neonlicht erleuchtet war. In kurzem Abstand folgte er den Männern um einige Ecken und geriet immer tiefer ins Innere des Bauwerks.

Das Gebäude war nahezu fensterlos, der Gang schmal und verwinkelt mit mattgrau gestrichenen Wänden. Peter fühlte sich an die Katakomben einer vergangenen Epoche erinnert. Alles hier schien ausgelegt auf niedrigen Wartungsaufwand und Haltbarkeit. Zumindest waren Wände und Türen, anders als in derartigen Gebäuden oft üblich, nicht mit Graffiti oder anderen zweifelhaften Kunstwerken beschmiert. Der scharfe Geruch von künstlicher Zitrone deutete darauf hin, dass hier regelmäßig geputzt wurde. Da obendrein der Farbanstrich ziemlich neu aussah, war die Fabrikhalle wohl erst vor kurzem umgebaut und renoviert worden.

Als die vier Männer den Veranstaltungsraum betraten, hielt Peter sich dicht auf ihren Fersen, um möglichst nicht aufzufallen. Als er sah, dass schon etwa vierzig Personen anwesend waren, atmete er erleichtert durch. Entsprechend hoch war der Lärmpegel.

Peter suchte sich einen freien Stuhl in der Mitte der Sitzreihen. Ein paar Plätze vor ihm saß ein junger Mann mit Gipsbein, bunten Haaren und unzähligen Metallringen in Nase und Ohren. Seinen Gips hatte er auf die Lehne des Sitzes vor ihm gelegt, den er damit blockierte. Gelegentlich rief er einem Kumpel etwas zu, der mit zwei anderen Männern neben dem Getränkeautomaten stand.

Fast zwei Drittel der Teilnehmer waren männlich und jung – vermutlich über zwanzig, aber deutlich unter dreißig. Dann klaffte eine altersmäßige Lücke, denn das verbleibende Drittel war um die fünfzig. Die meisten von ihnen trugen Jeans und trotz der fortgeschrittenen Jahreszeit T-Shirts, einige hatten gefärbte Haare, und Piercings schienen ihr Markenzeichen zu sein. Peter war froh, dass er eine verwaschene Jeans und seinen ältesten Baumwollpulli angezogen hatte, denn so fiel er nicht sonderlich auf.

An der linken und rechten Wand des Raums hing je eine Flagge mit dem Wappen der Arbeiterfront: ein Hammer und eine Weltkarte. Die beiden anderen Wände quollen geradezu über von Postern mit allerlei Anti-Parolen und Demonstrationsaufrufen.

Ungefähr hundert Stühle, ähnlich wie in einem Universitätshörsaal, waren in mehreren Reihen aufgestellt, und am Kopf des Raumes stand ein altes schäbiges Rednerpult. An das trat nun ein Mann, den Peter auf Mitte dreißig schätzte. Auch er trug Jeans und T-Shirt, hatte mittellange dunkelblonde Haare, und seine Brust zierte das gleiche Symbol wie die Flaggen. Als die Anwesenden auf ihn aufmerksam wurden, brach wilder Jubel aus. Doch kaum hob der Mann seine linke Hand, verstummte augenblicklich das Geschrei. Dann begrüßte er die Zuhörer, gefolgt von einer fulminanten Parole, sich gegen den Kapitalismus und die Ungerechtigkeit in der Welt aufzulehnen. Die Meute fiel erneut mit ohrenbetäubendem Lärm ein.

Als der Aufruhr sich wieder gelegt hatte, konnte die Rede beginnen. Die Botschaften waren in einfachen, leicht verständlichen Worten gehalten und so treffend formuliert, wie dies nur ein hoch gebildeter und geschickter Rhetoriker vermochte.

Im Großen und Ganzen bestand die Ansprache aus einer Sammlung von Zeitungsartikeln, Statistiken und Zitaten von mehr oder minder bekannten Personen, durchsetzt von Parolen und Propagandasprüchen zu den negativen Folgen der Globalisierung.

Einige der Textquellen kamen Peter bekannt vor, und er wusste, dass sie unterschiedlich interpretierbar waren. Rein inhaltlich stimmte Peter mit dem Redner in vielen Punkten überein, aber die Art der Aufwiegelung, die hier stattfand, schreckte ihn ab. Mehr und mehr hatte er den Eindruck einer Kampfveranstaltung von Extremisten. Bei jedem Aufruf zum Widerstand gegen das kapitalistische System stimmten die Zuhörer mit lautstarken Schlachtrufen zu.

Die Veranstaltung dauerte fast drei Stunden, und die Stimmung heizte sich mehr und mehr auf. *Revolution* war das an diesem Abend meistgebrauchte Wort. Als am Ende noch Termine und Aufrufe zu verschiedenen Demonstrationen genannt wurden, flachte die Stimmung langsam wieder ab, und Peter war froh, dass die Typen ihrer Frustration nur verbal Luft gemacht hatten.

Nachdem der Abend offiziell beendet war, verließen nur wenige Teilnehmer den Raum. Die meisten holten sich ein Bier aus dem Automaten und bildeten kleine Gruppen. Peter überlegte kurz und beschloss dann, das Risiko einzugehen. Er holte sich ebenfalls eine Flasche Bier und stellte sich wie selbstverständlich zu einer Fünfergruppe in der Nähe des Rednerpults: drei junge Männer – einer davon ein Punk –, ein deutlich älterer mit Vollbart und eine Frau bildeten die Gruppe. Sie unterhielten sich über den geplanten Abzug der US-Truppen aus dem Irak und wie falsch es gewesen war, überhaupt dort einzumarschieren. Dabei fiel Peter auf, wie voreingenommen er war. Durch das Aussehen des Punks hatte er ein aggressives und ausfallendes Gesprächsklima erwartet. Stattdessen wurde völlig sachlich diskutiert. Verdammte Vorurteile!, ärgerte er sich.

Als die Frau plötzlich nach seinem Namen fragte, hätte Peter sich fast verschluckt, obwohl er diese Frage früher oder später erwartet hatte. Gerade als er zu einer Antwort ansetzte, trat der dunkelblonde Wortführer zu der Gruppe. Als er mitbekam, dass Peter das erste Mal an einer Veranstaltung der Arbeiterfront teilnahm, streckte er ihm die Hand entgegen und stellte sich als Alexander Wehrmann vor.

Das nächste Opfer

Die Häuser lagen großzügig auf den weitläufigen Grundstücken verteilt, und die allgegenwärtigen Nadelbäume schützten sie ganzjährig vor neugierigen Blicken. Wer wollte, konnte wohl über Jahre hinweg hier wohnen, ohne jemals auf einen Nachbarn oder einen anderen Menschen zu treffen.

Erst als der Mann, der hier wohnte, die Einfahrt zur Hälfte zurückgelegt hatte, wurde sein mit Ziegeln verkleidetes Häuschen sichtbar. Es würde eine anstrengende Nacht für ihn werden – und für sein Opfer die letzte.

Rückwärts rollte der Wagen durch das sich öffnende Garagentor. Gleichzeitig öffnete sich wie von Geisterhand die Ladeklappe des Pick-ups. Es war höchste Zeit, wieder auf die herrschenden Missstände aufmerksam zu machen. Ein neues Zeichen musste gesetzt werden.

„Diese schwachsinnigen Idioten mit ihren Diskussionen und Verhandlungen bewirken rein gar nichts!“, zischte er, während seine Hand den Metallstift aus dem schweren, im Boden eingelassenen Eisendeckel zog.

Beim ersten Fall war einiges schief gelaufen. Damals hatte er extra die lange Fahrt bis zur Chesapeake Bay auf sich genommen, um eine dramatische und aufsehenerregende Szene zu schaffen. Dummerweise wurde der Körper des Asiaten niemals gefunden, und niemand hatte auch nur den geringsten Verdacht hinsichtlich der wahren Mordmotive gehegt. Vermutlich war das Opfer zwar wie geplant ertrunken, anschließend aber musste sich die Leiche durch den starken Wellengang vom Stützpfeiler des Piers losgerissen haben und war dann als Fischfutter im natürlichen Kreis der Nahrungskette gelandet. Damit gab es keinen Beweis für den Tod des Mannes, der bis heute nur als vermisst galt. Diese Tatsache ärgerte ihn – dafür hatte er den Aufwand nicht betrieben. Aber auch wenn es ihn ärgerte, dass dieser Plan missglückt war, so ließ sich dieses kleine Missgeschick doch korrigieren – schließlich gab es noch genug unfreiwillige Bewerber dort draußen, die geradezu darauf warteten, von ihm auserkoren zu werden. Seine Fantasie, ihnen Qualen zu bereiten, kannte keine Grenzen. Bei diesem Gedanken wandelte sich sein Ärger in Vorfreude.

Sein zweiter Coup war schon besser gelungen. Der Mord war so spektakulär gewesen, dass weltweit in den Medien darüber berichtet wurde, aber dennoch hatte offenbar weder die Polizei noch die Presse den Zusammenhang erkannt. „Dilettanten!", fauchte er.

Seine Strategie, einen Verrückten als exekutives Werkzeug zu nutzen, war für die Einfaltspinsel im uniformierten Staatsdienst vermutlich zu genial gewesen. Aber auch, wenn im ersten Fall die Leiche verloren gegangen war, hätte doch zumindest einem dieser Hohlköpfe auffallen müssen, dass es sich in beiden Fällen um Topmanager bekannter Unternehmen gehandelt hatte! Er musste also künftig etwas trivialer vorgehen, um verstanden zu werden.

Die Idee, von jedem der drei wichtigsten Kontinente einen Vertreter zu wählen, hatte ihn von Anfang an begeistert. Und dadurch, dass jede der ausgewählten Personen den Ruf hatte, die Sache zu verkörpern, gegen die er antrat, verwandelte sich das Ganze in seinen Augen in einen Geniestreich.

Dieses Mal war er auf Nummer Sicher gegangen, und egal, wie dämlich sie sich auch anstellen würden: Seine Botschaft konnte nicht übersehen werden. Zwar sprach die Polizei öffentlich immer noch nicht von einem Zusammenhang mit den beiden anderen Fällen, aber zumindest gab es diesmal Gerüchte um den Wirtschaftsskandal, in den sein Opfer involviert war. Geschickt hatte er den Pressefritzen ein paar Insiderinformationen zugespielt, und diese hatten den Köder geschluckt. Seither war etwas mehr als eine Woche vergangen, und das Interesse der Öffentlichkeit flachte bereits wieder ab.

Frischfleisch, dachte er, alles, was ihr wollt, ist der Geruch von Blut, ihr Narren! Es ist an der Zeit, euch einen Kadaver zum Fraß vorzuwerfen. Ihr sollt haben, was ihr wollt! Er zitterte vor Aufregung, als er den Gedanken ausschmückte. Dann nahm er eine Taschenlampe und leuchtete in den schmalen Schacht unter dem Deckel. Nachdem seine Augen sich an die Dunkelheit gewöhnt hatten, konnte er ihn erkennen: den zusammengekauerten Körper des nur in Unterwäsche gekleideten Mannes.

„Hey du Mistsack, lebst du noch?“, zischte er in den Schacht hinab. Selbst in der Dunkelheit war das Funkeln seiner Augen deutlich zu sehen. Unten bewegte sich der Mann ein wenig, hob den Kopf und blinzelte mit zusammengekniffenen Augen nach oben. Nach Tagen in dem dunklen Loch bohrte sich das grelle Licht wie ein Laserstrahl in seine Pupillen und schmerzte.

Röchelnd fragte er: „Was haben Sie mit mir vor?“

„Ah, Herr Supermanager kann sogar freundlich werden auf seine letzten Stunden!“

Der beißende Spott war nicht zu überhören, und sein Lachen ging durch Mark und Bein.

„Bitte lassen Sie mich raus!“

„Kein Problem! Streck deinen Arm her, und halt's Maul!“

Verschüchtert und von einem leisen Wimmern begleitet streckte der Gefangene seinen Arm durch die Gitterstäbe. Unzählige Kratzer und Schürfwunden bedeckten die fahle Haut, und die zitternde Hand verriet, welch unglaubliche Angst der Mann ausstand.

„Stell dich nicht so an!“, fauchte sein Peiniger, packte grob den Arm und rammte eine Injektionsnadel hinein. Ohne zu zögern drückte er den kompletten Inhalt der Spritze in den Arm.

Ein Stöhnen drang aus dem Schacht empor, und der Arm glitt zurück in die Dunkelheit.

Jetzt war es an der Zeit, das Gitter zu öffnen.

„Verfluchte Plackerei!“, schimpfte er, packte den schlaffen Arm und zog daran. Es bedurfte all seiner Kraft, und unter lautem Ächzen zog er den reglosen Körper schließlich aus dem Schacht. Als dieser verschmutzt und geschunden vor ihm auf dem Boden lag, wischte er sich mit dem Ärmel die Schweißtropfen von der Stirn und atmete tief durch. Nach einer kurzen Pause wickelte er einen Strick um die Fuß- und Handgelenke des leblosen Körpers und legte zuletzt eine Schlinge um den blassen Hals.

Mit einem zufriedenen Lächeln betrachtete er das verschnürte Bündel. Der Mann war nicht besonders großwüchsig und schlank – zu schlank, um normal auszusehen, dachte er. Andererseits hielt sich dadurch sein Gewicht in Grenzen, und das war gut so. Als er ihn aus dem Loch zerrte, hatte ihn das ohnehin an die Grenze seiner Kräfte gebracht, und mit ein paar Kilo mehr wäre es vielleicht unmöglich gewesen.

Obendrein musste er das Gewicht des Körpers jetzt noch einmal stemmen, um seinen Plan in die Tat umsetzen zu können. Er lehnte sich an seinen Wagen und überlegte. Die Betäubung würde noch mindestens eine Stunde wirken. Bis dahin musste alles über die Bühne sein. Ein weiteres Mal musste er all seine Kräfte aufbieten, als er den Körper schulterte und achtlos auf die Ladefläche rollen ließ. Als der Körper dort aufschlug, erklang ein dumpfes Geräusch. Emotionslos nahm er das über den Rand stehende Bein und schob es ebenfalls auf die Fläche. Dann betrachtete er seinen Gefangenen erneut ausgiebig. Er empfand kein Mitleid, als er die zerschundenen Extremitäten, die zerrissene Unterwäsche und das vermutlich durch den Aufprall auf dem Metall gebrochene Nasenbein inspizierte. Blut lief aus der Nase, und damit sein Wagen nicht beschmutzt wurde, zerrte er ein Papiertaschentuch aus der Hosentasche und stopfte es in beide Nasenlöcher. Als er die Ladeklappe schloss und der erste Schritt getan war, entspannte er sich. Er lächelte zufrieden vor sich hin, als er den Motor startete und die lange Zufahrt zurück auf die Hauptstraße fuhr.

Zweifel

Ein verrückter Haufen, dachte Peter, als er die Autobahnauffahrt hochfuhr. Das Klischee hatte sich diesmal bestätigt. Offensichtlich waren die meisten Anhänger der Arbeiterfront frustrierte Jugendliche oder Langzeitarbeitslose. Allesamt verfolgten sie legitime Ziele, hatten seiner Meinung nach aber den falschen Weg gewählt, sie umzusetzen. Das Schlimmste für sie musste vermutlich sein, dass so gut wie niemand von ihrer Existenz und ihren Aktivitäten Notiz nahm – abgesehen von ein paar genervten Streifenpolizisten, die ihre Demonstrationen begleiteten. Möglicherweise war das aber auch egal, denn immerhin bot die Arbeiterfront die Möglichkeit, Gleichgesinnte zu treffen und gemeinsam den Frust und die Enttäuschung über ihre Rolle in der Welt hinauszuschreien.

Demonstrationen oder Veranstaltungen wie die am heutigen Abend führten diese Menschen zusammen und gaben ihnen das Gefühl, ebenfalls einer Gemeinschaft anzugehören. Ein Gefühl, das jeder Mensch braucht wie die Luft zum Atmen.

Peter empfand Mitleid mit diesen Leuten. Alexander Wehrmann allerdings fand er interessant. Er war gebildet, eloquent und konnte mit seinen rhetorischen Fähigkeiten die Massen mitreißen und begeistern. Zu negativen Zwecken eingesetzt, hatten diese Fähigkeiten der Welt noch nie gut getan. Warum aber verschwendet dieser Mann sein Talent und seine Zeit mit einer derartigen Bewegung?, fragte sich Peter.

Sollte es tatsächlich aus Überzeugung geschehen, müsste einem Mann wie ihm doch klar sein, dass es weit erfolgversprechendere Mechanismen gab, um diese Ziele zu erreichen. Und genau deshalb war Peter sich sicher, dass er etwas anderes im Schilde führen musste.

Wäre Peter von den Mitgliedern des Bündnisses nicht anderweitig informiert worden, hätte er Alexander Wehrmann rein intuitiv vertraut. Doch das war gerade die Kunst dieser Erfolgstypen. Man mochte sie und glaubte ihnen aufgrund ihrer Ausstrahlung. Dieser Sympathiebonus machte es ihnen leicht, ihre Zielpersonen für bestimmte Zwecke zu gewinnen. Bloß was war bei diesen Leuten für Alexander Wehrmann zu holen?, sinnierte Peter weiter. Finanzielles Interesse konnte er sich schwerlich vorstellen, denn was konnte diese Art der Anhängerschaft schon bieten? Ein Haufen Jugendlicher und Arbeitsloser, die wohl Mühe hatten, sich selbst über Wasser zu halten.

Für Peter war der Abend praktisch nach Plan und damit überaus erfolgreich verlaufen. Den wahren Grund für seine Anwesenheit hatte niemand geahnt, und zum Schluss hatte sich sogar noch ein Gespräch mit Wehrmann selbst ergeben. Wie erwartet hatte man ihn gefragt, wie er auf die Arbeiterfront und speziell auf diese Veranstaltung aufmerksam geworden sei. Seine Erklärung, er sei Journalist und zufällig während einer Recherche auf die Webseite des Vereins gestoßen, schien glaubwürdig und hatte keine weiteren Fragen nach sich gezogen. Später, als Peter sich verabschieden wollte, hatte Alexander Wehrmann ihn eingeladen, doch auch eine der nächsten Veranstaltungen zu besuchen, am besten gleich in der kommenden Woche. Er war sogar noch offensiver geworden und hatte Peter gebeten, sich nach der Veranstaltung etwas Zeit zu nehmen, um sich über seine Recherchen zu unterhalten.

Peter hatte jedoch nach einem Blick in seinen Terminkalender höflich abgelehnt. An dem betreffenden Tag war bereits eine andere Veranstaltung eingetragen. Allerdings wäre dieser Termin leicht zu verschieben gewesen. Der Hauptgrund für seine Ablehnung war vielmehr, dass ihm die Annäherung zu schnell vorkam. Und selbst wenn Wehrmann keinen Verdacht haben sollte, so wollte zumindest Peter einen Eindruck von Gleichgültigkeit vermitteln. Die beiden Männer hatten daraufhin eMail-Adressen ausgetauscht, und Alexander versprach, dafür zu sorgen, dass Peter auf die Verteilerliste der Organisation kam.

Peter fuhr eine Weile weiter in die Nacht hinein, bis ihm die Idee kam, Lisa anzurufen. Gedankenverloren steckte er den Kopfhörer seiner Freisprecheinrichtung hinters Ohr und drückte die Kurzwahltaste für Lisas Nummer. Als Lisa sich meldete, klang ihre Stimme verschlafen, und er erschrak. Ein Blick auf die Uhr bestätigte seine Taktlosigkeit – es war kurz nach Mitternacht. Offensichtlich hatte er sie geweckt.

Verlegen stammelte er: „Tut mir wirklich Leid, ich habe die Zeit total vergessen … Es tut mir Leid."

Verdammt, dachte er, da sind sie wieder, meine Probleme mit Frauen. Noch bevor die Geschichte überhaupt angefangen hat, versaue ich schon wieder alles.

„Schon gut, mach dir nichts draus", antwortete sie leise. „Ich bin ohnehin auf dem Sofa eingeschlafen und muss noch ins Bad, bevor ich endgültig zu Bett gehe."

Auch wenn das sein schlechtes Gewissen etwas beruhigte, war er immer noch aus der Fassung. Er stammelte noch ein paar zusammenhanglose Brocken und entschied dann, dass es wohl besser sei, das Gespräch am nächsten Tag fortzusetzen. Wenn er ausgeschlafen und wieder zurechnungsfähiger war. Sie verabschiedeten sich, und als er aufgelegt hatte, schlug er sich mit der flachen Hand auf die Stirn. „Vollidiot!", fluchte er und ärgerte sich über sich selbst, bis er zuhause angelangt war.

Den darauffolgenden Tag verbrachte Peter mit über zehn Stunden Arbeit an seinem Auftrag. Gegen Abend fasste er sich ein Herz und rief wie abgesprochen bei Lisa an. Das Gespräch war nett, aber relativ oberflächlich. Er spürte, dass die Sache anfing, wieder einmal in die falsche Richtung zu laufen. Dennoch schafften sie es, sich für den nächsten Abend zu verabreden, und in ihm keimte die Hoffnung auf, dass er dabei vielleicht mehr als nur Schadensbegrenzung betreiben könnte.

Um auf andere Gedanken zu kommen, beschloss Peter, seine eMails abzurufen. Doch kaum hatte er die erste Nachricht gelesen, hätte er den Computer am liebsten in eine Ecke geworfen. Alexander Wehrmann hatte sich gemeldet! Er war am nächsten Tag in der Gegend und bat Peter um ein Gespräch. Peter wusste nicht, was ihm mehr zu schaffen machte – die Tatsache, dass dadurch eine erneute Verabredung mit Lisa platzen würde oder sein sicheres Gefühl, dass Alexander Wehrmanns Anwesenheit in der Nähe von Regensburg nur zwei Tage nach ihrem ersten Treffen kein Zufall sein konnte. Wie auch immer, er musste die Gelegenheit nutzen.

Der nächste Tag fing denkbar schlecht an. Nicht genug damit, dass er immer noch nicht wusste, wie er Lisa die schlechte Nachricht am Besten beibringen sollte, hatte er auch noch schlecht geschlafen. Vermutlich gerade deswegen, dachte er, während er sich missmutig einen Kaffee kochte. Dann setzte er sich an den Computer und tippte zwei Stunden lang an seiner Arbeit herum, ohne einen echten Fortschritt zu verzeichnen.

Gegen zehn Uhr nahm er den Telefonhörer in die Hand und wählte Alexander Wehrmanns Nummer, die in der Mail gestanden hatte, um sich für den Abend zu verabreden. Ihm war bewusst, dass dies womöglich Lisas Verständnis für ihn den Gnadenstoß geben würde. Allerdings sah er keinen Ausweg aus der misslichen Lage – sein Pflichtbewusstsein hatte gesiegt.

Das Telefonat mit Wehrmann war freundlich und sachlich, und sie einigten sich auf einen Treffpunkt. Dann wurde Peter nervös: Jetzt galt es, Lisa anzurufen. Während er seine fadenscheinige Entschuldigung zurechtstammelte, schwieg Lisa die meiste Zeit.

Sie beklagte sich nicht, aber als er sie nach einem erneuten Termin für den nächsten Tag fragte, lehnte sie ab mit der Begründung, in nächster Zeit sehr beschäftigt zu sein.

„Ich melde mich bei Gelegenheit", war ihr letzter Satz, bevor sie sich verabschiedete und auflegte.

Peters Laune sank noch tiefer. „Verdammt", murmelte er enttäuscht und stützte seinen Kopf in beide Hände.

Seine Unfähigkeit, sich mit Frauen zu arrangieren, war nichts Neues für ihn, und doch war es dieses Mal anders. Lisa wäre es wert gewesen, sein Leben noch einmal umzukrempeln. Dabei war es in diesem Fall nicht einmal sein Fehler gewesen.

Denn er hatte eine Verpflichtung – und mit dieser Feststellung wandte er sich wieder seiner Aufgabe zu. Er nahm einen kleinen Notizblock zur Hand und begann, Stichpunkte für das Gespräch mit Wehrmann aufzuschreiben. Es fiel ihm schwer, sich zu konzentrieren, aber das musste sich ändern. Immer wieder rief er sich ins Bewusstsein zurück, dass er es mit einem potenziellen Mörder und obendrein mit einem hochintelligenten zu tun hatte. Heute Abend würde er ihm gegenüber sitzen, und nichts konnte ihn dann noch schützen, außer seiner Planung und seinem Verstand. Dieser Gedanke ließ ihn endlich fokussieren.

Der Tote

Garret war am Vorabend in München gelandet und gleich nach Regensburg zu dem Apartment gefahren. Nach einer schnellen Dusche hatte er sich ins Bett gelegt und war sofort eingeschlafen. Der Wecker hatte ihn vor gut einer Stunde aus einem fast zehnstündigen Tiefschlaf gerissen.

Das Apartment war auf seinen Namen gemietet, und die Miete wurde von einem auf seinen Namen lautenden Konto abgebucht. Das Geld aber kam aus dem Budget des Bündnisses. Martin hatte beschlossen, den Mietvertrag bis auf Weiteres aufrecht zu halten. Zumindest so lange, bis ihre Aktivitäten in Europa beendet wären. Es gab einige gute Argumente, die für das Apartment sprachen. Einer davon war, dass die benötigte Ausrüstung nicht immer auf Interkontinentalflügen hin und her transportiert werden musste. Ein anderer, dass es eine feste Adresse gab, die vieles erleichterte, wie zum Beispiel Bankgeschäfte.

Der eindeutige Nachteil war, dass der Kühlschrank momentan ausgeschaltet und leer war, dachte Garret und fluchte. Nicht einmal Kekse lagen im Vorratsregal. Er ließ etwas Wasser in den Kocher laufen und schaltete ihn ein. Dann nahm er eine große Tasse und kippte zwei gehäufte Löffel löslichen Kaffees hinein. Etwas anderes als das Zeug gab es nicht in der Wohnung, und es war immerhin besser als pures Wasser. Als die Mischung fertig war und er den ersten Schluck getrunken hatte, fluchte er abermals: „Verdammt, das Zeug schmeckt ja wie saurer Regen!“

Möglicherweise wäre ja mit einer großen Portion Zucker noch etwas zu retten. Er erinnerte sich, vor einiger Zeit irgendwo im Apartment eine Zuckerdose gesehen zu haben. Nach einigen Minuten fand er sie tatsächlich in einer Ecke des Vorratsregals und schaufelte zwei gehäufte Löffel in die Tasse. Er nahm einen weiteren Schluck und stellte fest, dass das Gebräu nun zumindest erträglich war. Während er die Tasse leerte, ging er hinüber zum Computer und fuhr ihn hoch.

„Verfluchter Mistkerl!“ Fast wäre ihm die Tasse aus der Hand gefallen, als die Webseite der Washington Post auf dem Bildschirm erschien. Dort stand in Fettschrift: **Vermisster Manager ermordet aufgefunden!**

Er war ein hartgesottener Typ und nicht so leicht aus der Ruhe zu bringen. Doch das Foto neben dem Artikel verursachte selbst bei ihm ein beklemmendes Gefühl in der Magengegend. Es zeigte ein großes Gebäude – vermutlich einen Bürokomplex, denn am Rande des flachen Daches prangte das Logo einer großen Firma. Der Eingangsbereich bestand aus einer riesigen, verglasten Drehtür, und jeweils links und rechts davon standen zwei Flaggenmasten.

Auf der rechten Seite baumelte etwas auf Halbmast. Die Auflösung des Fotos war relativ schlecht, und es war schwer, Details zu erkennen. Möglicherweise war das auch so gewollt, sonst wäre das Bild der Zensur zum Opfer gefallen. Wer allerdings genau hinsah, konnte erkennen, dass es ein Mensch war, der dort hing. Wie eine Szene aus einem Horrorfilm, dachte Garret und begann gespannt, den Artikel zu lesen.

Vermisster Manager ermordet aufgefunden!

Den Angestellten von Global Communications Inc. bot sich gestern morgen ein Bild des Grauens. Als sie den Firmenparkplatz erreichten, hing an einem Fahnenmast der leblose Körper von Howard Pierce, Topmanager des Bereichs Corporate Strategies. Eine Untersuchung wurde sofort eingeleitet, aber das Ergebnis der Obduktion liegt noch nicht vor. Dennoch bestehen kaum Zweifel, dass der Tod durch Erhängen von offizieller Seite bestätigt wird.

Zum Tatmotiv gibt es ebenfalls nur Gerüchte. Aus verlässlichen Quellen hat die Redaktion erfahren, dass Pierce mit der Abspaltung des Unternehmensbereichs Airbound Innovations betraut war. Die geplante Maßnahme wäre mit der Entlassung mehrerer hundert Mitarbeiter verbunden gewesen. Ein Selbstmord ist unwahrscheinlich. In Bezug auf einen Tatverdächtigen tappt die Polizei allerdings noch im Dunkeln.

Garret hatte genug gelesen. „Natürlich tappt ihr im Dunkeln, ihr Vollidioten, wie immer!“, fauchte er, während er zum Fenster hinüberging. Wie schon so viele Stunden zuvor, stand er hinter dem dichten Vorhang und blickte auf den Parkplatz. Es war noch nicht allzu lange her, dass er Peter von hier beobachtet hatte, wie er eine Frau, die ebenfalls in dieser Gegend wohnte, mehrmals abgeholt und Stunden später wieder nach Hause gebracht hatte. Zwar wäre ihm die Beschattung leichter gefallen, wenn er eine Wohnung nahe Peters eigenem Apartment gefunden hätte, aber diese Gelegenheit hier hatte sich eben gerade zur rechten Zeit aufgetan.

Als sein Blick auf einen der Laternenpfähle fiel, musste er an den Toten am Fahnenmast denken. Erhängt! Er selbst war zwar schon oft an Prügeleien beteiligt gewesen; meist hatte er den Auftrag gehabt, diese anzuzetteln und im Gewühl der Menge einer bestimmten Person einen Denkzettel zu verpassen. Sogar in eine Messerstecherei war er einmal geraten. Das war allerdings ungeplant gewesen, und die daraus resultierende Narbe auf seiner Wange erinnerte ihn bei jedem Blick in den Spiegel daran. Der Verursacher hatte jedoch bitter dafür bezahlt und vier Wochen mit zertrümmerter Nase, eingedrücktem Jochbein und anderen Knochenbrüchen im Krankenhaus verbracht. Seine Neigung zur Brutalität konnte er nicht leugnen. Die natürliche Hemmschwelle der meisten Menschen, einem anderen mit der Faust ins Gesicht zu schlagen oder jemanden, der am Boden lag, zu treten, gab es bei ihm nicht. Trotzdem prügelte er sich nicht aus Spaß. Wenn er zulangte, stand immer ein Ziel oder Geld von einem Auftraggeber dahinter. Es geschah berechnend und emotionslos. Garret war der Ansicht, dass es im Leben immer wieder Situationen gab, in denen ein einzelnes physisches Argument – wie ein gezielter Faustschlag – weit mehr überzeugen konnte als tausend Worte. Und für genau diese Situationen war er der Richtige.

Mord gehörte jedoch definitiv nicht zu seinem Repertoire. Jemanden umzubringen war selbst für ihn etwas Verwerfliches. Trotzdem konnte er nicht umhin, eine gewisse Bewunderung für den Killer von Howard Pierce zu empfinden. Mit ein paar gezielten Aktionen hatte er erreicht, wofür andere – und dabei dachte er auch an das Bündnis – schon seit Jahren mit weitaus geringerem Erfolg kämpften.

Spätestens jetzt war der Typ berühmt und hatte sich mit der bizarren Mordszene seinen Weg auf die Titelseiten der großen Zeitungen gebahnt. Garret konnte sich durchaus vorstellen, dass über kurz oder lang die ganze Welt von ihm wissen würde.

Der Mord an Howard Pierce hat etwas Gutes, dachte Garret weiter, ich hoffe nur, dass die Presse nicht anfängt, eine Verbindung zum Bündnis herzustellen und uns in die Sache hineinzuziehen.

Diese Schlussfolgerung lag sehr nahe – zu nahe. Mit Howard Pierce war nun bereits die dritte Person von ihrer Liste ermordet worden. Selbst wenn dieser Lee Kung Sea nie gefunden werden würde und man den Fall Michael Heerhausen als die Tat eines Verrückten bereits zu den Akten gelegt hatte, war Garret sich sicher, dass der Killer sein Werk noch nicht vollendet hatte. Über kurz oder lang würden selbst die geistigen Standspurfahrer von Ermittlern die richtigen Schlüsse ziehen und auf das Bündnis aufmerksam werden. Sie mussten herausfinden, wer der Killer war, und zwar ohne noch mehr Zeit zu verlieren! Er nahm den Hörer in die Hand und begann zu wählen.

Endlich war es Peter gelungen, sich nach dem Telefonat mit Lisa zu konzentrieren, als das Klingeln ihn wieder ablenkte.

„Garret hier!“, tönte es ihm entgegen, kaum dass er abgehoben hatte.

„Hallo“, antwortete Peter wenig erfreut, aber ruhig.

„Er hat ihn kalt gemacht!“

„Was, wer spricht da?“

„Bist du taub, oder schläfst du noch? Wehrmann hat sein nächstes Opfer abgemurkst!“

Binnen Sekunden hatte Garret Peters volle Aufmerksamkeit.

„Red keinen Schwachsinn, ich habe Wehrmann erst vorgestern hier in Deutschland getroffen und werde ihn heute Abend wieder sprechen. Ich glaube nicht, dass er mal schnell über Nacht in die Staaten fliegt, jemanden umbringt, und einfach so wieder zurück kommt.“

Einen Moment lang herrschte Stille am anderen Ende der Leitung.

„Ich hab' ja auch nicht gesagt, dass er ihn eigenhändig umgelegt hat, du Trottel!“

Peter fiel einmal mehr auf, dass er immer, wenn er mit Garret sprach, an einen Verhaltensforscher denken musste. Dieser hatte im Rahmen einer Studie festgestellt, dass jeder Mensch unter gewissen Umständen zum Mörder werden könne. Was Garret anging, schien ihm das absolut glaubwürdig.

„Wir wussten, dass es nur eine Frage der Zeit war“, antwortete er und versuchte, so gelassen wie möglich zu klingen. „Aber wieso rufst du mich eigentlich an? Wo bist du?“

Bisher hatte jeder Kontakt mit den Mitgliedern des Bündnisses über das Internet stattgefunden, und Peter wunderte sich, dass er nun angerufen wurde.

„Babysitting in Regensburg“, kam spöttisch zurück.

„Bleib mir bloß vom Leib!“, fauchte Peter und blickte sich reflexartig in seinem Apartment um. Doch dann riss er sich zusammen. Sie mussten es irgendwie schaffen, ihre weitere

Zusammenarbeit auf eine bessere Basis zu stellen. Persönliche Fehden hatten dabei keinen Platz.

„Ändert das jetzt was an unserem Vorgehen?“, fragte er.

Auch Garret schien sich eines Besseren zu besinnen und brummte: „Generell nicht, außer, dass die Zeit dadurch noch mehr drängt.“

„Pass auf, ich war auf einer Veranstaltung der Arbeiterfront und habe Alexander Wehrmann kennen gelernt. Heute Abend treffen wir uns noch einmal.“

„Du fackelst ja nicht lange rum!“

„Na ja, das war seine Idee, und ehrlich gesagt macht mich sein offensives Vorgehen etwas nervös.“

„Wo trefft ihr euch?“

„Er ist in der Gegend, und wir treffen uns an einer Autobahnraststätte am Stadtrand. Tu mir den Gefallen, und bleib mir von der Pelle.“

Garret antwortete nicht.

„Ich bin immer noch nicht ganz überzeugt, dass Wehrmann unser Mann ist. Zumindest sollten wir Alternativen in Betracht ziehen. Was ist, wenn die Sache im Sande verläuft?“, fragte Peter.

„Dann stehen wir mit leeren Händen da und können einpacken!“

„So ist es!“, sah Peter seine Befürchtung bestätigt. „Das heißt, ihr habt keinen weiteren Verdacht?“

Garret gab nur ein Nuscheln von sich, das Peter als Zustimmung deutete.

„Wie wär's denn, wenn wir parallel dazu das Pferd von hinten aufzäumen?“

„Keine Ahnung wovon du sprichst! Drück dich gefälligst verständlich aus!“, kam diesmal zurück.

„Ganz einfach. Ihr wisst doch, wer euer nächster Kandidat auf der Liste ist. Warum beschattet ihr ihn nicht und versucht herauszufinden, wer ihm an den Kragen will?“

Garret schwieg erneut und schien über den Vorschlag nachzudenken.

„Offensichtlich führt er die Morde nicht selbst durch, wie du Schlaumeier heute festgestellt hast! Was soll das Ganze also bringen?“, antwortete Garret schließlich. So leicht würde er sich nicht von Wehrmann abbringen lassen.

Peter selbst behauptete ja nicht, dass Wehrmann nichts damit zu tun hatte. Aber sie sollten sich nicht nur auf eine Person fixieren.

„Besprich es einfach mit den anderen“, sagte er. „Ich habe nicht den Eindruck, dass das Bündnis ein Geldproblem hat. Warum nehmt ihr euch nicht einfach einen Privatdetektiv und lasst ihn den nächsten Typen beschatten? Schaden kann es nicht!“

„Sonst noch was?“

„Nein!“

Damit war das Gespräch beendet, und die beiden Männer legten gleichzeitig den Hörer auf.

Rückblick

Zufrieden saß er vor der Zeitung, die auf dem Tisch weit ausgebreitet lag. Immer wieder ließ er seinen Blick über das Foto schweifen und genoss das Gefühl des Triumphs. Alles war genau so gelaufen wie geplant. Selbst seine Befürchtung, der Fahnenmast könne nicht stabil genug sein, war umsonst gewesen. Der Aluminiumpfahl hatte das Gewicht des Mistsacks anstandslos getragen. Er genoss das Gefühl seiner tödlichen Gerechtigkeit und ließ die Ereignisse noch einmal Revue passieren.

Die Nacht war klar, und im Licht des Vollmonds lag der Parkplatz vor dem Bürogebäude hell erleuchtet vor ihm. Die Straßenlaternen waren längst erloschen, als er das Auto im Schatten eines großen Baums abstellte. Einige Zeit blieb er noch im Fahrzeug sitzen und überlegte, ob das Risiko, beobachtet zu werden, nicht doch zu groß war. Dann aber entschied er sich zu handeln – die Situation duldete keinen Aufschub mehr.

In den letzten Tagen war so gut wie nichts mehr von seinen ersten beiden Opfern zu lesen gewesen. Außerdem waren die Behörden noch immer nicht darauf gekommen, die Fälle miteinander in Verbindung zu bringen. Er wollte, dass die Angelegenheit in den Köpfen der Leute wieder präsent wurde. Deshalb war er hier, und es stand außer Frage, dass es einen Donnerschlag geben würde.

Der Parkplatz lag abgelegen genug von der Hauptstraße, um nicht von einem zufällig vorbeikommenden Streifenwagen überrascht zu werden.

In dieser Gegend gab es ohnehin nur Bürogebäude, und das wiederum schloss aus, dass ein Anwohner ihn zufällig durch einen Vorhang beobachten könnte. Wachpersonal hatte die

Firma ebenfalls nicht, da in den Büros offenbar keine Wertsachen lagerten.

Das Gebäude selbst wurde zweifellos von einer Warnanlage gesichert. Das war gängige Praxis und bei Abwesenheit von Wachpersonal obligatorisch. Er war bereits einige Male tagsüber hergekommen, um die Lage zu erkunden. Daher wusste er auch, dass es auf dieser Seite des Gebäudes keine Außenkameras gab.

Er stieg aus und ging zur Heckklappe. Der Mann auf der Ladefläche war immer noch ohne Bewusstsein, aber sein Brustkorb hob und senkte sich in regelmäßigen Abständen. Noch lebte er also.

Es kostete ihn erneut enorme Kraft, den schlaffen Körper über die Kante zu zerren, um ihn dann auf den Asphalt fallen zu lassen. Knappe hundert Meter galt es, mit dem Körper im Schlepptau zu überwinden. Er warf dem am Boden Liegenden einen verächtlichen Blick zu und flüsterte: „Nein, diese Anstrengung bist du mir nicht wert. Ich habe eine bessere Idee."

Er ging neben dem Bewusstlosen in die Hocke, nahm das Ende des um seinen Hals gelegten Seils und befestigte es an der Stoßstange seines Wagens. Dann gab er Gas.

Als er direkt vor dem Fahnenmast stoppte, kam der Mann, den er hinter dem Fahrzeug hergeschleppt hatte, langsam zu Bewusstsein. Er röchelte. Die Schlinge hatte ein tiefrotes Würgemal an seinem Hals verursacht, und Rumpf und Beine waren von Schürfwunden übersät, die eine Blutspur auf dem Asphalt hinterlassen hatten.

„Gleich wirst du von deinen Schmerzen erlöst", flüsterte er und ließ ein leises, heiseres Lachen folgen. Die Verletzungen selbst interessierten ihn nicht im Geringsten, sah man davon ab, dass er es deswegen noch widerlicher fand, den Körper erneut zu berühren. Doch vielleicht muss ich ihn ja gar nicht mehr berühren, dachte er und löste den Knoten, der das Seil mit seinem Fahrzeug verband. Mit dem Seil in einer Hand ging er hinüber zum Flaggenmast und fädelte es dort ein. Das Drahtseil, das normalerweise zum Hochziehen der Flaggen benutzt wurde, war glücklicherweise lang genug, so dass es bis zu seiner Stoßstange reichte. Dort band er es fest.

Als er losfuhr, gab der Mast ein lautes Knarren von sich und schwankte unter dem Gewicht des Körpers, als der in Unterwäsche Gekleidete daran hochgezogen wurde. Für einen Moment schien es, als würde der Mast unter der Belastung zusammenbrechen. Als der Körper dann auf Halbmast angelangt war, entspannte sich sein Peiniger.

„Eigentlich ein zu humaner Tod für jemanden wie dich. Ob du wohl auch so mies gehandelt hättest, wenn du gewusst hättest, dass du dafür mit dem Leben bezahlen musst?“

Wieder sprach er mit dem Opfer, auch wenn dieser es sicherlich nicht mehr hörte. Er löste das Drahtseil von seinem Fahrzeug und verhakte es anschließend wieder am Fahnenmast.

Als er sein Werk noch einmal betrachtete, wurde der gesamte Körper seines Opfers von einem wilden Zucken geschüttelt. Er trat einen Schritt zurück, um es mit Genugtuung zu beobachten. Augen und Mund waren weit aufgerissen, und es schien, als wolle er der Welt in den letzten Sekunden, in denen er auf ihr weilte, noch etwas mitteilen. Aber es drang kein Laut aus seiner Kehle. Langsam wurden die Bewegungen des Aufgeknüpften träger, und als sie schließlich erstarben, saß er bereits im Fahrersitz und legte den Gang ein. Der Tod ist trotzdem schneller eingetreten, als du es verdient hast, dachte er, während er losfuhr, aber zumindest nicht so schnell wie bei einem Genickbruch.

Als er von der Zufahrtsstraße zurück auf den Parkway bog und einen Blick in den Rückspiegel warf, ging ein erneutes Lächeln über seine Lippen.

Es war, als ob er aus einem Traum erwachte. Er faltete die Zeitung zusammen und ging hinüber zu seinem Computer.

Dort würde er alle nötigen Informationen über sein nächstes Opfer finden. Das Spiel hatte gerade erst begonnen, doch er merkte schon jetzt, dass es ihm noch viel Spaß bereiten würde, andere Menschen Angst und Schmerzen leiden zu sehen. Zu lange hatte er mit seinen eigenen Schmerzen alleine im Stillen gelebt und sich gequält. Jetzt würde er sie alle zur Verantwortung ziehen, und getreu dem Motto „Geteiltes Leid ist halbes Leid“ würden sich die Dinge zum Besseren wenden.

Die Unternehmen der Wirtschaft haben damit erst einmal ihr Scherflein zu meinem Plan beigetragen, dachte er, und damit waren einige der potenziellen Kandidaten vorerst in Sicherheit. Nun war die Politik an der Reihe. „Dummheit muss bestraft werden!“, sagte er laut. Denn das waren die Politiker: zu dumm, diejenigen zur Kasse zu bitten, die es sich leisten konnten, weil sie sich täglich die Taschen auf Kosten der anderen voll stopften, und gleichzeitig korrupt und gewissenlos genug, den Großteil der Bevölkerung mit immer neuen Abgaben in den Bettelstand zu treiben und sich selbst zu bereichern.

Hektisch tippte er auf seinem Computer herum, dann hatte er gefunden, wonach er suchte – den Namen seines nächsten Opfers. Wieder eine Person, die es zweifelsfrei verdient hatte, diese Welt mit einem Paukenschlag zu verlassen. Selbstverständlich gab es noch mehr Kandidaten, die seine Aufmerksamkeit verdient gehabt hätten, aber dieser hier würde bestimmt nicht der Letzte sein. Einige andere sollten ihren Auftritt ebenfalls bekommen. Sie müssten sich nur noch etwas gedulden.

Diese Runde war also entschieden, und er spürte Vorfreude, als er sich den nächsten Akt des Schauspiels ausmalte. Eine vage Vorstellung von der Inszenierung hatte er bereits. Sie musste aber noch an Form gewinnen, und einige Details fehlten noch.

Die Geschicke der Menschheit ruhten in seinen Händen, und nur er besaß die Macht, die Welt vor dem Untergang zu retten.

Was wäre passiert, hätte er nicht begonnen, denen die Augen zu öffnen, die entweder zu blind oder zu feige waren? Selbst wenn es ihm durchaus auch Spaß machte, Herr über Leben und Tod zu sein – so war es doch in erster Linie ausgleichende Gerechtigkeit, die ihn antrieb.

Er versank wieder in seinen Fantasien. Seine Pupillen weiteten sich, und ein neuer teuflischer Plan begann, in seinem kranken Gehirn Gestalt anzunehmen.

Die Arbeiterfront

Abends um viertel nach sieben verließ Peter seine Wohnung. Als er auf die Straße trat, stellte er überrascht fest, dass es regnete. Hastig eilte er zu dem Parkplatz, auf dem er normalerweise sein Auto abstellte. Aber nach wenigen Schritten fiel ihm ein, dass er am Vortag einen Block weiter parken musste, weil alle Stellplätze belegt gewesen waren. Er entschied sich also, zuerst einen Regenschirm zu holen. Kaum hatte er das Treppenhaus des Gebäudes betreten, in dem seine Wohnung lag, stutzte er. Es roch nach billigem Rasierwasser.

Nachdem Joe ihm erzählt hatte, dass er von Garret beschattet worden war, hatte Peter das Kapitel ad acta gelegt, denn er war sich sicher gewesen, dass der Rasierwassergeruch von Garret stammte. Mittlerweile gab es für das Bündnis aber eigentlich keinen Grund mehr, ihn zu beschatten.

Hastig stapfte Peter die Treppen zu seiner Wohnung hoch und sah sich dabei mehrmals nervös um. Oben angekommen, musterte er zuerst die Tür selbst, dann den Knauf. Es waren keine Spuren eines gewaltsamen Eindringens zu erkennen. Er schloss auf und nahm einen Regenschirm aus der Kommode im Flur. Damit bewaffnet fühlte er sich besser, als er anschließend einen Kontrollgang durch alle Zimmer machte. Er sah hinter jede Tür, unter das Bett und schaute sogar in der Badewanne nach, fand aber niemanden. Erst jetzt merkte er, dass es hier gar nicht nach Rasierwasser roch. Einigermaßen beruhigt verließ er seine Wohnung und machte sich wieder auf den Weg zu seinem Auto. Auch dabei fiel ihm nichts Ungewöhnliches auf: kein Geräusch, kein Schatten, keine Person. Nur das schon fast vertraute Gefühl, verfolgt zu werden, war plötzlich wieder präsent. Ruckartig drehte er sich um, sah jedoch wieder niemanden.

Vermutlich bin ich schon paranoid oder bekomme Wahnvorstellungen von dem ganzen Zirkus, grübelte er. Dann stieg er in den Volvo ein. Er startete den Motor, und während er losfuhr, verschwand auch seine Unsicherheit.

Schon bei seiner ersten Fahrt hatte ihm dieser Volvo ein Gefühl der Sicherheit vermittelt. Das Auto war vier Jahre alt gewesen, als Peter es gekauft hatte, aber der Vorbesitzer hatte den Wagen zweifelsohne gut gepflegt. In den letzten vier Jahren hatte das Fahrzeug allerdings etwas gelitten. Peter ließ ihm zwar ein Minimum an Pflege zukommen, aber mehr auch nicht. Wahrscheinlich war das Gefühl, in dem Wagen sicher zu sein, nur das Ergebnis der Werbung.

Wie auch immer, gerade heute war er besonders froh darüber. Bereits beim Verlassen seiner Wohnung hatte er mit dem Gedanken gespielt, sich zu bewaffnen. Schließlich stand ihm ein Treffen mit einem potenziellen Killer bevor, und auch wenn dieses an einem öffentlichen Ort stattfand, so wusste man doch nie, was der andere im Schilde führte. Wenn jemand es darauf anlegte, gab es immer eine Gelegenheit, einem anderen den Garaus zu machen.

Fast eine halbe Stunde lang war Peter in seiner Wohnung auf und ab getigert, dann hatte er den Gedanken wieder verworfen. Er besaß absolut nichts, das sich als Waffe eignete. Kurzzeitig hatte er ein großes Küchenmesser in die Hand genommen, es dann in die Innentasche seines Mantels gesteckt und dabei gleich das Innenfutter durchstoßen. Verärgert hatte er es in die Schublade zurückgeworfen. Anschließend war sein Blick auf den metallenen Schuhlöffel in der Garderobe gefallen, aber auch das war einfach lächerlich. Ich könnte mich ohnehin nicht überwinden, jemanden ernsthaft zu verletzen, hatte er dabei gedacht, und beschlossen, dass es sowieso keinen Grund gab, eine Waffe zu tragen.

Der Feierabendverkehr hatte sich um diese Uhrzeit beruhigt, und wegen des Regens waren auch sonst so gut wie keine anderen Autos unterwegs. Nach etwa fünfzehn Minuten erreichte Peter den Stadtrand von Regensburg. Kurz darauf fuhr er über eine Abfahrt auf den Parkplatz der Autobahnraststätte. Er stellte den Volvo neben einem Mercedes und gegenüber den Lkws ab. Als er eintrat, blickte er kurz in die Runde. Es waren nur wenige Gäste in dem Raum, die meisten offensichtlich Fernfahrer sowie zwei Familien mit Kindern, so dass er Alexander Wehrmann sofort erkannte. Er saß an einem der Tische in einer Ecke. Die Luft war durch die im Dauerbetrieb laufenden Fritteusen stickig, und Peter wurde davon leicht übel.

Als er an den Tisch trat, stand Wehrmann auf und begrüßte ihn freundlich, aber nicht überschwänglich. Die Speisekarte lag geöffnet vor ihm, und Peter schloss daraus, dass er ebenfalls gerade erst angekommen war. Mit der Jeans und dem blauweiß gestreiften Hemd machte Wehrmann einen ordentlichen und zugleich unscheinbaren Eindruck. Niemand würde in ihm den Kopf einer extremistischen Organisation vermuten, dachte Peter, als er seinen Mantel ablegte.

Die beiden Männer setzten sich und bestellten Getränke. Peter war unwohl zumute – trotz seiner Vorbereitung auf das Treffen fiel ihm weder ein Thema ein, das sich als Gesprächsaufhänger eignete, noch konnte er sich vorstellen, wie er an die benötigten Informationen kommen sollte, um einen Beweis dafür zu finden, dass Alexander Wehrmann an den Morden beteiligt war. Es spielte aber glücklicherweise keine Rolle, denn Wehrmann ergriff sofort das Wort.

„Ich wette, du hast dich gefragt, warum ich mich mit dir treffen wollte. Schließlich kennen wir uns praktisch nicht."

Bingo!, hätte Peter am liebsten gerufen. Zu lange hatte ihn diese Frage beschäftigt, und sein Gegenüber hatte den Nagel auf den Kopf getroffen.

„Stimmt", antwortete er stattdessen beherrscht.

„Ehrlich gesagt war das vorgestern nicht unser erstes Treffen, zumindest nicht für mich!"

„Pah!", entfuhr Peter nun doch ein merkwürdiger Laut, und die Fragezeichen mussten ihm wie die Dollarzeichen bei Dagobert Duck in den Augen stehen. Alexander Wehrmann lachte laut los. Es war ein sympathisches Lachen, und das Eis zwischen den Männern begann zu brechen.

„Na ja, ich kenne dich nicht persönlich, habe aber schon etliche deiner Veröffentlichungen gelesen. Sieht so aus, als ob wir eine ähnliche Ansicht vertreten!“

Das war es also! Was für eine harmlose Erklärung der Frage, warum dieser Mann so großen Wert auf ein Treffen legte. Erstaunt und erleichtert sagte Peter: „Im Kern der Sache vertreten wir denselben Standpunkt und verurteilen die gleichen Missstände, soweit gebe ich dir Recht. Es scheint aber doch ein paar entscheidende Unterschiede zwischen uns zu geben.“

Diesen Punkt hätte Peter liebend gern weiter ausgeführt. Gerade rechtzeitig fiel ihm aber ein, sich zusammenzureißen und abzuwarten. Schließlich war er nicht gekommen, um Standpunkte auszutauschen oder mit Wehrmann zu diskutieren. Er musste sich sein Ziel für heute Abend immer wieder vor Augen führen und durfte sich nicht von Emotionen leiten lassen. Das Leben von Menschen konnte von seiner Beherrschung abhängen – eventuell sogar sein eigenes. Alexander war ein aufmerksamer Beobachter und bemerkte Peters Zurückhaltung sofort.

„Das klingt, als hättest du bei unserer Veranstaltung keine Sympathie für die Arbeiterfront gefunden?“

Eine gefährliche Frage, dachte Peter, und sein Gehirn arbeitete fieberhaft auf der Suche nach einer politisch geschickten Antwort. Eine Sympathiebekundung würde wenig glaubhaft wirken, ein abfälliger Kommentar jedoch noch Schlimmeres anrichten.

„Sympathie ist in diesem Zusammenhang ein schwieriges Wort. Die Arbeiterfront ist mir nicht generell unsympathisch, aber ich kann mit Extremismus im Allgemeinen wenig anfangen.“

Innerlich war er stolz auf seine Antwort. Sie war kaum gelogen, so dass er mit dieser Aussage gut leben konnte. Und sie würde Wehrmann herausfordern, ohne ihn zu sehr zu provozieren. Leider sah dieser es anders und reagierte überraschend aggressiv.

„Extremismus? Was soll das denn? Dieser Begriff birgt doch immer Gewalt in sich!", reagierte er wütend und starrte Peter an. Dieser wurde wieder unsicher und versuchte, ihn zu besänftigen: „Extreme, meinte ich. Sorry!"

„Ein weiter Weg, der zwischen diesen beiden Worten liegt, aber sei's drum!"

Trotz seines Einlenkens hatte Peter den Eindruck, dass Wehrmann nach wie vor gereizt war. Sie wussten beide, dass es sich nicht um einen Versprecher gehandelt hatte. Wehrmanns nächster Satz bestätigte dies. Er versuchte jetzt seinerseits, Peter zu provozieren: „Ich bin mir vollkommen bewusst, dass Pseudopazifisten wie du nur Gewalt- und Krawallpotenzial sehen. Würdet ihr euch nur einmal die Mühe machen, etwas genauer hinzuschauen und mit eurer arroganten Oberflächlichkeit nicht nur die Piercings und langen Haare unserer Mitglieder bemerken, dann würdet auch ihr erkennen, dass diese Menschen trotz ihrer aussichtslosen Lage für höhere Ziele kämpfen. In ihnen lebt wenigstens noch etwas von dem Pioniergeist und dem Kämpferherz, die dem gemeinen Volk die Freiheit beschert haben, die auch du heute genießt!"

Die Stimmung schaukelte sich rasant auf, und Wehrmann suchte offenbar die Konfrontation. Zwar hatte Peter geplant, etwas Brisanz in das Gespräch zu bringen, um sein Gegenüber eventuell zu einer unüberlegten Aussage zu verleiten und ihm damit auf die Spur zu kommen. Doch es war ein schmaler Grat, auf dem sie sich bewegten. Falls sie anfingen, sich zu streiten, könnte das Ganze ein plötzliches Ende nehmen, und die Chance wäre vertan. Er entschied sich, Wehrmann etwas Wind aus den Segeln zu nehmen.

„Wie gesagt, tut mir Leid, schätze, wir haben uns falsch verstanden. Gut möglich, dass man hier zu oberflächlich urteilt."

„Ist in Ordnung, wir stehen ja letztlich auf der gleichen Seite."

Peter war sich dessen zwar nicht sicher, aber er war froh, dass Alexander sich schnell wieder beruhigte.

„Ich denke, wir wissen beide, dass unser Land in einer Krise steckt", fuhr Wehrmann fort. „Die Probleme, die wir heute schon haben, könnten noch viel größer werden, wenn nicht bald jemand die richtigen Maßnahmen ergreift. Den uns bekannten Wohlstand wird es in Zukunft nicht mehr geben. Nach Gründen wird derzeit in allen Richtungen gesucht, oder zumindest wird uns das vorgegaukelt. Dabei lässt sich die Misere ganz einfach zusammenfassen: Das System funktioniert nicht mehr!"

„Das System", Peter runzelte die Stirn und nahm einen Schluck von seinem Cappuccino. Klang zwar etwas abgehoben, aber das Gespräch ging jetzt in eine bessere Richtung. „Du meinst die Gesamtheit der Regeln, nach denen unsere Gesellschaft lebt?"

Alexander schmunzelte.

„Na ja, ich wollte nicht philosophisch werden, aber ja, so ähnlich meine ich es. Lass mich dir ein Beispiel geben." Er trank ebenfalls einen Schluck Kaffee. „Die meisten Menschen würden sich zügellos bereichern, wenn sie nur könnten. Wer kann also den Bossen der großen Unternehmen Vorwürfe machen? Die Firmen, deren Geschicke in ihren Händen liegen, sind längst nicht mehr darauf ausgerichtet, Waren für einen Markt zu produzieren, den es zu sättigen gilt. Ihr einziges Ziel ist die Produktion von Kapital!"

Durchdringend sah er Peter an und sprach weiter: „Hast du schon einmal die Durchhalteparolen gelesen, die den Mitarbeitern in Rundschreiben oder Vorträgen immer wieder eingetrichtert werden? Darin ist keine Rede von guten Produkten oder guten Serviceleistungen. Da geht es ausschließlich darum, die Investoren zufrieden zu stellen und die Gewinne zu steigern. Das ist alles, was zählt. Merkst du, wie die Messlatte nicht einfach immer höher gelegt, sondern an der völlig falschen Stelle angelegt wurde?"

Peter sah die Dinge genauso und nickte.

„Unsere Politiker hingegen", fuhr Wehrmann fort, „also die Menschen, die die Dinge fürs Volk richten sollten, verstecken sich andauernd hinter ihren Diskussionen über allerlei Reformen. Sie sind unfähig, vernünftige Entscheidungen zu treffen und zu verhindern, dass die Wirtschaft durch ihre Sparpolitik immer mehr Arbeitsplätze vernichtet. Stattdessen vergreifen sie sich am wehrlosen Bürger und stopfen sich schnell die Taschen voll, solange es noch etwas zu holen gibt. Eines ist so sicher wie das Amen in der Kirche: Der Kapitalismus hat bei den verantwortlichen Politikern längst die Ehrlichkeit und Vaterlandsliebe ersetzt!"

Wehrmann war gerade wieder dabei, sich in Rage zu reden, aber Peter hatte sich vorgenommen, dieses Mal die Kontrolle über das Gespräch zu behalten. Er hatte schließlich ein Ziel und war auf gutem Wege, es zu erreichen. Deshalb warf er in besänftigendem Ton ein: „Lässt sich deiner Ansicht nach das Problem denn noch lösen, oder ist es schon zu spät?"

„Natürlich gibt es kein Patentrezept dafür, aber solange sich Reformstrategien nur auf einzelne Symptome beziehen, wird sich nichts ändern. Es gilt, Rahmenbedingungen zu ändern und die Maßnahmen an den relevanten Stellschrauben des Systems anzusetzen."

„Aha", sagte Peter und blickte ihn fragend an.

„Okay, das klingt sehr allgemein. Nehmen wir als Beispiel unser Wahlrecht. Welche Möglichkeiten haben die Bürger in der heutigen Zeit, wenn sie sich entscheiden müssen zwischen Not und Übel? Wir alle wissen, dass man sich den Gang zur Urne auch sparen kann, weil damit ohnehin nichts zu bewegen ist."

Er machte eine Pause, und Peter forderte ihn mit einem Nicken zum Weiterreden auf.

„Wie wäre es, wenn wir das Konzept des Politwissenschaftlers Theodor Eschenberg umsetzen würden? Demnach erhielte jeder Wahlberechtigte einen Gutschein über denselben Betrag.

Dieser kann beim Staat eingelöst und damit einer Partei oder einer wohltätigen Einrichtung gutgeschrieben werden. Mit dieser einfachen Maßnahme wäre die Politfinanzierung in den Händen des Wählers, und er könnte direkt auf Missstände oder Skandale reagieren, die sich innerhalb einer Partei abspielen!“

Peter sah ihn verdutzt an. Mit derart rationalen Argumenten hatte er nicht gerechnet.

„Das wäre natürlich nur ein Anfang, allerdings ein mit Sicherheit wirksamer. Wie gesagt, ich wollte nur ein Beispiel geben, wovon ich überhaupt spreche.“

„Die Frage ist nur, durch wen und wie etwas Derartiges umgesetzt werden kann“, versuchte Peter, ebenfalls etwas Sinnvolles beizutragen.

„Das ist genau der Punkt. Die Leute, in deren Macht es stünde, würden sich dabei selbst beschneiden. Und einen selbstlosen Politiker zu finden, ist wohl noch unmöglicher als die Quadratur des Kreises. An dieser Stelle schließt sich der Kreis, und du erkennst, warum die Arbeiterfront genau das macht, was sie macht: die Menschen aufwecken! Bei einer halbwegs gerechten Verteilung des verfügbaren Kapitals wäre nämlich akzeptabler und stabiler Wohlstand für fast alle Menschen in diesem Land möglich.“

Wehrmann wirkte jetzt gelassener als zu Beginn, und Peter wertete das als einen guten Zeitpunkt für einen Vorstoß, um eine Antwort auf seine Fragen zu finden: „Das klingt alles sehr vernünftig, aber denkst du nicht, dass Gewalt der falsche Weg ist?“

„Ich weiß nicht, warum du immer wieder auf das Thema Gewalt zurückkommst?“, reagierte Wehrmann ärgerlich, redete sich dennoch nicht erneut in Rage. „Vielleicht sollte ich dir noch etwas erklären. Wir beide sind uns der Propagandamaschinerie der Kapitalisten wohl bewusst. Diejenigen, die das meiste Geld haben, haben meist auch die Macht über die öffentliche Meinung, sprich: die Presse! Sie nutzen diese Möglichkeit, die öffentliche Meinung zu ihren Gunsten zu manipulieren, um denen zu schaden, die sich nicht beugen wollen." Er verschränkte die Hände auf der Tischplatte und sah Peter eindringlich an. „Was auch immer über uns berichtet wird: Wir sind nicht gewalttätig!"

Peter war klar, dass Wehrmann dem nichts mehr hinzuzufügen hatte, und er glaubte ihm.

Das weitere Gespräch der beiden Männer verlief unspektakulär und dauerte bis weit nach Mitternacht. Immer wieder stellten sie fest, dass sie im Grunde der gleichen Meinung waren. Sie entwickelten Sympathie füreinander, und Peter vergaß fast, warum er ursprünglich gekommen war.

Als sie im Begriff waren aufzubrechen, griff Peter in die Innentasche seines Mantels, um an die Geldbörse zu gelangen. Dabei verfing er sich in dem zerrissenen Innenfutter. Er erinnerte sich, wie er vor ein paar Stunden noch daran gedacht hatte, sich zu bewaffnen, was ihm nun ziemlich albern vorkam. Im selben Augenblick ließ dieser Gedanke ihn jedoch erstarren, denn ihm wurde klar, was das bedeutete: Seine Befürchtungen hatten sich bestätigt – es gab keinen Verdächtigen mehr für die Morde.

Kurz darauf verließen die beiden Männer das Lokal, und Peter fasste sich ein Herz, eine letzte Frage zu stellen: „Hast du schon mal etwas von einem Bündnis gehört?"

Er merkte, wie gespannt er Wehrmann anstarrte und versuchte, dies durch ein Hüsteln zu verbergen.

„Bündnis, was soll das sein?"

„Nichts besonderes, irgend so eine Vereinigung."

„Tut mir Leid, mein Freund. Nie gehört."

Gefahr im Verzug

„Er hat seine Schnauze nicht halten können!“

„Kannst du dich vielleicht etwas konkreter ausdrücken? Was meinst du damit?“

„Er hat diesem Typen von der Arbeiterfront erzählt, dass er das Bündnis kennt!“

Schweigen am anderen Ende der Leitung.

„Hallo, bist du noch dran?!“

„Ich vermute, er hatte seine Gründe dafür. Was genau hat er gesagt?“ Die Stimme klang ruhig und kontrolliert.

„Er hat ihn gefragt, ob er das Bündnis kennt, habe ich doch schon gesagt!“

„Das war alles? Wie hat Wehrmann darauf reagiert?“

„Er hat es nicht zugegeben!“

„Was heißt, er hat es nicht zugegeben? Vielleicht kennt er es wirklich nicht. Was hat er genau gesagt?“

„Nur, dass er das Bündnis nicht kennt. Dann haben sie sich verabschiedet.“

„Meinst du, er lügt?“

„Weiß ich nicht.“

„Woher weißt du eigentlich, über was sie gesprochen haben?“

„Woher wohl?! Ich bin ihm zu dem Treffen gefolgt. Natürlich ohne dass er es wusste.“

„Was soll das? Ihr seid jetzt im selben Team!“

„Dachte, es würde ihn nur unnötig nervös machen, wenn ich es ihm sage. Übrigens sind die beiden etliche Stunden zusammen gesessen und scheinen sich ganz gut verstanden zu haben!“

„Und? Wo ist das Problem?“

„Keine Ahnung!“

„Okay, mach weiter wie abgesprochen.“

„Soll ich ihm erzählen, dass ich ihn zu seiner eigenen Sicherheit beschatte?“

„Nein, lass mich zuerst mit ihm sprechen. Dann sehen wir weiter."

„Alles klar."

„Noch was?"

„Nein!"

Umdenken

Die nächsten Tage verloren sich für Peter in Alltäglichem. Er kümmerte sich um all die Dinge, die in den letzten Wochen liegen geblieben waren. Nur nicht um Lisa – davor hatte er Angst. Immer wieder dachte er über das Gespräch mit Alexander Wehrmann nach und wurde sich mit jedem Mal sicherer, dass er nicht ihr Mann war. Bewusst hatte er sein Notebook in diesen Tagen kein einziges Mal angefasst – er brauchte Distanz, um einen klaren Kopf zu bekommen. Fast schien sich sein Leben ohne Cyberspace wieder zu normalisieren.

Als er an diesem Tag aufstand, schneite es zum ersten Mal. Er sah aus dem Fenster und beobachtete die großen weißen Flocken, wie sie leicht und scheinbar schwerelos an seinem Fenster vorbei tanzten. Waren sie erst einmal auf dem Asphalt angekommen, schienen sie spurlos darin zu versinken, denn durch die noch immer in der Oberfläche gespeicherte Wärme schmolzen die Flocken im Augenblick des Kontakts. Peter öffnete das Fenster und hielt seinen Arm in den allmählich wilder werdenden Tanz der kleinen Eiskristalle hinaus. Ein paar der Schneeflocken landeten auf seiner Hand, und er konnte ihre Formen genauer erkennen. Es erstaunte ihn, denn sie sahen tatsächlich so aus, wie er sie aus den Kinderbüchern seiner lange vergangenen Jugend in Erinnerung hatte. Leider dauerte es nur einen kurzen Augenblick, und die wunderbaren Gebilde waren seiner Körperwärme zum Opfer gefallen und geschmolzen. Genauso fühlte er sich, wenn seine Gedanken zu Lisa zurückkehrten: Ihm wurde warm ums Herz, und gleichzeitig fühlte er sich elend und einsam.

Er beschloss, sich wieder auf Alexander Wehrmann zu konzentrieren.

Mittlerweile waren fünf Tage vergangen, seit die beiden Männer sich in der Autobahnraststätte getroffen hatten. Peter hatte inzwischen unzählige Male versucht, den Charakter des Mannes zu analysieren, es letztlich aber aufgegeben. Die Vielzahl seiner Eigenschaften war schwer unter einen Hut zu bringen. Während ihres Treffens war Wehrmann als hoch intelligenter und rational argumentierender Mensch aufgetreten. Bei den Veranstaltungen der Arbeiterfront allerdings kam ein anderes Gesicht zum Vorschein, das Anzeichen von Aggression und einen gewissen Hang zum Kommunismus zeigte. Sie hatten sich nicht detailliert über die Aktivitäten der Arbeiterfront unterhalten. Dennoch war Peter wiederholt auf das Thema Gewalt zu sprechen gekommen, und Wehrmann hatte sich entschieden davon distanziert. Dabei hatte Peter nicht das Gefühl gehabt, dass Wehrmann lügen würde.

Damit fiel er als Täter flach, und das Problem des Bündnisses war noch größer geworden. Blieb ihnen nur noch zu klären, warum Wehrmann behauptete, das Bündnis nicht einmal zu kennen. Irgendetwas war faul an der Sache. Entweder Wehrmann oder das Bündnis hatte ihn angelogen. Es war an der Zeit, die Kommunikation wieder aufzunehmen und ihnen von seiner Erkenntnis zu berichten. Er wunderte sich ohnehin, dass sie ihn noch nicht wieder kontaktiert hatten.

Überhaupt klang die ganze Geschichte, wie das Bündnis auf ihn gekommen war und weswegen sie seine Hilfe benötigten, irgendwie fadenscheinig, fand Peter, während er seinen Computer hochfuhr. Fragen über Fragen, und jeden Tag wurden es mehr anstatt weniger. Seine Gedanken drehten sich immer wieder im Kreis, und das machte ihn fast verrückt. Doch wie konnte er vorankommen? Er steckte in einer Sackgasse. Möglicherweise musste er ein paar Schritte zurück zur letzten Abzweigung gehen, um weiterzukommen. Oder sollte er versuchen, doch noch auszusteigen und das Thema einfach hinter sich zu lassen? Dann sah er, dass Murdock7 online war.

Er tippte einen kurzen Gruß und wartete. Als nach einer Minute noch keine Antwort gekommen war, stand er auf und startete die Kaffeemaschine. Während sich der Automat aufheizte, blickte Peter wieder aus dem Fenster. Langsam verschwand der Bürgersteig unter einer weiß schimmernden Decke. In der letzten Stunde waren genug Schneeflocken gefallen, um die Temperatur der Oberfläche zu senken, so dass die nachfolgenden Flocken eine gute Grundlage vorfanden. Die mittlerweile schon fast durchgängige Schneedecke wäre niemals zustande gekommen ohne die Vorarbeit der ersten selbstlosen Flocken.

War er selbst wie eine dieser Vorgängerflocken und musste den Weg bereiten für etwas, das auf seiner Arbeit aufbauen konnte? Vielleicht war er aber auch Teil des Kollektivs, das Bestand haben würde und den eigentlichen Auftrag ausführte. Egal, welchem Teil er angehörte, er wollte zumindest wissen, was das höhere Ziel war, dem er sich opfern sollte. Er glaubte nicht, die Antwort hier in Regensburg oder überhaupt in Deutschland zu finden. Die Antwort wartete irgendwo auf der anderen Seite des Atlantiks. Hier wurden die Regeln nicht gemacht, sondern nur befolgt. Er musste noch einmal in die Staaten.

„Wie geht's? Martin hier." Die Nachricht auf seinem Bildschirm riss Peter aus seinen Tagträumen.

„Das weiß ich nicht so genau. Und selbst?"

„Hängt davon ab, was du zu erzählen hast. Wir haben uns schon Sorgen gemacht um dich."

„Ich musste mich erst einmal sortieren."

Die Männer verschwendeten keine weitere Zeit mit Smalltalk und kamen schnell zur Sache. Peter erzählte Martin, dass er sich ziemlich sicher war, in Alexander nicht den Killer gefunden zu haben. Dann zögerte er kurz, berichtete schließlich aber doch davon, dass er ihn auf das Bündnis angesprochen hatte. Martin machte nicht den Eindruck, sich daran zu stören.

„Hat er gelogen, als er abgestritten hat, das Bündnis zu kennen?", fragte Peter.

„Deinem Bericht nach scheint er es nicht nötig zu haben, dich anzulügen."

„Dann habt ihr mich angelogen?“

„So ein Quatsch. Warum sollten wir dich anlügen?“

„Keine Ahnung.“

„Schließlich war er es nicht selbst, der damals mit Joe in Kontakt getreten ist, und da die Geschichte schneller vom Tisch war als sie begonnen hatte, muss er nicht zwangsläufig etwas davon mitbekommen haben.“

„Dir ist klar, dass euer Verdacht …“, Peter zögerte, „euer einziger Verdacht damit vom Tisch ist?“

Der Cursor blinkte rhythmisch auf Peters Bildschirm, und als keine Antwort kam, tippte er die nächste Nachricht.

„Was passiert jetzt?“

„Wir werden sehen. Es gibt noch eine Neuigkeit.“

„Hoffentlich zur Abwechslung mal eine gute?“

„Nicht unbedingt – es gab wieder eine Entführung!“

Die Mission

Diese Mischung aus Macht und Kontrolle ist einfach herrlich, wobei ich manchmal den Verdacht habe, dass ich süchtig danach bin. Ich gebe zu, am Anfang war es ein einzelner Racheakt ohne tieferen Sinn. Aber inzwischen habe ich meine Mission gefunden!

Manchmal habe ich das Gefühl, der Messias der Moderne zu sein. Allerdings würde ich mich nie in der Öffentlichkeit so nennen. Dadurch könnte bei diesen Trotteln der Eindruck entstehen, ich sei ein Psychopath. Pah! Ich bin ein gerechter Richter!

Dabei mache ich nicht etwa einen x-beliebigen Job, wie all diese elenden Memmen da draußen – ich folge meiner Berufung! Und ja, ich genieße diese Aufgabe, auch wenn die Pressefritzen mich dafür verurteilen. Nicht einmal mein Publikum weiß zu schätzen, was ich hier tue.

Undank ist der Welt Lohn! Jeder einzelne sollte mir lieber dankbar sein für all die Zeit, die ich für sie opfere. Meine Botschaft wird die Menschen eines Tages retten. Aber nur, wenn sie bis dahin lernen, sie auch zu verstehen.

Nach diesem Selbstgespräch gab er dem Mann vor ihm einen heftigen Stoß. Dieser stolperte und wurde durch die Wucht der Attacke zu Boden gerissen. Ein kurzer spitzer Schrei, gefolgt von schmerzerfülltem Stöhnen drang aus seiner Kehle.

Erneut war der Schacht besetzt, und wieder hatte er einen der Dämonen des faulen Systems aus der Welt geschafft.

Das Urteil war damit zwar noch nicht vollstreckt, aber dass der Typ seinem gerechten Schicksal zugeführt würde, stand außer Zweifel. Nur das ‚Wie' musste er noch klären. Gewisse Ideen geisterten schon durch seinen Kopf, aber er wollte sich etwas mehr Zeit gönnen, um ein wirklich spektakuläres Szenario zu entwickeln – schließlich sollte es diesmal der endgültige Durchbruch werden. „Gut Ding will Weile haben", flüsterte er vor sich hin und grinste voller Vorfreude über das ganze Gesicht. Dann wurde er sehr schnell wieder ernst – todernst.

Während er das Gitter schloss, dachte er daran, wie kinderleicht es gewesen war, den Mann in seine Gewalt zu bringen. Man glaubte immer, diese ach so wichtigen Menschen seien extrem vorsichtig und unterstünden einem besonderen Schutz. Prinzipiell stimmte das auch, allerdings nur, wenn sie im Dienst waren oder in der Öffentlichkeit standen. Jeder Mensch hat jedoch ein Privatleben, in dem er Sport treibt, durch den Wald spaziert oder anderen ganz normalen Dingen nachgeht. So war es auch mit seinem jetzigen Opfer gewesen. Er hatte nur die Augen offengehalten und sich in Geduld geübt – der Rest war ganz leicht gewesen.

Als er den schweren Eisendeckel schloss, wurde es dunkel in dem Schacht, und sowohl er als auch der Gefangene wussten, dass es von hier kein Entkommen mehr gab. Nun war die Politik an der Reihe, ihr Scherflein zu seiner Mission beitragen zu dürfen.

Wieder zurück

Nicht einmal drei Wochen waren vergangen, seit Peter den Dulles Airport verlassen hatte. Damals hätte er nicht gedacht, so schnell wieder amerikanischen Boden zu betreten. Im Unterschied zu damals war er dieses Mal jedoch nicht eingeladen und wurde deshalb auch bei seiner Ankunft von niemandem erwartet. Dennoch fand er sich gleich zurecht. Schnell durchquerte er die Empfangshalle und nahm sich eins der bereitstehenden Taxis. Auf die Reservierung eines Zimmers hatte er verzichtet, denn angesichts der Hotelvielfalt in Washington und Umgebung hatte er keine Bedenken, eine Unterkunft zu finden.

Vor allem aber wollte er auf keinen Fall riskieren, dass jemand durch eine Hotelbuchung vorzeitig von seiner Ankunft erfuhr. Er entschloss sich, wie schon beim letzten Mal, den ersten Tag unkompliziert und relaxt zu verbringen.

Während der Fahrt dachte er darüber nach, warum Martin seinen Vorschlag, sich noch einmal hier vor Ort zu treffen, so vehement abgelehnt hatte. Er verstand es immer noch nicht, denn diesmal wollte Peter sogar auf eigene Rechnung kommen. Dank seiner zahlreichen Bonusmeilen war der Flug für ihn beinahe kostenlos. Martins Ablehnung hatte seine Entscheidung allerdings nur bestärkt, und er beschloss, unangekündigt anzureisen.

Als er nach der kurzen Fahrt an einem Hotel in Reston vorfuhr, begann es bereits zu dämmern, und er war froh, als ihm die Dame an der Rezeption bestätigte, dass sie tatsächlich ein freies Zimmer für ihn hatte. Vorerst war es nicht notwendig, nach D.C. zu fahren, weil sein Hauptaugenmerk einem Treffen mit Martin galt. Vermutlich würde dieser nicht sehr erfreut darüber sein, wider seinen Willen und ohne Vorankündigung konfrontiert zu werden. Allerdings glaubte Peter, dass dies seine derzeit beste, oder vielmehr einzige Möglichkeit war, um an Antworten zu gelangen.

Nur welche Antworten suchte er eigentlich? Als er den Aufzug verließ, der ihn in den 5. Stock befördert hatte, schloss er die Tür zu seinem Zimmer auf, sah sich kurz im Raum um und setzte sich an den kleinen Schreibtisch. Auf dem dort parat liegenden Notizblock fing er an zu schreiben.

Liste: wie kommen die Namen auf diese Liste?
Lee Kung Sea?
Warum stirbt Kathy?
Welche Rolle spielen Alexander W. und die Arbeiterfront?
Michael Heerhausen ermordet?
Wer tötete Howard Pierce?
Kann ich Martin, Steve und Garret vertrauen?
Was steckt hinter dem Bündnis?
Warum ich?

Er kratzte sich mit dem Stift am Kinn und starrte auf die Worte. Natürlich waren das nicht die Fragen, die er Martin stellen würde. Er hatte lediglich einige Themen notiert, die ihn am meisten beschäftigten. Es war nichts weiter als ein Anfang, in den er am nächsten Tag, wenn er ausgeschlafen war, Ordnung bringen wollte, um dann eine Strategie für das Gespräch mit Martin zu entwickeln. Irgendwo musste es einen Zusammenhang geben, der all die losen Teile miteinander verband.

Mittlerweile war es kurz nach 20 Uhr, und Peters Magen knurrte. Im Hotel selbst gab es nur einen Frühstücksraum aber kein Restaurant. Deshalb erkundigte er sich beim Portier nach einer nahegelegenen Möglichkeit, etwas zu essen zu bekommen. Das T.G.I. Fridays Restaurant war weniger als zehn Minuten vom Hotel entfernt, und so saß Peter kurze Zeit später vor einem ansehnlichen T-Bone Steak und einer gebackenen Kartoffel, die so groß war wie die Faust eines Preisboxers. Es schmeckte vorzüglich, und erst, als er den Teller komplett geleert hatte, fiel ihm auf, dass er eindeutig zu viel im Bauch hatte. Er bezahlte und beschloss, auf dem Rückweg zu seinem Hotel einen kleinen Umweg zu machen, weil er in diesem Zustand ohnehin nicht einschlafen konnte.

Unmittelbar an das Restaurant schloss sich eine Reihe von Geschäften an. Normalerweise machte Peter sich nicht viel aus Schaufensterbummeln, aber um diese Jahreszeit waren fast alle schon weihnachtlich geschmückt. Während er dort entlang schlenderte und die unzähligen Weihnachtsmänner und Elfen anschaute, breitete sich eine angenehme innere Ruhe in ihm aus. Erst eine Viertelstunde später erreichte er das Ende der promenadenartigen Einkaufsmeile. Plötzlich zuckte er zusammen. Schritte, da waren Schritte hinter mir, dachte er und drehte sich erschrocken um. Schlagartig waren jegliche Entspannung und weihnachtliche Vorfreude verschwunden. Stattdessen hatte ihn das Gefühl, verfolgt zu werden, wieder voll im Griff. Er kniff die Augen zusammen, als ob er dadurch in der Dunkelheit besser sehen könnte. Ob er schon eine Phobie entwickelt hatte? Zwar blickte er sich noch ein paar Mal gehetzt um, konnte aber niemanden entdecken. Es war ein Wochentag und mittlerweile kurz nach 22 Uhr, die Geschäfte also längst geschlossen. Die hell erleuchteten Fenster hatte er hinter sich gelassen und stattdessen eine Reihe im Dunkeln liegender vereinsamter Läden erreicht. Deren Leasingverträge waren wohl ausgelaufen, und es hatte sich für die Pächter offensichtlich nicht gelohnt, sie weiter zu betreiben. In den weniger populären Verkaufslagen gab es oft etliche verlassene Geschäftsräume nebeneinander, denn wenn eine Lage erst einmal unpopulär geworden war, gelang es den Besitzern oder Maklern kaum noch, sie wieder zu beleben.

Die leer stehenden Geschäfte, die dunklen Nischen zwischen ihnen, das Fehlen anderer Menschen, all das verstärkte das ungute Gefühl in Peter, und er beschloss umzukehren. Er drehte sich um und ging zurück in die Richtung, aus der er gekommen war. Die näherkommenden Lichter der bunten

Schaufenster beruhigten ihn, und er summte die Melodie eines alten Abba-Songs. Er passierte gerade einen der dunklen Gänge neben einem verlassenen Geschäft, als er plötzlich hart an der Schulter gepackt und zur Seite gerissen wurde.

Ohne die geringste Chance auf Gegenwehr wurde er in die dunkle Nische gezogen. Der Lichtkegel der Straßenbeleuchtung verschwand aus seinem Sichtfeld, und es wurde schlagartig dunkel um ihn. Zu überrascht von der Attacke kam ihm nicht einmal der Gedanke, sich zu wehren. Plötzlich verschwand der Druck an seiner Schulter, aber nur, um den Bruchteil einer Sekunde später durch einen eisernen Würgegriff an seinem Hals ersetzt zu werden. Peter begann zu röcheln. Mit ganzer Kraft versuchte er, Sauerstoff in seine Lungen zu saugen – es gelang ihm nicht.

Langsam wurde ihm schwindelig, und er wusste, dass er vermutlich das Bewusstsein verlieren würde, falls er sich nicht bald befreien könnte. Er versuchte, sich loszureißen und begann, mit einem Arm um sich zu schlagen. Seine Hand traf dabei auf etwas Weiches, und seinem Widersacher entwich ein leises Stöhnen, gefolgt von einem Fluch. Als eine Sekunde später ein Messer vor Peters Augen auftauchte, hielt er wie versteinert inne. Durch den Schleier seines schwindenden Bewusstseins hindurch erahnte er den fahlen Glanz der Klinge mehr, als dass er ihn sah. Todesangst stieg in ihm auf. Die Klinge näherte sich langsam und stetig seinem Gesicht. Jetzt war sie so nahe, dass Peter sie nicht mehr sehen konnte, dafür spürte er das kalte Metall auf seiner Haut. Sein Herz raste und schlug ihm bis zum Hals, den der Angreifer weiterhin fest umklammert hielt. Leuchtende Punkte begannen vor Peter auf und ab zu hüpfen, und er röchelte heftiger.

In diesem Moment ließ der Würgegriff nach, und das Messer rutschte von seiner Wange an seine Halsschlagader. Sofort sog Peter reflexartig die kalte Abendluft in seine Lungenflügel ein, so tief er nur konnte. Für ein paar Augenblicke war er nur damit beschäftigt weiterzuatmen, und seine Sinne klarten wieder auf.

Der Angreifer verharrte währenddessen still in seiner Position. Dass sich seine Situation dadurch verbessert hatte, bezweifelte Peter, aber zumindest konnte er jetzt wieder atmen und damit auch klarer denken.

„Denk gar nicht erst daran, dich zu bewegen!", zischte ihn eine leise, dadurch aber umso gefährlicher klingende Stimme an. Der Mann stammte offenbar aus dem Süden der USA. Vor etlichen Jahren hatte Peter den Film *Forrest Gump* in englischem Original im Kino gesehen. Der Slang der Leute aus Alabama war ihm in Erinnerung geblieben. Als er ihn jetzt wieder hörte, fiel ihm zwangsläufig eine der bekannteren Passagen aus dem Film ein: „Lauf Forrest, lauf!" Stattdessen versuchte er, etwas zu sagen. Seine Kehle war jedoch zu trocken, und es drang kein hörbarer Laut daraus hervor. Also nickte er nur kurz und fühlte, wie sich die Klinge weiter gegen seinen Hals drückte.

Arme und Beine konnte er frei bewegen, und es wäre kein Problem gewesen, um sich zu schlagen oder zu treten. Da sein erstes Manöver die Lage allerdings nur verschlimmert hatte, verzichtete er auf eine erneute Gegenwehr. Möglicherweise hätte das seinen Kontrahenten dazu veranlasst, die Klinge noch einen Zentimeter tiefer und damit durch seine Halsschlagader zu drücken. Ein einfacher Schlag würde vermutlich nicht ausreichen, um sich loszureißen und zu flüchten.

Schon öfter hatte er gehört, dass bewaffnete Überfälle in den Staaten weitaus öfter vorkamen als in Deutschland. Allerdings hatte er nicht im Entferntesten daran gedacht, selbst Opfer eines solchen zu werden. Nicht einmal das unangenehme Gefühl, verfolgt zu werden, hatte ihn daran denken lassen.

„Mein Geld …", versuchte er hervorzubringen und war froh, die Worte jetzt zumindest krächzen zu können.

„Halt dein Maul!", zischte der Angreifer. Auch wenn Peter jegliches Zeitgefühl verloren hatte, war er doch schon relativ lange in der Gewalt seines Gegenübers und wusste immer noch nicht, was dieser eigentlich von ihm wollte. Der Druck des Messers verstärkte sich erneut, und Peters Knie wurden noch weicher.

„Ich habe einen guten Rat für dich, mein Freund." Diesmal sprach der Mann mit ungewöhnlich ruhiger Stimme.

Zumindest spricht er endlich, dachte Peter. Und auch, wenn das nicht viel an seiner Situation änderte, vermittelte es ihm eine gewisse Erleichterung.

„Kümmere dich um deinen eigenen Scheiß!" Der Angreifer presste Peter härter an die Wand und stand ihm jetzt direkt gegenüber. Peters Augen hatten sich mittlerweile einigermaßen an die Dunkelheit gewöhnt, und er konnte schemenhaft ein Gesicht erkennen. Nichts daran kam ihm bekannt vor, und er war sich sicher, diesen Mann nie zuvor in seinem Leben getroffen zu haben.

„Mach deine verdammten Augen zu, und halt sie geschlossen, bis ich dir sage, was du zu tun hast!"

Peter presste seine Lider zusammen, und im selben Moment verschwand der Druck der Klinge von seinem Hals. Seine Muskeln verkrampften sich, und er wartete jeden Augenblick darauf, dass die scharfe Klinge in seinen Körper gestoßen würde. Wieder zog er in Betracht zuzuschlagen, konnte sich jedoch abermals nicht dazu entschließen. Endlose Sekunden verstrichen, doch nichts passierte. Durch das Hämmern seines Herzens hindurch versuchte Peter zu hören, was der Angreifer gerade tat. Doch er hörte nichts mehr, und er spürte auch kein Messer mehr.

Plötzlich hatte Peter das Gefühl, allein zu sein. Vorsichtig öffnete er seine Augen einen Spalt.

Zuerst war es nur Dunkelheit, dann konnte er schemenhaft die Umrisse einer grauen Wand erkennen. Er wagte es, die Augen ganz zu öffnen, und während diese sich erneut an das schwache Licht der Umgebung gewöhnten, bemerkte er, dass tatsächlich niemand mehr da war.

Peter beugte sich nach vorne und sah nach links und rechts. Er war definitiv allein. Tief durchatmend fing er abermals an zu zittern. Vermutlich war das ein Symptom der Anspannung, die nun von ihm abfiel, denn eigentlich schien die Gefahr ja vorbei zu sein. Er griff nach seiner Brieftasche, und als er diese an der gewohnten Stelle vorfand, wurde ihm klar, dass er nicht – wie zuerst vermutet – Opfer eines Raubüberfalls geworden war.

Man wollte mich einschüchtern!, schoss es ihm durch den Kopf. Gleichzeitig fragte er sich, wer von seiner Anwesenheit in Washington wissen konnte. Sein Plan war gewesen, unverhofft in Martins Büro aufzutauchen, und er hatte niemandem von seiner Reise erzählt. Wie also konnte ihm jemand auflauern und ihn überfallen?

Rein mechanisch war er zurück zu seinem Hotel getrottet. Während er in den Aufzug stieg, wunderte er sich selbst darüber, wie nüchtern er den Überfall schon wieder analysieren konnte. Vermutlich hatte ihn die ganze Geschichte inzwischen so abgebrüht, dass er nicht mehr leicht aus der Ruhe zu bringen war. Er fragte sich, was ihm noch alles bevorstehen sollte.

Er legte sich ins Bett und schaltete das Fernsehgerät ein, um auf andere Gedanken zu kommen. Den Metallbügel an der Tür hatte er zuvor noch umgelegt, damit niemand sein Zimmer betreten konnte – nicht einmal mit einem Schlüssel. Diese Maßnahme gab ihm ein Gefühl der Sicherheit.

Wenig später war er dennoch eingeschlafen, und erst als er am nächsten Morgen aufwachte, kam ihm in den Sinn, dass er einen derartigen Überfall eigentlich der Polizei melden sollte.

Er blieb noch eine Weile im Bett liegen und grübelte darüber nach, was es ihm bringen würde, zur Polizei zu gehen. Letztlich entschloss er sich, zuerst in die Redaktion des Washington Blizzards zu fahren. Danach wäre immer noch Zeit genug, Anzeige gegen Unbekannt zu erstatten.

Die Frühstückszeit im Hotel endete um 10 Uhr, und da es bereits eine Stunde später war, entschied Peter sich, unterwegs einen Bagel zu kaufen. Vor dem Hotel winkte er ein vorbeikommendes Taxi herbei, und weniger als fünfzehn Minuten später bogen sie in den großen Komplex des Reston Town Centers ein. Peter ließ den Taxifahrer an dem Gebäude vorbeifahren und erst ein paar hundert Meter vom Büro des Washington Blizzards entfernt anhalten. Dort setzte er sich an den Rand eines im Moment stillgelegten Springbrunnens und versuchte, sich auf das bevorstehende Gespräch mit Martin zu konzentrieren. Den Zettel mit seinen Notizen hatte er im Hotel vergessen. Das spielte jedoch keine große Rolle, denn er dachte ohnehin so gut wie immer an diese Fragen. Allerdings wusste er weder, ob Martin überhaupt zu sprechen wäre noch, wie dieser auf seinen unerwarteten Besucher reagieren würde. Zumindest aber musste Peter einen plausiblen Grund für seinen Besuch nennen können.

„Die Liste." Leise und gedehnt wiederholte er dieses Wort. Wie kamen eigentlich die Namen auf die Liste? Und vor allem: Woher kannte der Mörder diese Namen? Die Antwort auf diese Fragen würde ihn vermutlich ein großes Stück näher an den Mörder heranführen. Was wäre eigentlich, wenn es keine Liste mehr gäbe? Keine Liste, keine Morde, dachte Peter weiter. Und was, wenn zuerst die Morde festgelegt worden waren und man erst dann eine Pseudoliste darum herum gebastelt hatte, um etwaige Verfolger auf eine falsche Fährte zu locken? Diese Variante war ihm bisher noch überhaupt nicht in den Sinn gekommen. Möglich war sie jedoch auch.

Peter stand auf und ging in Richtung des Gebäudes, in dem sich das Büro des Washington Blizzards befand. Genau in dem Augenblick, als er den Flur der Redaktion betrat, kam Steve aus einem der Büros und schien weit weniger verwundert, als Peter erwartet hatte.

„Freut mich, dich hier zu sehen", rief Steve und ging Peter entgegen.

„Die Freude ist ganz meinerseits", erwiderte Peter.

Die beiden Männer schüttelten einander die Hände.

„Leider wussten wir nicht, wann du bei uns eintreffen würdest. Deswegen ist Martin heute auch nicht hier. Wenn du willst, kannst du aber gern mit in mein Büro kommen!"

Peter konnte mit Steves Verhalten nichts anfangen, entschied aber abzuwarten. Wortlos folgte er Steve, der bereits die Tür zu seinem Büro aufhielt. Der Raum war um einiges kleiner als Martins Büro, an das Peter sich noch sehr genau erinnern konnte. Außerdem war es deutlich aufgeräumter und wirkte deshalb nicht so eng. Zwei Schreibtische waren gegeneinander gestellt, so dass man seinem Gegenüber direkt ins Gesicht schaute. Die beiden Computerbildschirme störten dabei nicht, denn sie standen jeweils in der rechten Ecke der Tische.

„Setz dich. Mein Kollege ist momentan krank und sein Platz frei."

„Danke", erwiderte Peter und setzte sich auf den mit grauem Stoff bespannten Drehstuhl.

„Ich will nicht lange um den heißen Brei reden", fiel Peter nun doch mit der Tür ins Haus. „Martin wollte nicht, dass ich noch einmal herkomme. Deshalb bin auf eigene Faust und unangekündigt hier. In meinem Leben geschehen seit einiger Zeit seltsame Dinge. Ein Beispiel dafür ist, dass es dich nicht wundert, mich hier zu sehen." Peter sah Steve fordernd an, fuhr jedoch ohne innezuhalten fort: „Ich habe eine Menge Fragen und glaube, ein Recht auf Antworten zu haben."

Steve überlegte gerade, was er antworten sollte, als Peter einfach weitersprach: „Gestern Abend bin ich überfallen worden, und man hat mich mit einem Messer bedroht. Der Typ war weder auf mein Geld aus, noch haben ihn andere Wertsachen interessiert. Er wollte mich also offenbar nur einschüchtern!"

„Wie kommst du denn darauf?", platzte Steve dazwischen.

„Steve, ich habe niemandem erzählt, dass ich herkomme. Als ich vor ein paar Minuten hier angekommen bin, warst du nicht gerade erstaunt darüber, mich zu sehen! Was wird hier gespielt?"

Peter hatte nicht vorgehabt, Steve zu beschuldigen. Allerdings hatte er sich in Rage geredet, und die Worte waren nur so aus ihm herausgesprudelt. Außerdem war er aufgesprungen und starrte den immer noch sitzenden Steve mit funkelnden Augen an. Dieser räusperte sich und rollte mit seinem Stuhl ein wenig zurück, gerade so, als wollte er sicherheitshalber den Abstand zwischen ihnen etwas vergrößern.

„Peter, du weißt, dass Garret auch drüben ist. Wir haben das zu deiner Sicherheit getan, nicht um dich überwachen zu lassen. Natürlich wusste er dadurch immer, was du getan hast. Wie sonst hätte er dich schützen sollen? Wir wussten ja nicht, was bei der Arbeiterfront auf dich zukommen würde!"

„Jetzt pass ..."

„Nein, du passt auf und hörst mir jetzt erst einmal zu. Garret hat dich natürlich auch an dem Abend beobachtet, an dem du dich mit diesem Wehrmann getroffen hast und gehört, dass du ihn nach dem Bündnis gefragt hast. Vermutlich hast du Glück, überhaupt noch hier zu sein, denn damit hat er garantiert den Braten gerochen!"

„Was für ein Blödsinn!", unterbrach Peter erneut. „Dieser Wehrmann ist harmlos. Er ..."

„Lass mich bitte ausreden!", warf Steve seinerseits mit erhobener Stimme ein, wirkte ansonsten aber ruhig und kontrolliert.

„Tut mir Leid", lenkte Peter ein, „erzähl weiter."

„Garret stand unmittelbar hinter der Hecke neben euch und wäre dir am liebsten an den Hals gesprungen. Anschließend hat er uns natürlich sofort angerufen und über das Treffen informiert. Martin war rasend vor Wut und drauf und dran, jeglichen Kontakt mit dir abzubrechen. Ich konnte ihn nur mit Mühe beschwichtigen. Allerdings nur unter der Voraussetzung, dich für die nächste Zeit über unsere Erkenntnisse im Dunklen zu lassen. Garret sollte dich weiterhin beschatten und sehen, wie sich die Sache mit dir und diesem Wehrmann entwickelte. Es ging so weit, dass Martin sogar befürchtete, du könntest mit deinem unangebrachten Vertrauen gegenüber Wehrmann unsere kompletten Pläne auffliegen lassen. Als du dann plötzlich den Beschluss gefasst hast, hierher zu kommen, waren wir wirklich neugierig, was du vorhattest. Ehrlich gesagt finde ich die Entscheidung, einfach mal so um die halbe Welt zu fliegen, denkbar merkwürdig. Was versprichst du dir davon?"

Um Steves Lippen spielte ein Lächeln, das Peter erwiderte.

„Garret ist noch in Europa und versucht weiterhin, etwas über Wehrmann herauszufinden. Ich hoffe, dir ist klar, dass diese Zeitbombe weiterhin tickt, und deine Aktionen waren für uns bisher nicht gerade hilfreich!"

„Ich will wissen, ob du weißt, wer mich gestern Abend überfallen hat!"

Steve zeigte sich ungerührt: „Ich habe dir doch gesagt, dass Garret dich schützen sollte. Warum sollten wir dich jetzt überfallen lassen? Möglicherweise doch ein missglückter Raubüberfall. Wir haben damit nichts zu tun!"

Er holte tief Luft und starrte nachdenklich auf den Schreibtisch.

„Zumindest hoffe ich das. Nicht, dass du doch schon zu viel Aufmerksamkeit erregt hast und wir demnächst ein weiteres Opfer zu verzeichnen haben", er zögerte abermals, „das nicht auf der Liste steht!"

Diese letzten Worte schlugen bei Peter ein wie eine Bombe, und selbst Steve schien erst jetzt zu begreifen, was er gerade gesagt hatte. Peter setzte sich, und beide sahen bedrückt zur Seite.

„Tut mir Leid, ich hoffe tatsächlich, dass es einfach ein dummer Zufall war", versuchte Steve, die Situation etwas aufzulockern.

Der Gedanke, jemand könne versuchen, ihn umzubringen, schien für Peter trotz des Überfalls völlig irreal. Das Problem war nur, dass tatsächlich Menschen ermordet wurden und er in gewisser Weise mit der Geschichte verknüpft war. Allerdings glaubte er Steve, und diese Tatsache schloss den Verdacht aus, das Bündnis könnte hinter dem Vorfall von gestern Nacht stecken.

„Damit die ganze Sache einen Sinn ergibt, müsste ich eine Bedrohung für jemanden sein. Aber ich habe keinen blassen Schimmer, wer mich als Bedrohung empfinden könnte. Hast du eine Theorie?"

„Keine Ahnung", entgegnete Steve und zuckte mit den Schultern.

„Warum ich?"

Peter blickte Steve durchdringend an.

„Was meinst du?"

„Wie seid ihr darauf gekommen, ausgerechnet mich für eure Zwecke auszuwählen?"

„Ich denke, das hat Joe dir bereits erklärt!"

„Er hat mir etwas erzählt, aber ich glaube nicht, dass das der wahre Hintergrund ist. Einen derartigen Aufwand, jemand in einem anderen Land für einen Auftrag zu gewinnen, betreibt man nicht aus diesem Grund!"

Steve war klar, dass Peter mit seiner Antwort nicht zufrieden war und sich nicht einfach abspeisen lassen würde.

„Mehr weiß ich dazu auch nicht. Joe und Martin haben diese Entscheidung seinerzeit gefällt und mich nur darüber informiert. Abgesehen davon, dass es mir seltsam schien, dass sie ausgerechnet einen Wissenschaftler wollten, um ihn Sherlock Holmes für uns spielen zu lassen, habe ich kein Problem damit. Wobei ich mir ehrlich gesagt einen Profi besorgt hätte."

„Was hat es mit der Liste auf sich?"

Peter war mit Steves Antwort natürlich nicht zufrieden gewesen, hatte aber eingesehen, dass dieser darüber offenbar wirklich nicht mehr wusste und setzte deshalb lieber aggressiv mit der nächsten Frage nach.

„Jetzt komm mal runter, ich bin nicht dein Feind! Ich werde versuchen, deine Fragen zu beantworten und erzähle dir auch, was ich weiß, aber tu nicht so, als wäre das ein Verhör!"

Steve sah Peter verärgert an und fuhr dann fort: „Die Liste wurde von Joe ins Leben gerufen. Ursprünglich haben wir einfach irgendwelche Typen darauf gesetzt, die uns aus Presseberichten aufgefallen sind. Das Ganze ging relativ amateurhaft vor sich. Zum Beispiel haben wir mal gelesen, dass irgendeine Firma für die Entlassung einiger tausend Mitarbeiter verantwortlich war. Also haben wir deren obersten Chef auf die Liste gesetzt. Ein Platz auf der Liste bedeutete, dass wir hin und wieder einen Artikel in unsere Zeitung gesetzt haben und unsere Leser über die Geschichte, sprich die Machenschaften in der jeweiligen Firma, auf dem Laufenden hielten. Natürlich haben wir auf diese Weise nie den wirklichen Drahtzieher erwischt, sondern nur denjenigen, der die Firma in der Öffentlichkeit vertrat. Im Laufe der Zeit haben wir das Konzept dann verfeinert und professionalisiert. Später kamen die Namen hauptsächlich aus Joes Quellen, denn nur er hatte Zugang zu Insiderinformationen, durch die wir auf die Spur der wahren Schuldigen gekommen sind. Wir haben in Erfahrung gebracht, wie viel Bonus diese Typen für diverse Einsparungsmaßnahmen kassieren. Anschließend haben wir die Summen veröffentlicht und sie damit an den Pranger gestellt. Kandidaten zu finden, ist in der heutigen Zeit nicht schwer. Du weißt, wie Menschen sind – je reicher, desto weniger bekommen sie den Hals voll."

Peter nickte zustimmend. Er wusste genau, wie dieses Spiel gespielt wurde, und schon bei dem Gedanken daran kam Wut in ihm auf.

„Joe konnte vieles in Erfahrung bringen, das uns niemals zugänglich gewesen wäre. Vor allem hatten wir durch ihn Gelegenheit, immer wieder an Beweise für die schier unendliche Zahl korrupter Politiker zu kommen. So wurde die Liste lang und länger, und wir mussten anfangen, uns auf die übelsten Typen zu konzentrieren. Wir ließen Insiderinformationen an große Zeitungen und andere Medien durchsickern, und zuweilen gelang es uns, damit eine Art Hexenjagd zu veranstalten. Nicht zuletzt dadurch kam das Bündnis schnell in alle Munde.

Dann verschwand plötzlich dieser Lee Kung Sea, und das Blöde dabei war, dass wir ihn nur zwei Wochen zuvor zu unserem *Top Seat* auf der Liste auserkoren hatten!"

Steve betonte den Titel Top Seat, als hätte er soeben den Gewinner des *Golden Globe* bekannt gegeben.

„Niemand sprach bei diesem Fall über einen Zusammenhang mit dem Bündnis, aber als ein paar Monate später unser nächster Kandidat, dieser Heerhausen, auf offener Straße praktisch hingerichtet wurde, kamen hinter vorgehaltener Hand die ersten Stimmen auf, und wir waren froh, als diese Gerüchte schnell wieder verstummten. Wir hatten den Typen ausgewählt, weil er große Teile des Konzerns, für den er tätig war, aus Deutschland in die Staaten verlagert hatte und dort dem Begriff *Hire & Fire* zu neuem zweifelhaftem Glanz verhalf. Eine perfekte Gelegenheit für uns, auf die mit der Globalisierung verbundene Problematik hinzuweisen."

„Und dieser Amerikaner?", warf Peter ein.

„Wie du wahrscheinlich bemerkt hast, war dieser Lee Kung Sea asiatischer Herkunft, Heerhausen Europäer und Pierce natürlich Amerikaner. Wir hatten also ein schlüssiges Vorgehen."

„Er wurde auf eine sehr öffentlichkeitswirksame Weise ermordet", ergänzte Peter ohne auf Steves Worte zu achten.

„Auch wenn jemand ein eiskalter Idiot war, zieht er das Mitleid der Öffentlichkeit auf sich, wenn er an einem Fahnenmast aufgeknüpft wird. Nach dieser Exekution wurden die Stimmen gegen das Bündnis lauter und sind seither nicht mehr richtig verstummt. Die wenigsten glauben noch, dass wir überhaupt nichts damit zu tun haben. Unsere Probleme werden täglich größer, und die Polizei kommt in regelmäßigen Abständen hier vorbei, um Fragen zu stellen. Eigentlich sollte uns das ziemlich egal sein, denn wir haben uns nichts vorzuwerfen. Aber unsere Hauptsorge ist der Imageschaden, den das Bündnis erleidet. Niemand steckt Geld in ein Unternehmen, das im Verdacht steht, Leute umzubringen

– egal, ob es wahr ist oder nicht. Wenn wir also nicht bald den oder die Männer finden, die dafür verantwortlich sind, können wir einpacken!“

„Deshalb hat Martin sich so auf diesen Alexander Wehrmann eingeschossen“, warf Peter ein. „Aber ihr setzt auf das falsche Pferd!“

Steve verstummte, denn Peter hatte den letzten Satz mit derartigem Nachdruck gesagt, dass er keine Zweifel zuließ.

„Warum bist du dir da so sicher?“, fragte er nach einer Weile.

„Intuition“, entgegnete Peter und machte abermals eine kurze Pause, um seinen Worten mehr Gewicht zu verleihen. „Der Mann ist auf jeden Fall hoch intelligent und vielleicht ein Fanatiker – aber definitiv kein Killer. Ich habe keine Beweise dafür, aber wenn ihr nicht weitere Zeit verschwenden wollt, solltet ihr mir an dieser Stelle einfach vertrauen.“

Steve schien nun durch Peter hindurchzublicken und die Wand anzustarren.

„Ich glaube nicht, dass wir Martin in diesem Punkt umstimmen können. Er ist absolut überzeugt davon, dass Wehrmann mit der Sache zu tun hat.“

„Schade, aber das ist euer Problem. Ich habe getan, was in meiner Macht stand. Trotzdem habe ich noch eine letzte Frage an dich.“

„Okay?“

„Warum musste Kathy sterben, und was ist mit Joe passiert?“

Die Worte rissen alte Wunden in Steves Seele auf. Er senkte den Kopf, und nach ein paar Sekunden des Zögerns flüsterte er mit weicher Stimme: „Ich weiß es nicht.“

Peter beschloss, die Sache auf sich beruhen zu lassen. Schließlich waren diese Dinge für ihn nicht entscheidend und fielen eher in die Kategorie Neugierde.

„Es mag jetzt komisch klingen, aber ich würde heute gern noch etwas Sightseeing in D.C. machen. Das hilft mir, meine Gedanken zu ordnen. Gibt es bei euch jemanden, der in nächster Zeit zufällig in diese Richtung fährt?“, wechselte Peter das

Thema, um die Stimmung wieder aufzuhellen. Steve nahm die Gelegenheit dankend an.

„Ich muss in einer halben Stunde los zu einem Termin am Dupont Circle. Ist ziemlich in der Mitte der Stadt. Wenn du willst, kann ich dich unterwegs absetzen. Die meisten Touristenattraktionen liegen ohnehin auf dem Weg. Ich habe vorher nur noch kurz etwas zu erledigen."

„Perfekt!"

Die Fahrt

„Ihr legt wohl nicht viel Wert auf euer Dienstfahrzeug?“, scherzte Peter, als die beiden Männer in den alten Ford stiegen, der hinter dem Gebäude der Redaktion geparkt war.

„Und der alte Kübel ist genauso unzuverlässig wie er aussieht! Seit einiger Zeit liegen wir Martin in den Ohren, endlich einen neuen Wagen anzuschaffen, aber er stellt sich taub. Inzwischen hoffen wir, dass er selbst einmal auf dem Weg zu einem wichtigen Termin liegen bleibt.“

Peter betrachtete interessiert das mobile Navigationsgerät auf dem Armaturenbrett.

„Das GPS dient wohl dazu, den schnellsten Weg zum Schrottplatz zu finden?“

Steve warf ihm einen gespielt vorwurfsvollen Blick zu.

„Ich weiß, das Ding wirkt hier drin wie der Osterhase unterm Weihnachtsbaum.“

Die beiden Männer lachten. Ihr Gespräch in der Redaktion hatte zwar nur wenige Antworten auf Peters Fragen geliefert, aber doch eine vertraulichere Atmosphäre zwischen den beiden entstehen lassen. Dadurch hatte sich Peters Anspannung gelegt, und auch Steve wirkte befreiter. Die Fahrt selbst dauerte nicht allzu lange, und als der Ford auf dem Parkplatz vor einem Friedhof hielt, wurde Peter neugierig: „Ein ungewöhnlicher Zeitpunkt, um an ein Grab zu gehen.“

Steve verstand die Frage, die in dieser Aussage versteckt lag und entgegnete: „Du kannst ruhig mitkommen. Ich besuche eine alte Freundin. Sie ist auch dir nicht ganz unbekannt.“

Weniger die Worte selbst als vielmehr Steves Gesichtsausdruck veranlasste Peter, ihm wortlos zu folgen. Sie stiegen aus dem Fahrzeug und folgten einem schmalen Weg, der über einen Hügel innerhalb des Friedhofs verlief.

Friedhöfe stimmten Peter immer traurig. Nie hatte er die fröhlichen Feiern verstehen können, die manche Afroamerikaner mit Gospeln zelebrierten, wenn sie einen der Ihren zu Grabe trugen. In ihren Augen wartete auf den Verblichenen ein besseres Leben.

Peter hingegen glaubte weder an ein Leben nach dem Tod noch an irgendwelche übersinnlichen Dinge. Wer tot war, war tot – Punkt, aus. Das Einzige, was auf die leblosen Körper dann noch wartete, war, unter der Erde zu vermodern und von Würmern gefressen zu werden.

Obwohl er sicher war, dass er keinen der Verstorbenen hier jemals gekannt hatte, las er immer wieder die Namen auf den Grabsteinen, an denen sie vorbeikamen. Eines galt für jeden Menschen – egal, welcher Rasse, Nationalität oder Religion er zu Lebzeiten angehört hatte. Jede Lebensgeschichte war einzigartig und bestand dennoch immer wieder aus Sorgen, Glücksgefühlen, Hoffnungen und Enttäuschungen. Für die einen hatten diese Dinge früher, für die anderen später geendet. Aber enden würden sie ohne Zweifel für alle, sinnierte Peter, während er weiter hinter Steve her ging.

Wenig später hatten sie ihr Ziel erreicht, denn Steve blieb plötzlich stehen. Peter blickte auf den Grabstein und las die in den Marmor gravierte Inschrift:

Kathy J. Wirnstein – *Du wurdest uns viel zu früh genommen. Mögest Du jetzt deinen Frieden finden, der dir in dieser Welt nicht gegönnt war. Nur der Gedanke an eine höhere Gerichtsbarkeit lässt uns den Schmerz deines Verlusts ertragen.*

Unter diesem Text standen noch Kathys Geburtsdatum sowie der Tag ihres Todes, vielmehr ihrer Ermordung. Es gab also wirklich jemanden auf diesem Friedhof, den Peter kannte. Wenn auch nicht persönlich, so wusste er aus Erzählungen doch genug von Kathy, um bedrückt zu werden.

Steve drehte sich zu ihm um. „Irgendwie ist das seltsam. Sie hatte keine Verwandten mehr, deshalb habe ich es übernommen, das Grab regelmäßig mit frischen Blumen zu versorgen. Immer wieder einmal scheint aber jemand anders dieselbe Idee zu haben. Ich glaube, das ist heute das vierte Mal."

Peter blickte ihn fragend an. Er hatte keine Ahnung, worauf Steve hinauswollte, oder was er darauf antworten sollte. Steve stellte die mitgebrachten Blumen zu den bereits am Grab vorhandenen, und die Männer verharrten noch ein paar Minuten an Kathys letzter Ruhestätte.

Als sie wieder im Auto saßen, konnte Peter nicht umhin, noch einmal die Umstände von Kathys Tod anzusprechen: „Ich will keine alten Wunden aufreißen, aber es würde mich wirklich interessieren, was du glaubst, wer hinter dem Mord an ihr steckt?"

Steves Miene verdüsterte sich, und es war offensichtlich, dass es ihm selbst nach dieser langen Zeit schwer fiel, über dieses Thema zu sprechen.

„Ich bin überzeugt, dass es ein arrangierter Mord war. Leider bin ich mir genauso sicher, dass wir niemals wissen werden, wer konkret dahinter steckt."

Seine Stimme war ausdruckslos und sein Blick leer.

„Neben dem Verlust einer faszinierenden Frau ist es vor allem diese Tatsache, die mich am meisten quält. Irgendjemand ist hier mit einem Mord davongekommen!" Er atmete tief durch. „Alles, was uns bleibt, um ihrem Tod wenigstens einen Hauch von Sinn zu geben, ist, ihre Ideale hochzuhalten."

Peter bemerkte, wie Steve unter diesen Gedanken litt und bereute seine Frage schon wieder.

„Können wir an dem Seven Eleven da vorne kurz halten? Ich hätte gerne ein Coke und eine Zeitung."

„Kein Problem", antwortete Steve und hielt kurz darauf vor dem Geschäft an. Ein paar Minuten später stieg Peter wieder auf den Beifahrersitz und hielt Steve die Titelseite direkt vor die Nase.

Senator Harrington seit zwei Tagen vermisst!

„Wer ist der aktuelle Topkandidat auf der Liste?"

Mehr musste Peter nicht sagen, denn Steve wusste natürlich sofort, worauf er abzielte.

„Kann ich dir leider nicht sofort sagen, denn wir haben seit der Sache mit Joe keine Zeit mehr gehabt, uns damit zu beschäftigen. Ich glaube nicht, dass es im Moment einen gibt."

„Lässt sich das nicht irgendwie prüfen?"

„Wir können in der Redaktion zumindest nachschauen, ob der Name überhaupt auf der Liste auftaucht."

„Ich garantiere dir, dass er drauf steht!", entgegnete Peter.

Steve startete den Ford, und erst als sie die Route 66 verließen und Washington Downtown erreichten, ergriff Peter wieder das Wort. „Die Blumen auf Kathys Grab sahen recht frisch aus, oder?"

Erstaunt drehte Steve den Kopf und blickte Peter von der Seite an.

„Ich denke, sie sind von heute oder allenfalls von gestern."

„Kannst du dich noch erinnern, wann die anderen Blumen abgestellt wurden, die nicht von dir stammten?"

„Kaum. Das war recht unregelmäßig. Worauf willst du hinaus?"

„Ich bin mir nicht sicher, aber du hast vorhin gesagt, dass es heute das vierte Mal war, dass jemand anders Blumen gebracht hat?"

„Ja, da bin ich mir sogar ziemlich sicher! Aber ich verstehe immer noch nicht …?"

„Nehmen wir einmal an, wir finden den Namen dieses Senators auf der Todesliste, dann wäre er das vierte Opfer – richtig?!"

Peter blickte Steve durchdringend an, fast so, als wolle er ihn zwingen, seine Theorie zu bestätigen. Dieser reagierte jedoch nicht, sondern starrte nur schweigend auf die Straße. Erst nach einigen Minuten sagte er leise: „Je mehr ich darüber nachdenke, desto wahrscheinlicher wird das Ganze, so absurd deine Theorie auch klingen mag."

„Was meinst du?", fragte Peter nach, denn er war in Gedanken längst woanders.

„Nun ja, es ist gut möglich, dass zwischen dem Abstellen der Blumen und den Entführungen ein zeitlicher Zusammenhang besteht. Andererseits kann ich mir beim besten Willen nicht vorstellen, wieso und warum. Was sollte Kathys Tod mit dieser Geschichte zu tun haben?"

„Nichts", entgegnete Peter schlagfertig, „zumindest nicht auf den ersten Blick. Aber auf den zweiten kannst du dir diese Frage wohl selbst beantworten."

Steve blickte ihn jetzt entsetzt an.

„Das kann nicht dein Ernst sein! Hast du etwa mich in Verdacht?"

„Natürlich nicht, das habe ich nicht gemeint! Lass uns doch einmal überlegen, welche Leute du kennst, die eine Verbindung zu Kathy hatten."

Steve schüttelte widerwillig den Kopf.

„Jetzt komm schon", sagte Peter entschlossen, „du hast doch selbst gesagt, dass die Theorie zwar etwas absurd klingt, aber nicht ganz unwahrscheinlich. Einen Versuch ist es jedenfalls wert. Und es sollte nicht so schwer sein, diese Leute zumindest einmal durchzugehen."

In diesem Moment erreichten sie das Washington Monument, und Steve blieb am Straßenrand stehen.

„Hier bist du vermutlich an der zentralsten Stelle von D.C. und kannst alle anderen Ecken gut erreichen. Empfehlen kann ich dir vor allem die Museen der Smithsonian Stiftung. Aber selbst, wenn du nur schnell durchläufst, brauchst du allein dafür schon mindestens einen vollen Tag. Wenn du willst, kann ich dich nachher auch wieder irgendwo abholen."

„Ich glaub' nicht, dass ich heute noch in ein Museum gehe. Es ist schon ziemlich spät, und ich will erst mal an die frische Luft. Wie wär's, wenn du mich vor der National Gallery abholst? Die steht an oberster Stelle meiner Sightseeing Liste. Aber viel wichtiger ist es mir, heute noch mal in die Redaktion zu fahren, um die Liste zu überprüfen!“

„Dann bleibt dir nicht viel Zeit für dein Touristenprogramm, denn um den Feierabendverkehr zu vermeiden, sollten wir spätestens um 16 Uhr losfahren.“

„Geht klar. Bis später!“

Die Theorie

Peter spazierte durch das kurz geschnittene Gras der Washington National Mall und bewunderte den fast vier Kilometer langen parkähnlichen Landstrich zwischen Lincoln Memorial und Kapitol. Entlang dieser Fläche lagen viele der bekannten Touristenattraktionen des Landes. Allein neun der insgesamt vierzehn Smithsonian Museen sind hier angesiedelt, darunter auch Peters Ziel, die National Gallery of Art – die Staatliche Kunstsammlung. Das Washington Monument reckte sich direkt vor ihm steil in den Himmel. Wie Peter einmal in einem Reiseführer gelesen hatte, war der große weiße Marmorobelisk zu Ehren von George Washington erbaut worden. Der erste Präsident der Vereinigten Staaten von Amerika war parteilos gewesen und galt als eine der wichtigsten Persönlichkeiten im Kampf um die amerikanische Unabhängigkeit. Nach acht Jahren Amtszeit hatte er freiwillig auf die Macht verzichtet und das Amt der Opposition übergeben. Dadurch war ein wichtiger Präzedenzfall geschaffen, und man hatte diesen Zeitraum als maximale Amtszeit des jeweiligen Präsidenten eingeführt. Wüsste George Washington, welcher Mann dieses einst ehrenvolle Amt heute innehatte und vor allem zu welchen Zwecken es benutzt wurde – er würde sich vermutlich im Grab umdrehen.

Nachdenklich ging Peter weiter in Richtung National Gallery. Dabei fielen ihm die frischen Blumen auf Kathys Grab wieder ein und damit der potenzielle Zusammenhang mit den Problemen des Bündnisses. Vier Zufälle derselben Art waren für seinen Geschmack definitiv zu viel. Hatte Kathy es mit ihrem Engagement gegen politisches und wirtschaftliches Fehlverhalten zu weit getrieben und war dabei den falschen Leuten auf die Füße getreten? Möglicherweise lag die Lösung aller Fragen in Kathys Person, und er musste zuerst verstehen, was genau diese Frau verkörpert hatte, bevor er einer Antwort näher kommen könnte. Die Sache hatte nur einen Haken: Er hatte nicht die geringste Ahnung, wie er das anstellen sollte. Selbst Steve würde wahrscheinlich keine allzu große Hilfe dabei sein.

Blieb nur noch Martin als mögliche Informationsquelle. Der unappetitliche Chefredakteur hatte sie eindeutig am besten gekannt. Schließlich hatte sie ja einige Jahre für ihn gearbeitet.

Inzwischen war Peter vor dem Gebäude der Kunstsammlung angekommen und stieg die Treppen hoch. Er brachte den Sicherheitscheck im Eingangsbereich hinter sich und stand jetzt in der Rotunda mit ihrem imposanten Kuppeldach. Nach kurzer Überlegung entschloss er sich, seine Tour in Richtung Skulpturengarten zu beginnen und dann zu sehen, wie viel Zeit ihm noch blieb.

Zwei Stunden später war er immer noch im Westflügel unterwegs, als er erschrocken feststellte, dass es schon kurz nach 16 Uhr war.

„Na, hast du alles gesehen, was du sehen wolltest?", begrüßte Steve ihn schon von Weitem.

„Wie man's nimmt, zumindest habe ich jetzt schon mal einen echten Rembrandt gesehen." Peter verzog die Mundwinkel zu einem Lächeln. „Auch wenn mir immer noch nicht klar ist, was daran so besonders sein soll."

„Ehrlich gesagt, habe ich mir bis heute nicht die Mühe gemacht, überhaupt ein Gemälde von diesem Typen anzusehen. Du hast mir jetzt also was voraus!"

Als sie im Auto saßen, nahm Steve die Konversation wieder auf: „Ich habe nachgedacht."

Peter schwieg und wartete.

„Und ehrlich gesagt hat es mir wenig gebracht. Wie du dir sicher denken kannst, habe ich in der kurzen Zeit, die ich Kathy kannte, kaum etwas über sie persönlich erfahren. Aber nach ihrem Tod habe ich mich viel mit ihrer Arbeit beschäftigt. Ich bilde mir ein, sie dadurch besser kennen gelernt zu haben als man vielleicht annehmen würde."

„Gab es einen Mann in ihrem Leben?", fragte Peter spontan.

„Ich glaube nicht, bin mir aber nicht sicher. Zumindest hat mir Martin einmal erzählt, dass sie mit niemandem zusammen lebte."

„Wie lange hat sie denn für die Redaktion gearbeitet? Glaubst du, Martin kann uns weiterhelfen?"

Noch bevor Steve antworten konnte, schob Peter schon die nächste Frage nach: „Wie lange haben sie und Martin sich eigentlich gekannt?"

„Kathy hat etwas mehr als fünf Jahre für die Redaktion gearbeitet, aber ob die beiden sich vorher schon kannten, weiß ich nicht. Inwieweit Martin private Dinge über sie weiß, musst du ihn selbst fragen. Allerdings solltest du dir dafür einen guten Tag aussuchen. Sobald das Gespräch auf Kathy kommt, redet er nicht mehr viel."

Als Peter und Steve das Büro des Washington Blizzards betraten, hörten sie sofort, dass Martin ebenfalls zurück war. Lautstark war er in ein Telefonat verwickelt, und die Person am anderen Ende der Leitung hatte ihn offensichtlich mit dem falschen Thema belästigt. Als die beiden an der Tür zu seinem Büro ankamen, knallte er gerade den Hörer auf und blickte die beiden mit hochrotem Kopf an.

„Kommt rein und setzt euch!", begrüßte er sie und stieß dabei die Luft durch seine Nasenlöcher wie ein Stier kurz vor dem Angriff auf den Torero.

Die beiden nahmen Platz, und Steve fragte ihn mit prüfendem Blick: „Bist du sicher, dass es ein guter Zeitpunkt für ein Gespräch ist?"

„Wird heute nicht mehr besser werden. Schon wieder Probleme mit meinem Bruder. Die Krankenversicherung will für die Medikamente nicht mehr aufkommen. Ist aber nicht euer Problem. Schieß los, was gibt's?"

„Peter und ich waren heute am Grab von Kathy, und dabei ist ihm etwas aufgefallen."

Martin lehnte sich in seinem Bürostuhl zurück und sah die Männer abwechselnd an, bis Steve fortfuhr: „Du hast sicher schon gehört, dass es eine weitere Entführung gegeben hat. Diesmal hat es einen Senator erwischt. Und wir glauben, dass sein Name auf unserer Liste steht."

Martin fixierte Steve und sagte: „Wir beide müssen uns später noch unterhalten."

Steve wusste nicht, was er meinte, aber ihm missfiel Martins autoritäres Verhalten. Er fühlte sich wie ein kleiner Junge vor dem Schulrektor. Dennoch nickte er.

„Ihr habt richtig getippt. Ich habe bereits nachgesehen. Es gibt tatsächlich einen Senator Harrington auf der Liste", kam er auf ihr eigentliches Thema zurück.

Da diese Antwort niemanden überraschte, reagierte auch niemand darauf, und Steve übernahm das Wort.

„Ich wollte heute Mittag frische Blumen auf Kathys Grab stellen. Aber es war schon jemand vor mir da gewesen, und zwar nicht zum ersten Mal. In den letzten Monaten hatte ich das schon öfter bemerkt, mir allerdings nie Gedanken darüber gemacht. Peter kam heute auf die Idee, es könne einen Zusammenhang zwischen den Blumen und den Entführungen geben."

Steve sah Martin unsicher an und fügte schnell hinzu: „Etwas weit hergeholt …"

„… aber solange niemand eine bessere Theorie hat!", schnitt Peter ihm das Wort ab, weil er merkte, dass Steve immer noch nicht voll hinter seiner Idee stand.

Dieser atmete tief durch und sprach weiter: „Beschwören kann ich es nicht, aber möglicherweise waren immer dann frische Blumen am Grab, wenn einer unserer Listenkandidaten entführt wurde." Er drehte den Kopf in Richtung Peter. „Habe ich etwas vergessen?"

„Nein, genau so ist es", übernahm Peter das Wort. „Allerdings wissen wir beide zu wenig über Kathy, um diese Theorie ernsthaft zu prüfen. Dazu müssten wir mehr über Kathys Freunde, Bekannte und Gewohnheiten wissen. Wir dachten, du könntest uns hier eventuell weiterhelfen?"

Erwartungsvoll sah er Martin an.

Dieser schien von den Ausführungen der beiden Männer nicht im Mindesten beeindruckt, sondern verschränkte die Hände hinter dem Kopf und lehnte sich auf seinem Stuhl zurück. In väterlichem Tonfall sagte er: „Meine lieben Freunde, dieser Plot würde einen vorzüglichen Krimi abgeben." Offensichtlich amüsierte er sich über die Geschichte. „Aber ich muss euch leider enttäuschen. Aus eurer Detektivkarriere wird nichts. Ich selbst habe heute Morgen frische Blumen auf Kathys Grab gestellt. Außerdem hatte ich keinen blassen Schimmer, dass du dich um die Grabpflege kümmerst, Steve."

Alle drei schwiegen eine Zeit lang, bis Martin das Gespräch wieder aufnahm: „Mal ganz ehrlich, es erscheint mir doch ziemlich weit hergeholt, dass es hier eine Verbindung geben soll. Wir alle haben Kathy und ihre Arbeit sehr geschätzt und vermissen ihre fröhliche, unbeschwerte Art. Dennoch finde ich es ziemlich abwegig, dass das Verschwinden dieser Männer etwas mit ihrem Tod zu tun haben könnte. So wichtig waren sie und ihre Arbeit dann doch nicht. Solltet ihr dennoch mehr über ihr Leben wissen wollen, kann ich euch bei Gelegenheit gern erzählen, was ich weiß. Allerdings beschränkt sich das fast ausschließlich auf geschäftliche Dinge, denn privat hatten wir nichts miteinander zu tun."

Steve war das Thema mittlerweile peinlich, und er versuchte, das Thema zu wechseln: „Wahrscheinlich hast du Recht. Dass die Blumen von dir waren, konnte ich natürlich nicht wissen. Vermutlich sollten wir die Sache einfach vergessen. Trotzdem müssen wir noch über die neueste Entführung sprechen."

„Ja, sicher. Momentan habe ich aber keine Zeit. Außerdem sollte Garret dabei sein." Er blickte Peter an, und sein Ton verschärfte sich. „Übrigens wundere ich mich doch, dich hier zu sehen. Ich kann dir zwar nicht vorschreiben, wann und wo du durch die Welt reist. Andererseits hatten wir darüber gesprochen, ob du herkommen solltest, und ich war nicht der Meinung. Wenn du uns wirklich eine Hilfe sein willst, wäre es wohl besser gewesen, du hättest dich wie abgesprochen um diesen Wehrmann gekümmert, anstatt hier Detektiv zu spielen!“

Peter war ohnehin schon verärgert, dass Martin seine Theorie einfach vom Tisch gefegt hatte. Diese Attacke gegen ihn brachte das Fass nun zum Überlaufen. Er starrte Martin mit zusammengekniffenen Augen an. Am liebsten würde er über den Tisch greifen, den Fettklops zu sich herüber ziehen und ihm die Meinung sagen. Stattdessen riss er sich zusammen und antwortete kurz und trocken: „Martin, Voreingenommenheit ist ein schlechter Begleiter bei der Suche nach der Wahrheit!“

Damit hatte Martin nicht gerechnet, und bevor er etwas erwidern konnte, stand Peter mit einem angedeuteten Lächeln auf, nickte den beiden kurz zu und verließ mit straffem Schritt den Raum.

Angst

Abermals öffnete er die schwere Eisenklappe zu dem kleinen Verlies und starrte in die Dunkelheit der Tiefe. Es war eine kalte Nacht, und das schwarze Loch hätte jedem anderen vermutlich einen Schauer über den Rücken gejagt. Anders bei ihm – die Vorfreude auf sein nächstes Opfer ließ ihn euphorisch werden. Als er mit einer kleinen Taschenlampe an die Öffnung trat, hörte er ein leises Rascheln.

„Hey Fettsack", rief er hinab in die Dunkelheit.

Er gab jedem von ihnen seinen eigenen Schimpfnamen, denn diese menschlichen Ungeheuer sollten spüren, wie sehr er sie verachtete.

Er hatte die kleine Kammer unter dem Deckel als einen Ort der Sühne zur letzten Heimat seiner Gefangenen auserkoren.

„Ich bin der Rächer und Befreier der Menschheit unserer Zeit", sagte er leise und genoss das Gefühl, ein Held zu sein.

Es war nicht die Lust am Töten, die ihn antrieb. Nein, darin unterschied er sich grundlegend von den üblichen Serienkillern.

Seine Motivation war Rache. Rache für die Ungerechtigkeit. Ungerechtigkeit, die der Gesellschaft und vor allem ihm angetan worden war.

Die dramatische Inszenierung der Morde machte ihm zweifelsfrei Spaß, aber es hätte ihm fern gelegen, sein Verhalten als krankhaft zu erkennen. Seine Inszenierungen dienten ausschließlich dazu, Aufmerksamkeit zu erregen, denn er wollte eine Botschaft an die Welt senden. Und diese Botschaft würde nur Gehör finden, wenn sie dramatisch und Furcht einflößend genug war.

Heute allerdings war der Tag der nächsten Aufführung noch nicht gekommen. Er wollte lediglich seinen eigenen Schmerz des Hasses lindern. Er wollte sehen, wie sein Gefangener Einsicht zeigte und um Gnade winselte, auch wenn diese – so war er sich sicher – aus Mangel an Alternativen nur gespielt war. Letzten Endes spielte es keine Rolle, denn der Fettsack würde ohnehin keine zweite Chance haben, es das nächste Mal besser zu machen.

Er wollte mit seinem Opfer über dessen Todesszenario „diskutieren“ und ihm ein nichtvorhandenes Mitspracherecht suggerieren. Denn er hatte Spaß daran gefunden, das Verhalten der bisherigen Opfer zu studieren, während er mit der Beiläufigkeit eines Kaffeeklatsches über die Details ihres bevorstehenden Todes plauderte. Howard Pierce war hysterisch geworden und hatte wie ein Wahnsinniger am Gitter gerüttelt. Anschließend war er in Depressionen verfallen und hatte sich wie ein Häufchen Elend in der Ecke des Schachts zusammengekauert. Der Asiate hatte versucht zu verhandeln und ihm viel Geld geboten, wenn er ihn freiließe. Er hatte nur höhnisch gelacht. Geld! An etwas anderes konnten diese Scheißkerle offenbar nicht denken! Mitleid hatte er nie gefühlt. Oder hatten sie etwa Mitleid gezeigt, als sie aus Habgier die Existenz ganzer Familien ruinierten und versuchten, andere Menschen in ein Heer von Arbeitsrobotern zu verwandeln?

Er schaltete die Taschenlampe ein, deren Strahl einen gleißenden Kegel ins Dunkel des Schachtes schnitt.

„Fettsack, ich spreche mit dir!“, wiederholte er, diesmal deutlich gereizter. Im Lichtkegel sah er, wie sich unten etwas bewegte. Der Mann musste geschlafen haben. Trotz seiner Verzweiflung und der unbequemen Enge der Zelle hatte ihn die Erschöpfung der letzten Tage in einen unruhigen alptraumhaften Schlaf fallen lassen. Er versuchte, nach oben zu sehen, senkte aber den Kopf sofort wieder, weil das Licht ihn in den Augen schmerzte. Der Gefangene trug immer noch seinen Anzug. Das Jackett war am Ellbogen aufgerissen, der Rest seiner Kleidung stark verschmutzt. In diesem Aufzug sah er eher aus wie ein Obdachloser als wie ein geschniegelter Politiker. Sein Haar war zerzaust, und die Schürfwunde hinter seinem rechten Ohr begann zu eitern.

Sein letztes Opfer musste sich, bevor er es ins Verlies stieß, bis auf die Unterwäsche ausziehen. Dann hatte er die Kleidung hinter dem Haus wie auf einem Scheiterhaufen verbrannt. Dieses Mal hatte er darauf verzichtet, dem Mann die Kleider zu nehmen, denn es war sehr kalt geworden, und das Letzte, was er wollte, war, dass der Gefangene vorzeitig an Unterkühlung starb.

„Ich würde mich gerne mit dir über Korruption und ethisches Handeln unterhalten", schlug er einen unverhofft versöhnlichen Ton an. Er hatte es sich auf einem Hocker neben dem Gitter bequem gemacht. Als von unten keine Antwort kam, fauchte er ihn wieder an: „Hey Fettsack, ich spreche mit dir!"

Es kam immer noch keine Antwort.

„Na gut, dann lassen wir dieses Thema", fuhr er mit gespielter Gleichgültigkeit fort. „Es amüsiert mich ohnehin viel mehr, mit dir die Pläne für dein Ableben durchzusprechen. Deinen letzten großen Auftritt!"

Er stand von seinem Hocker auf und zeichnete mit beiden Armen einen großen Kreis in die Luft. Seine Stimme zitterte vor Euphorie.

„Spektakulär präsentiert wird er sein, besser als alles bisherige! Schließlich bist du etwas Besonderes." Ihm entwich ein kindliches Kichern. „Die anderen waren bereits tot, als sie gefunden wurden. Dich hingegen wird man sterben sehen. Diejenigen, die dich finden, sollen das Vergnügen haben, dein Ende zu beobachten. Genauso wie du korruptes Schwein Vergnügen daran hattest, das Volk, für dessen Interessen du eigentlich eintreten solltest, zu hintergehen und es auszusaugen. Du wirst zum Symbol werden für eine neue Ära ohne korrupte Politiker und eine Regierung, die wieder im Namen des Volkes handelt!"

Aufgeregt marschierte er vor dem Gitter auf und ab. Allein der Gedanke daran, was er mit dem Gefangenen vorhatte, versetzte ihn in Ekstase. Er war stolz auf sich und seinen Plan.

Erneut richtete er den Strahl der Taschenlampe in die Tiefe, wo der Gefangene unverändert in einer Ecke kauerte. Er zitterte am ganzen Körper. Ob aus Furcht oder vor Kälte ließ sich nicht erkennen – vermutlich aus beiden Gründen.

„Na gut, da du offensichtlich nicht vorhast, dich mit mir über den Aufbruch und ein neues Zeitalter zu unterhalten, können wir ja gleich jetzt mit der Vorbereitung für deinen großen Auftritt beginnen!“ Er schob seinen Kopf noch näher an das Gitter heran und flüsterte heiser: „Die Zunge ist die wohl übelste Waffe eines Politikers und hat bereits mehr als genug Unheil in unserem Land angerichtet.“

Er zog etwas aus seiner Hosentasche und hielt es ins Licht der Lampe. Mit einem leichten Druck seines Daumens schnellte eine Klinge hervor. Die feinen halbrunden Kratzer auf dem Stahl deuteten darauf hin, dass das Metall erst vor kurzem rasiermesserscharf geschliffen worden war.

„Deine Zunge“, wiederholte er, „wirst du wohl ohnehin nicht mehr brauchen!“

Das Zerwürfnis

Peter war noch immer wütend, als Steve den Raum betrat. Nach dem Gespräch mit Martin hatte er in Steves Büro auf dessen Rückkehr gewartet. Fast eine Stunde war inzwischen vergangen. Steve räusperte sich.

„Er hat mir Anweisung gegeben, dich zu deinem Hotel zu bringen und …"

„Und was!?"

Als Steve schwieg, merkte Peter, dass er sich im Ton vergriffen hatte.

„Tut mir Leid, ist ja nicht deine Schuld", fügte er hinzu.

„Du bist raus. Martin will nicht, dass du an weiteren Aktivitäten des Bündnisses beteiligt bist. Seiner Ansicht nach bist du eine Gefahr für unsere Mission, weil du unüberlegt und aus dem Affekt heraus handelst."

„Darüber habt ihr also die ganze Zeit gesprochen."

Peter blickte aus dem Fenster und kniff die Augen zusammen. Nachdem er ursprünglich lange überlegt hatte, ob er überhaupt mitmachen sollte, war er inzwischen geradezu davon besessen, das Rätsel um die Morde zu lösen. Dadurch war er ein Teil des Bündnisses geworden und konnte nicht so einfach wieder loslassen. Sollte er jetzt tatsächlich aufhören müssen?

Prinzipiell war es ganz einfach: Er würde in ein Flugzeug steigen und einige Stunden später zuhause ankommen. Der ganze Spuk wäre dann mit einem Schlag vorbei. Oder auch nicht, denn die offenen Fragen würden ihn vermutlich noch jahrelang beschäftigen. Fragen, wie zum Beispiel die, warum man ihn kurz nach seiner Ankunft überfallen hatte.

„Ist das auch deine Meinung?", fragte Peter.

Steve nickte und kratzte sich nervös hinter dem Ohr.

„Ich glaube, es ist besser so", sagte er. „Lass uns zum Hotel fahren und deine Sachen holen. Ich bring dich dann zum Flughafen."

Peter war klar, dass Steve sich nur dem Willen seines Chefs beugte.

„Mein Rückflug ist erst für übermorgen gebucht, daran lässt sich wohl nichts mehr ändern. Und da ich vermutlich nicht so bald wieder herkomme, werde ich heute und morgen noch etwas Sightseeing machen und wie geplant übermorgen zurückfliegen!", sagte Peter bestimmt.

„Ist okay, Hauptsache, du hältst dich raus." Und nach einer kurzen Pause fügte er hinzu: „Die Bus- und Subwayverbindungen von hier nach Downtown Washington lassen zu wünschen übrig. Deshalb würde ich dir empfehlen, einen Mietwagen zu nehmen."

„Kannst du mir dann noch helfen, einen Mietwagen zu bekommen?"

„Klar, die Verleihfirmen haben alle ein Büro in der Nähe des Flughafens. Ich fahre dich hin, dann kannst du gleich einen Wagen mieten."

„Danke!"

Peter nahm seine Jacke und trat auf den Flur. Obwohl er keine große Lust dazu hatte, ging er zum Büro am Ende des Ganges und winkte zum Abschied kurz durch die offene Tür. Martin war gerade in ein Telefongespräch vertieft, deutete ein Lächeln an und nickte ihm zu.

Ich bin mir sicher, dass er mehr weiß, als er zugibt, dachte Peter.

„Ist er immer so stur?", fragte Peter, als sie vom Gelände des Reston Towncenters fuhren.

Steve ging nicht direkt auf die Frage ein, sondern entgegnete nur: „Er hat mir geholfen, wieder von der Straße zu kommen. Ohne ihn hätte ich es nie geschafft. Ich bin ihm etwas schuldig."

Er warf Peter einen vielsagenden Blick zu.

Offensichtlich versucht er, loyal zu sein, aber Freunde sind die beiden wohl nicht, dachte Peter.

Wenig später betraten sie das Büro der ersten Mietwagenfirma. Dabei stellte sich heraus, dass es ein Problem war, als Tourist für nur einen Tag einen Wagen zu bekommen. Diese Firma vermietete ihre Fahrzeuge überhaupt nicht für diesen kurzen Zeitraum, und woanders wurden exzessive Aufschläge dafür berechnet. Als sie eine halbe Stunde später die meisten Mietwagenfirmen abgeklappert hatten, blickte Steve Peter ratlos an.

„Sieht so aus, als ob dein spontaner Kurzurlaub ins Wasser fällt."

„Sieht so aus", wiederholte dieser gedehnt.

„Eventuell kann ich dir eine kleine Entschädigung bieten. Wie wär's, wenn wir bei mir zuhause vorbei fahren, ich dort aussteige und du den Wagen für den Rest des Tages behältst? Morgen früh kannst du mich dann abholen, und ich lasse dich unterwegs irgendwo aussteigen. Vermutlich würde Martin nicht allzu glücklich darüber sein, aber er muss es ja nicht erfahren."

Steve lächelte, und Peter blickte ihn skeptisch an.

„Ich weiß nicht. Wenn du dadurch Ärger bekommen kannst ..."

Insgeheim war er heilfroh, dass Steve den Vorschlag gemacht hatte, wollte aber nicht den Eindruck erwecken, er habe nur darauf gewartet. Schließlich hatte er hier noch etwas zu tun, und er hätte notfalls auch zweihundert Prozent Aufschlag bezahlt, um an ein Fahrzeug zu kommen. Jedenfalls schien sein ursprünglicher Gedanke, dass Steve ihm wohlgesonnen war, doch nicht aus der Luft gegriffen.

„Nein, kein Problem, ich habe die Sache im Griff. Komm, lass uns die Plätze tauschen, dann kannst du dich gleich mit der Kiste vertraut machen, solange ich noch neben dir sitze!"

Als sie wieder auf die Tollroad fuhren, bemerkte Peter, dass das GPS-Gerät in Betrieb war und die Namen der gerade befahrenen Straßen anzeigte.

„Ein praktisches Spielzeug", sagte Peter.

„Und außerdem ganz einfach zu bedienen! Du brauchst nur auf diesen Knopf zu tippen und bist schon im Hauptmenü. Von dort kommst du mit den Pfeiltasten zur Zieleingabe, und dann führt die Maschine dich sicher durch das Straßengewirr von D.C.!"

„Werde ich gleich einmal ausprobieren, wenn ich dich endlich losgeworden bin!", scherzte Peter und schielte zu Steve hinüber.

„Zumindest habe ich dadurch die vage Hoffnung, dass selbst du wieder hierher zurückfindest", grinste Steve.

Kurz darauf kamen sie vor dem hellgelben Apartmentkomplex an, in dem Steve wohnte. Offensichtlich handelte es sich um eine der preiswerteren Wohnanlagen. Ein paar dunkelhäutige Kinder spielten auf dem Parkplatz, und die Grünanlagen wirkten verwahrlost. Das Gebäude hätte schon seit längerer Zeit einen neuen Anstrich vertragen können, und an den Ecken bröckelte das Mauerwerk.

„Nicht gerade eine Luxusbehausung", sagte Steve, nachdem er Peter gebeten hatte, an einer bestimmten Stelle anzuhalten. „Wenn du allerdings da warst, wo ich herkomme, bist du für ein einfaches, festes Zuhause dankbar. Martin kann mir nicht mehr bezahlen, denn die Redaktion schwimmt nicht gerade in Geld. Aber die Wohnung an sich ist gar nicht so schlecht: zwei Zimmer, Küche, Bad. Auf der Rückseite habe ich sogar einen Balkon. Allerdings ist die Kriminalität in dieser Gegend ziemlich hoch, und in der Nachbarschaft wurde schon ein paar Mal eingebrochen. Gerade deswegen bin ich prinzipiell froh, im dritten Stock zu wohnen", er machte eine kurze Pause, „auch wenn mir ein Garten hin und wieder schon etwas fehlt. Aber zu holen gibt es bei mir ohnehin nichts."

„Schon gut, schon gut, du musst dich doch nicht dafür entschuldigen, wo du wohnst", unterbrach Peter und klopfte Steve freundschaftlich auf die Schulter.

Dieser senkte den Kopf: „Tut mir Leid. Ich habe eben einen langen Weg hinter mir. Wenn du willst, kannst du mit hochkommen, und ich zeige dir mein Reich."

„Ein anderes Mal gern, aber ich möchte mir heute noch ein paar Dinge ansehen. Es ist doch schon relativ spät."

„In Ordnung, aber bring mir das Auto wieder heil zurück. Morgen früh gegen acht wäre gut."

„Mach ich, und vielen Dank noch mal!"

Peter drehte sich dann um und wollte gerade wieder ins Auto steigen, als Steve ihn am Ärmel festhielt und sagte: „Warte! Tu uns beiden einen Gefallen, vergiss die Sache, und halt dich raus. Glaub mir, es ist komplizierter als du denkst, und wenn man die Regeln nicht kennt, kann es leicht gefährlich werden."

Peter wusste nicht genau, was das bedeuten sollte, nickte aber und stieg ein. Er bog zweimal rechts ab und verließ den rondellartigen Parkplatz. Jetzt stand er kurz vor der Ausfahrt auf die Hauptstraße. Hier, so war er sich sicher, konnte Steve ihn nicht mehr sehen.

Nie hatte er seinen Entschluss aufgegeben, weiter nach einer Erklärung für die mysteriösen Vorgänge zu suchen. Er würde den Teufel tun und seine Zeit mit Sightseeing verschwenden! Nein, sein Plan sah komplett anders aus, und das im Fahrzeug installierte GPS kam ihm dabei gerade recht. Als der Ford zum Stillstand gekommen war, inspizierte Peter das Gerät genauer. Auf dem silbergrauen Plastikkästchen waren keine Knöpfe zu sehen, aber Peter glaubte, sich zu erinnern, dass Steve einfach nur kurz auf den Bildschirm getippt hatte, um ins Hauptmenü zu gelangen. Das tat er nun, und prompt wurden die neun verfügbaren Funktionen angezeigt. Die meisten dieser Auswahlmöglichkeiten sagten ihm nicht viel. Deshalb entschied er sich zunächst für den Punkt *letzte Ziele*. Als er den Bildschirm entsprechend berührte, erschien eine Auflistung verschiedener Straßennamen, und Peter scrollte mithilfe der grafischen Pfeiltasten durch die Namen. Die meisten waren ihm unbekannt, bis er auf der dritten Seite den Eintrag fand, den er suchte: *Herndon Cemetery*. Er tippte den Namen an, und das Gerät quittierte die Auswahl mit der Nachricht *Route wird berechnet*!

Was wäre das Leben ohne die kleinen Freuden des Alltags?, dachte Peter zufrieden, als er den Wagen anließ und losfuhr. *15 Minuten und 26 Sekunden Fahrzeit* zeigte die Anzeige, und Peter folgte aufmerksam den Anweisungen des Geräts. Allein hätte er die Strecke vermutlich nie wiedergefunden, und da der Verkehr gerade flüssig lief und es auch sonst keine Verzögerungen gab, bog Peter nach ziemlich exakt der prognostizierten Zeit in den Kiesparkplatz des Friedhofs ein.

Peter hatte sich in den Kopf gesetzt, dass ein Teil des Puzzles – und zwar ein sehr wichtiger – bei Kathy oder besser in Verbindung mit ihr zu finden war. Da es ihm bislang nicht gelungen war, die genauen Umstände ihres Todes in Erfahrung zu bringen, würde er eben seine Suche an ihrem Grab fortsetzen. Weder Steves Bedenken noch Martins Predigt hatten ihn von diesem Entschluss abbringen können.

Mittlerweile war er an Kathys Grab angekommen. Peter ließ seinen Blick über das Gelände gleiten und bemerkte, dass es allmählich dämmerte. Er zog den Reißverschluss seiner Jacke bis zum Anschlag nach oben. Der kalte Wind war ihm in seiner Aufregung bisher kaum aufgefallen. Durch die Kombination aus Friedhofsruhe und einsetzender Dämmerung wirkte die Temperatur noch kühler als sie tatsächlich war, und Peter begann zu frösteln. Obwohl er bislang nicht das Gefühl gehabt hatte, verfolgt zu werden, drehte er sich dennoch einmal um die eigene Achse, bevor sein Blick an Kathys Grabstein hängen blieb. Der 17. Mai vor nunmehr zweieinhalb Jahren war als Todestag in den Stein eingemeißelt.

Peter erinnerte sich an diese Zeit zurück. Auch in Deutschland hatte man die Ereignisse in den Staaten genau verfolgt. Damals hatten die sonst so systemtreuen Amerikaner lautstark gegen ihre Regierung protestiert und waren auf die Barrikaden gegangen. Auch wenn das Haushaltsbudget quasi in jedem Jahr überschritten wurde, hatte es diesmal ein völlig neues Ausmaß erreicht. Weitere Kürzungen in dem ohnehin sehr dürftigen Sozialsystem waren die Folge gewesen, um noch mehr Mittel für die Rüstung zu gewinnen. Außerdem gab es zahlreiche Hinweise darauf, dass beide Präsidentschaftskandidaten einem organisierten Mafiaclan angehörten, der Kinderprostitution und Drogenhandel betrieb, und es hieß, es bestünde die Gefahr eines Bürgeraufstands. Der Regierung war daraufhin nichts Besseres eingefallen, als eine Ausgangssperre zu verhängen, um nicht die Kontrolle zu verlieren. Ein paar schlaue Berater bekamen die Dinge anschließend wieder in den Griff, und unter dem Motto ‚Krieg dem Terror' konnte man die Bevölkerung erfolgreich von den innenpolitischen Problemen ablenken. Einige Menschen hatten sich immer schon gefragt, ob islamistischer Terror je eine reale Bedrohung oder eine Erfindung der Politiker gewesen sei, aber diesen Stimmen fehlte das Durchsetzungsvermögen, um tatsächlich breites Gehör zu finden.

Damals war schon absehbar gewesen, dass der politische Trend der Antisozialisierung auch nach Deutschland schwappen würde. Peter erinnerte sich an einige von Kathys Artikeln, die er im Zuge seiner Recherche gelesen hatte. Natürlich waren diese nicht im Sinne des Systems geschrieben, aber andererseits hatte sie auch keine intimen Regierungsgeheimnisse ausgeplaudert, was eine Verfolgung oder gar Exekution durch die Staatspolizei erklären würde.

Mittlerweile war es fast dunkel geworden, und Peter beschloss, wieder zum Wagen zurückzukehren. Er wusste nicht, wann oder ob dieser Friedhof überhaupt seine Pforten nachts schloss, wollte aber keinesfalls das Risiko eingehen, hier eingesperrt zu werden. Als er wieder am Wagen ankam, blieb er noch ein wenig in der Dunkelheit sitzen, um zu überlegen, was er als nächstes tun sollte.

Plötzlich klopfte es an der Seitenscheibe, und er zuckte vor Schreck zusammen. Gänsehaut breitete sich auf seinen Armen aus, und die Nackenmuskeln verspannten sich. Er schielte zur Seite, konnte aber nichts erkennen. Langsam drehte er den Kopf. Die Scheibe war angelaufen, so dass er nur mit Mühe den Mann auf der anderen Seite des Glases erkennen konnte. Ohne weiter nachzudenken drehte er den Zündschlüssel ein Stück und drückte den Knopf des elektrischen Fensterhebers.

„Sir, Sie müssen hier weg. Das Gelände wird gleich geschlossen!"

Der alte Mann blickte ihn prüfend an. Peter war vor Schreck aschfahl geworden. Erst jetzt wurde ihm bewusst, wie leichtsinnig es war, hier in der Dunkelheit zu sitzen und auch noch das Fenster zu öffnen, nur weil ein wildfremder Mensch daran geklopft hatte. Ein leichteres Opfer hätte sich ein Verbrecher wohl nicht wünschen können.

Erleichtert antwortete er: „Sorry, das wusste ich nicht, bin aber ohnehin gerade dabei zu fahren!"

„Noch was." Der Alte leuchtete mit der Taschenlampe auf Peters Brust, um ihn nicht direkt zu blenden. „Ich würde etwas vorsichtiger sein und mich so spät am Abend an belebteren Orten aufhalten."

„Vielen Dank für den Rat und noch einen schönen Abend!"

Der Mann nickte und trottete davon. Peter schloss das Fenster und wollte gerade den Wagen starten, als ihm auffiel, dass er keine Ahnung hatte, wie er den Weg zum Hotel finden sollte. Mit dem Zeigefinger berührte er den Bildschirm des GPS-Geräts, und ein Lächeln zog über seine Lippen. Mittlerweile war ihm das Prozedere bekannt, doch als das Zieleingabemenü erschien, entfuhr ihm ein leises „Verdammt!" Er hatte sich nicht einmal die Adresse seines Hotels gemerkt.

Die Entscheidung, einfach loszufahren und auf gut Glück danach zu suchen, bereute er etwa vierzig Minuten später bitter, als er in eine Seitenstraße bog und sich eingestehen musste, dass er sich hoffnungslos verirrt hatte. Nachdem er dort ein paar Minuten gestanden und vor sich hin geschimpft hatte, kam ihm der Gedanke, zu Steves Apartmentkomplex zurückzufahren. Von dort hätte er mit Sicherheit bessere Chancen, den richtigen Weg zu finden. Steve benutzte das Fahrzeug regelmäßig, weshalb Peter sich sicher war, seine Adresse irgendwo im Speicher dieser kleinen Wundermaschine zu finden. Er hangelte sich zum Hauptmenü zurück und fand dort eine Option mit der Aufschrift *Home*. Ohne zu zögern wählte er sie aus, und der Computer begann sofort, eine Strecke zu berechnen. Knappe dreißig Kilometer und eine Fahrzeit von einer guten halben Stunde zeigte das Gerät an.

Der Weg führte durch mehrere Wohngegenden, in denen sich auf beiden Seiten der Straße typisch amerikanische Häuschen aneinander reihten. Als nächstes wurde er auf eine breite, mehrspurige Straße geordert. An dieser befanden sich keine Wohnhäuser mehr, allerdings kam er in regelmäßigen Abständen an verschiedenen Fast-Food-Ketten und Tankstellen vorbei. Diese Gegend kam Peter völlig fremd vor, aber immerhin könnte er auf dieser Umgehungsstraße leichter wenden, falls ihm doch etwas bekannt vorkäme. Andererseits lag sein Hotel unmittelbar an einer der Abfahrten entlang der Tollroad, und wäre er dort erst einmal in die richtige Richtung unterwegs gewesen, hätte er es nicht übersehen können.

Diese Straße hier war von großen Laubbäumen gesäumt, die um diese Jahreszeit kahl in der Landschaft standen. Es gab keine Leitplanken, so dass man jederzeit an den Rand fahren und anhalten konnte. Selbst jetzt bei Nacht ließ sich die Umgebung noch gut erkennen. Viele Häuser waren weihnachtlich dekoriert und erleuchtet. Das erinnerte Peter daran, dass er das Fest auch in diesem Jahr wieder allein verbringen würde. Normalerweise hatte er kein Problem damit, allein zu sein, aber die Feiertage machten ihn immer etwas sentimental. Dann dachte er an Lisa. Darüber vergaß er völlig, auf den Weg zu achten und folgte stumpf den Anweisungen des GPS-Geräts. Erst als seine Aufmerksamkeit sich langsam wieder auf die Strecke richtete, fiel ihm auf, dass er hier noch nie gewesen war.

„Willkommen in Leesburg!"

Dieses Schild hatte er soeben passiert, und war sich damit sicher, viel zu weit westlich zu sein. Er konnte sich an diesen Ortsnamen auch nur erinnern, weil es dort einen kleinen Flugplatz für Privat- und Firmenflugzeuge gab, über den er einmal kurz mit Steve gesprochen hatte. Ein Blick auf den Navigator zeigte ihm, dass es von hier noch etwas weniger als zehn Kilometer bis zum Ziel „Home" waren. Was immer Home bedeutete, er war neugierig geworden und wollte wissen, wer hier zuhause war – auch wenn es garantiert nicht Steve sein konnte.

Der Weg führte erneut durch eine Wohngegend, die sich allerdings von der vorigen deutlich unterschied. Viele Häuser hier waren älterer Bauart, die meisten aber gut gepflegt. In regelmäßigen Abständen standen neue, große Gebäude dazwischen, die vermutlich von wohlhabenden Leuten mit einer Leidenschaft für das Ländliche bewohnt wurden. Eines hatten sie alle gemeinsam – in Erwartung des Weihnachtsfestes erstrahlten sie im Glanz unzähliger Lichter.

Ein Blick auf das GPS verriet Peter, dass sein Ziel noch gut fünf Kilometer entfernt lag. Die Grundstücke waren nach der letzten Kurve noch größer geworden, und die Häuser standen noch weiter auseinander. Mit jeder weiteren Meile wurde es ländlicher, und auch das Ausmaß der Weihnachtsdekorationen nahm ab. Kurz nachdem er Leesburg in Richtung Westen verlassen hatte, signalisierte das Navigationsgerät, er solle in die Einfahrt zum nächsten Grundstück links einbiegen. Home lag direkt vor ihm, hier draußen im Niemandsland.

Als er an der Einfahrt vorbei fuhr, kniff er die Augen zusammen und versuchte, einen Blick auf das hinter den Bäumen verborgene Haus zu erhaschen. Plötzlich rumpelte der Wagen und geriet beinah außer Kontrolle. Peter wurde wild hin und her geschüttelt, riss das Lenkrad nach rechts und trat hart auf die Bremse. Mit zitternden Händen kam er auf dem Seitenstreifen zum Stehen. Seine Verrenkungen hätten ihn beinahe in den Graben gebracht, und er konnte heilfroh sein, dass er doch noch auf festem Untergrund zum Stehen gekommen war. Um seine schlotternden Knie unter Kontrolle zu bringen, stieg er aus dem Auto aus und blickte in die Dunkelheit der Nacht. Ein kalter Wind blies ihm ins Gesicht, noch einige Grade kälter als vorhin auf dem Friedhof. Dann beugte er sich noch einmal in den Wagen und schaltete als Parksignal den rechten Blinker ein. Allmählich beruhigte er sich wieder und zog seine Jacke vom Rücksitz, während er überlegte, was er hier draußen eigentlich tun sollte.

Eins war klar: Er würde jetzt nicht einfach umdrehen, ohne zu wissen, was Home war. Entschlossen drehte er sich um und ging los.

Etwa zweihundert Meter lagen zwischen der Stelle, an der sein Wagen zum Stehen gekommen war und der Einfahrt von Home. Der kalte Nachtwind pfiff um seine ungeschützten Ohren, und er zog den Hals ein, um sich so gut wie eben möglich hinter dem Kragen seiner Jacke zu verstecken. Die Hände mit den jetzt schon eiskalten Fingern bohrte er in die Hosentaschen. Die Gegend hier mochte im Tageslicht idyllisch und ein traumhaftes Ausflugsziel sein. Bei Nacht jedoch wirkte alles nur unheimlich, und Peter fühlte sich wie ein Einbrecher, als er das Grundstück betrat.

Langsam konnte er die Umrisse eines Hauses erkennen: ein flacher und ungewöhnlich langgezogener Bau. Das Gebäude bestand aus drei Teilen, die zu verschiedenen Zeiten gebaut worden waren. Auf der linken Seite mussten die ursprünglichen Mauern sein – ein rechteckiger Bau aus roten Ziegelsteinen mit zwei kleinen Fenstern. Das gedämpfte Licht reichte kaum aus, die kahlen Büsche davor zu erhellen. Direkt anschließend stand ein schlauchähnliches Gebäude mit der typischen Verkleidung aus Plastikpaneelen und einem hell erleuchteten Doppelfenster. Offenbar diente es nur als Verbindungsgang zu der abschließenden großen Doppelgarage.

Das Tor der Garage stand weit offen, davor parkte ein Ford F40 Pick-up Truck. Noch immer in einiger Entfernung musterte Peter die Szene. Sicherheitshalber ging er nicht direkt auf dem Kies, sondern knapp daneben auf dem kurz geschnittenen Gras, damit der oder die Bewohner des Hauses ihn nicht kommen hörten.

Doch plötzlich blieb Peter wie angewurzelt stehen. Fast neunzig Prozent dieser ländlich gelegenen Grundstücke wurden von scharfen Hunden bewacht, die das Eigentum ihrer Besitzer erbittert gegen jeden Eindringling verteidigten. Ein Schauer lief ihm über den Rücken, und er lauschte gespannt in die Nacht. Zuerst hörte er nur das Rauschen des Windes, der nach wie vor durch die blattlosen Äste der Laubbäume strich – aber zum Glück kein Knurren oder Bellen. Dann glaubte er, Stimmen zu hören. Worte konnte er allerdings nicht verstehen, dazu war er noch zu weit entfernt.

Als er wieder hinauf zur Garage sah, erkannte er eine Gestalt, die sich dort im Licht bewegte. Peter erstarrte. Erst als der Schreck nach einigen Sekunden verflogen war, wurde ihm bewusst, dass er im Dunkeln vor Blicken geschützt war und den anderen nur sehen konnte, weil der in der hell erleuchteten Garage stand. Angespannt kniff er die Augen zusammen und versuchte zu erkennen, was die Person tat. Aber Peter war noch immer zu weit entfernt, um Details ausmachen oder Worte verstehen zu können. Ihm fiel jedoch auf, dass keine zweite Person zu sehen war. Vermutlich führte der Typ Selbstgespräche. Dann bückte sich die Gestalt und schleppte den Bewegungen nach zu urteilen etwas über den Boden. Ohne dass Peter es selbst bemerkte, schlich er langsam näher auf das Gebäude zu. Durch seine innere Anspannung hatte er jedes Gefühl für Zeit und Raum verloren. Doch kaum war er nahe genug, um zu erkennen, was der Typ über den Boden schleppte, als er einen Schatten aus der Garage huschen sah.

Dieser Schatten war höllisch schnell und kam geradewegs auf ihn zu. Außerdem hatte er vier Beine und war der Tonlage seines wütenden Bellens nach sehr groß. Peter verlor keine Sekunde, machte auf dem Absatz kehrt und rannte los, als sei der Teufel persönlich hinter ihm her. Es war pures Glück, dass er halb stolpernd, halb springend ohne zu stürzen den abschüssigen Hang hinunter kam. Er hastete die Straße entlang, und als er auf gleicher Höhe seinen Wagen sah, überquerte er sie, ohne nach links oder rechts zu sehen. Am Fahrzeug angekommen, riss er die Fahrertür auf und sprang hinein.

Peter atmete tief durch, und erst jetzt, als er die Rücklichter des Lastwagens hinter sich sah, wurde ihm klar, dass er einem Zusammenprall nur um Haaresbreite entgangen war.

Der Rottweiler stand noch immer auf der anderen Straßenseite und bellte. War er schlauer gewesen als Peter und nicht einfach über die Straße gerannt, oder hatte sein Besitzer ihn zurückgepfiffen? Während Peter sich noch wunderte, dass der Hund ihn nicht eingeholt hatte, startete er eilig den Ford, drehte um und fuhr los. Von dem Besitzer des Hundes war immer noch nichts zu sehen, und Peter konnte nur hoffen, dass er sich nicht sein Kennzeichen notiert hatte und ihn anzeigte. Es würde ihm schwer fallen, Martin und Steve zu erklären, was er um diese Uhrzeit dort draußen getrieben hatte.

Erst als nach einiger Zeit die Straßen wieder heller wurden und er sich dem Stadtkern von Leesburg näherte, fiel ihm wieder ein, was er in der Garage gesehen hatte. Seine Hand würde er dafür zwar nicht ins Feuer legen, dennoch glaubte er, dass das, was der Typ über den Boden gezogen hatte, ein menschlicher Körper gewesen war.

Neugierde

Als Peter am nächsten Morgen in seinem Hotelbett aufwachte, glaubte er im ersten Moment, geträumt zu haben. Doch als sein Blick auf die mit Lehm verschmierten Schuhe fiel, wurde ihm schnell wieder bewusst, dass er das alles tatsächlich erlebt hatte. Er sah auf die Uhr und hüpfte mit einem Satz aus dem Bett. Es war höchste Zeit aufzustehen, wenn er pünktlich bei Steve sein wollte.

Steve wartete auch bereits auf dem Parkplatz und sprang gleich in den Wagen, sobald Peter dort vorfuhr. Auf dem Weg zum Washington Blizzard erzählte ihm Peter die Kurzversion seiner nächtlichen Odyssee. Den Besuch am Friedhof und seine eigentliche Motivation für die Irrfahrt erwähnte er natürlich nicht. Genauso verschwieg er, dass er sich auf das fremde Grundstück geschlichen und was sich dort abgespielt hatte.

Steve amüsierte sich köstlich. Speziell der Teil, in dem Peter nur deshalb wieder zurückgefunden hatte, weil ein Tankwart in Leesburg aus Peters Beschreibung seines Hotels erkannt hatte, dass er das Day Inn Hotel in Herndon meinte und obendrein so freundlich gewesen war, das GPS-Gerät entsprechend einzustellen.

Immer noch schmunzelnd fragte Steve schließlich: „Und wann fliegst du nun zurück? Bleibt es bei morgen?“

„Ja. Umbuchen würde sich nicht lohnen, und ich werde auch ohne Mietwagen zurechtkommen. Du kannst wohl kaum erwarten, mich loszuwerden?“

„Quatsch, ich wollte es einfach nur wissen. Außerdem überlege ich, ob es sich arrangieren lässt, dir den Ford noch bis dahin zu überlassen.“

Peters Miene hellte sich auf: „Ich habe gehofft, du würdest das sagen!“

„Freu dich nicht zu früh. Heimlich wird es nicht mehr möglich sein, und ich muss erst mit Martin darüber sprechen."

Als sie den Parkplatz der Redaktion erreicht hatten, wartete Peter im Auto. Er war froh, nicht dabei sein zu müssen und Martin selbst um die Gefälligkeit zu bitten. Das Thema Bündnis war schließlich ad acta gelegt, und er legte keinen Wert darauf, den verschwitzten Chefredakteur noch einmal zu treffen. Dass er sich dennoch dessen Dienstfahrzeug leihen wollte, erschien ihm bei genauerer Betrachtung schon etwas dreist. Mit gemischten Gefühlen stieg er aus, um sich die Beine zu vertreten.

Obwohl er sich nicht vorstellen konnte, warum Martin ihm einen Gefallen tun und das Fahrzeug borgen sollte, begann er bereits, Pläne zu schmieden, wie er den Tag mit fahrbarem Untersatz verbringen würde. Heute Morgen war es ihm zwar recht leicht gefallen, den Weg vom Hotel zu Steves Apartment zu finden, aber er hatte auch nur direkt auf die Tollroad fahren müssen. Schon an der nächsten Abfahrt konnte man das Apartmentgebäude erkennen. Dass er trotzdem noch etwas über zehn Minuten um den Block geirrt war, wusste außer ihm glücklicherweise niemand. Ein Navigationsgenie war er nie gewesen, und mit dem GPS-Gerät hatte er sich auch noch nicht recht angefreundet. Um das Gerät sinnvoll nutzen zu können, musste man zumindest wissen, wohin man eigentlich fahren wollte. Und wessen Zuhause man ansteuerte. Nach wie vor wusste er nicht, wer dort draußen wohnte und wie die Adresse in das Navigationsgerät gekommen war. In diesem Moment kam Steve zurück und schaute Peter schief an.

„Offensichtlich mag er dich nicht besonders", sagte er.

„Sehr witzig", entgegnete Peter genervt.

Doch Steve konnte sich nicht länger zusammenreißen und begann zu grinsen. Dabei drückte er Peter die Autoschlüssel in die Hand.

„Er denkt, letztlich mit schuld zu sein, dass du jetzt hier festhängst und will sein Gewissen beruhigen!"

„Danke", antwortete Peter sichtlich erleichtert.

„Also denn, ich habe mir für heute Abend schon eine Mitfahrgelegenheit arrangiert. Du bist also für den Rest des Tages ungebunden – und auf dich allein gestellt. Toll wäre es nur, wenn du mich morgen früh zur gleichen Zeit wieder abholen könntest."

„Klar, bis dahin habe ich die Gegend unsicher genug gemacht und mein Sightseeingprogramm einigermaßen abgearbeitet!"

Peter klopfte Steve freundschaftlich auf die Schulter.

„Bevor ich es vergesse", fuhr dieser fort und griff in seine Jackentasche, „hier hast du mein Mobiltelefon, ich benutze es ohnehin so gut wie nie. Wenn dir langweilig wird oder ich dich aus dem Gefängnis auslösen soll, drückst du einfach zweimal auf die grüne Taste, dann wählt es meinen Anschluss im Büro. Solltest du nach Dienstschluss einen Tipp bezüglich weiblicher Gesellschaft brauchen, hältst du einfach die 1 gedrückt, und du erreichst mich zuhause."

Die beiden Männer waren sich von Anfang an sympathisch gewesen, nur gestern, nach dem Gespräch mit Martin, waren Peter Zweifel gekommen, weil Steve sich so wortkarg gegeben hatte. Abgesehen von Joe war er der einzige Vertreter des Bündnisses, mit dem ihn etwas verband, und Peter hätte sich nicht gern im Streit von ihm getrennt. Gerade deshalb wirkten ihre Scherze heute Morgen regelrecht erlösend. Peter schüttelte Steve zum Dank für seine Unterstützung noch einmal kräftig die Hand, dann verabschiedeten die beiden sich.

Peter setzte sich auf den Fahrersitz und verstaute das Telefon im Fach unter der Armablage. Er hatte vor, in die Stadt zu fahren und wenigstens noch ein paar der weltberühmten Bauwerke von Washington D.C. zu besichtigen. Dazu bog er auf die Tollroad ein, und nachdem er eine Münze in den Automat geworfen hatte, öffnete sich die Schranke. Die gerade, breite Straßenführung verlangte ihm praktisch keine Aufmerksamkeit ab, und so schweiften seine Gedanken wieder zu den

Ereignissen des Vorabends ab. Er konnte nicht sicher sagen, was er tatsächlich gesehen hatte, aber zumindest war er, für einen Augenblick, der Meinung gewesen, der Typ würde einen reglosen Körper über den Boden schleifen.

Er versuchte, dieses Bild aus seinen Gedanken zu verdrängen und stattdessen an die wunderbare Umgebung dort draußen zu denken. Bei Tageslicht müsste es dort wirklich schön sein! Schließlich gestand er sich ein, dass das alles nur Vorwände waren. Was ihn trieb, war vielmehr seine Neugier. Er konnte eine drängende Frage einfach nicht auf sich beruhen lassen.

Prompt nahm er das Navigationsgerät zur Hand und tippte darauf herum. Kurz darauf war die Auswahl getroffen. *Bitte wenden*, teilte ihm das Gerät umgehend mit.

Auch über die Tollroad gab es einen Weg nach Leesburg, denn das Gerät wies ihn an, für die nächsten zwanzig Kilometer geradeaus zu fahren. Die Fahrt war deutlich langweiliger als am Abend zuvor, denn um diese Tageszeit gab es weder beleuchtete Häuser noch sonst etwas Aufregendes zu sehen.

Peter überlegte, was er wohl tun würde, sobald er an dem Haus ankäme. Eigentlich müsste er einfach vorbeifahren, denn alles andere wäre ziemlich peinlich und vor allem zu gefährlich. Aber dann kann ich mir den Weg eigentlich auch sparen, grübelte er.

Hin- und hergerissen fuhr er weiter und erreichte wenig später das Ende der Ausbaustrecke. Das Navigationsgerät führte ihn erneut durch Leesburg, doch die Gegend sah bei Tageslicht einfach anders aus, und kaum etwas kam ihm bekannt vor. Erst die Tankstelle, deren Tankwart ihn nur wenige Stunden zuvor vor einer Übernachtung im kalten Auto und einer sicheren Erkältung bewahrt hatte, erkannte er wieder. Ein paar Abzweigungen später verließ er den Ort und fuhr auf der selbst bei Tag wenig befahrenen Straße weiter. Ohne das kleine Gerät auf dem Armaturenbrett hätte er vermutlich nie mehr hierher gefunden. Die Landschaft war genauso idyllisch wie in seiner Vorstellung, und am liebsten hätte er angehalten und sich in eines der Felder gelegt, um den Tag zu genießen. Ein Signalton riss ihn jedoch aus seinen Tagträumen: Das GPS teilte ihm mit, dass er sein Ziel fast erreicht hatte.

Zweihundert Meter später war Peter daran vorbei gefahren und starrte konzentriert in den Rückspiegel. Nur noch im Ansatz war die mit Kies gedeckte Einfahrt zu erkennen, dann verschwand sie hinter der Kurve. Rasch lenkte er den Ford rechts ran, wendete und fuhr langsam wieder an dem Grundstück vorbei. Aus dieser Richtung war die Einfahrt besser zu sehen, und so konnte er trotz der Bäume für einen Augenblick die Umrisse des Hauses erkennen. Auch wenn die Situation bei Tageslicht weit weniger unheimlich wirkte, war Peter doch reichlich aufgeregt. Er wollte wissen, wer dort oben wohnte! Da er sich bei Helligkeit kaum anschleichen konnte und den Hund noch in lebhafter Erinnerung hatte, entschied er sich, einfach die Einfahrt hochzufahren und nach dem Weg zu fragen. Schließlich konnte es so ungewöhnlich nicht sein, dass sich hier draußen jemand verfuhr.

Peter bog also in die Einfahrt ein und versuchte, sich jedes Detail des Gebäudes einzuprägen. Die Dreiteilung des Hauses wirkte bei Tageslicht noch merkwürdiger als am Abend zuvor. Die überdimensionale Garage bot bestimmt Platz für drei oder gar vier Autos. Als er auf der betonierten Fläche vor dem Haus ankam, schaltete er den Motor ab. Es sah zwar nicht so aus, als sei jemand zuhause, aber er wollte nicht verdächtig wirken. Zielstrebig ging er deshalb auf die Eingangstür zu. Da hörte er wieder das wütende Bellen des Hundes. Peter hoffte sehr, dass die Bestie diesmal im Haus eingesperrt war. Er suchte an der Haustür nach dem Klingelknopf, fand ihn aber nicht. Also öffnete er die gläserne Sturmtür und klopfte zweimal kräftig an die hölzerne Tür dahinter. Das Bellen wurde sowohl lauter als auch aggressiver und klang außerdem deutlich näher. Unbehagen stieg in Peter auf, und er hoffte sehr, dass er nicht wieder um sein Leben rennen müsste. Dennoch nahm er all seinen Mut zusammen und klopfte abermals, dieses Mal noch stärker. Der Hund fühlte sich dadurch provoziert und begann, wie verrückt an der Tür zu kratzen. Zweifellos hätte er dem Besucher gern die Zähne gezeigt. Aber außer ihm schien niemand zuhause zu sein. Peter ließ das Glas der Sturmtür zurückschwingen und setzte sich wieder in den Wagen. Die Lage des Grundstücks war ohne Zweifel spektakulär, das Haus selbst, abgesehen von seiner seltsamen Bauweise, aber weit weniger aufsehenerregend. Er drehte sich so, dass er einen guten Blick auf die Hofeinfahrt hatte. Selbst im Winter, wenn keine Blätter an den Bäumen hingen, konnte man die Straße von hier oben kaum erkennen. Eine Weile blieb Peter so sitzen, bis ein ziehender Schmerz im Rücken ihn auf seine wenig ergonomische Sitzhaltung hinwies. Spontan fasste er den Entschluss, noch einmal auszusteigen und einen kurzen Rundgang um das Haus zu machen. Sollte der Besitzer wider Erwarten plötzlich auftauchen, würde der ihm schon nicht den Kopf abreißen.

Als er um die Ecke der Garage bog, sah er eine weitere Eingangstür. Automatisch rüttelte er an dem messingfarbenen Knauf.

Die Tür öffnete sich!

Darüber war Peter so erstaunt, dass er stolperte und dabei fast in die Garage gestürzt wäre. Nun hätte er allerdings keine Ausrede mehr, falls ihn der Besitzer überraschen und wegen Hausfriedensbruchs anzeigen sollte. Dennoch blieb er in der Garage stehen und versuchte, sich zu orientieren. Seine Neugier hatte gesiegt.

In dem Raum war es nur deshalb nicht stockduster, weil durch eine große, wenn auch schmutzige Glasscheibe im Haupttor etwas Licht fiel, das dem Raum ein gespenstisches Ambiente verlieh und Peters Nerven noch stärker flattern ließ als bisher. Er blickte noch einmal die Auffahrt hinab, dann atmete er entschlossen aus und begann, die Garage zu untersuchen. Ein Auto stand jedenfalls nicht darin. Dieser Umstand beruhigte ihn etwas, denn vermutlich war der Bewohner dieses Hauses in der Arbeit und würde erst in einigen Stunden zurückkehren.

An der Kopfseite der Garage sah Peter eine riesige Werkbank, auf der ein Schraubstock befestigt war. An der dem Haus zugewandten Seite standen mehrere Regale, die bis zum letzten Zentimeter mit Werkzeug und elektrischen Geräten gefüllt waren. Trotz der Unmenge an Gegenständen wirkte alles recht ordentlich. Insgesamt war der ganze Raum für eine Garage sehr sauber organisiert.

Peter ließ seinen Blick weiter über die Regale schweifen, als er etwas entdeckte, das wie eine Spritze aussah. Er trat ein paar Schritte näher, hielt dann jedoch wieder inne. Mit jedem Schritt, den er tiefer in diesen Raum eindrang, wurde er nervöser. Zur Sicherheit trat Peter einen weiteren Schritt nach vorn und blickte durch das schmierige Glas des großen Tors. Nichts.

Mit klopfendem Herzen betrachtete er nun die Spritze aus der Nähe. Es war eine der typischen Plastikspritzen, wie sie in jedem Krankenhaus zu Tausenden auf Vorrat liegen. Das wäre nicht weiter bemerkenswert gewesen – er selbst hatte diese Dinger als Kind besessen und als Spritzpistole verwendet –, aber direkt daneben lag eine Hand voll steril verpackter Kanülen!

Es war nie sonderlich schwer gewesen, bei Ärzten oder Krankenhäusern an die Spritzenkörper zu kommen. Damit konnte man normalerweise keinen groben Unfug treiben. Mit den Nadeln wurde allerdings sehr viel sorgfältiger umgegangen. Spontan fielen ihm für eine komplette Spritze in einem privaten Haushalt nur zwei Verwendungszwecke ein: Entweder war der Typ, der hier wohnte, zuckerkrank oder drogensüchtig. Wobei zumindest in Deutschland die Spritzen für zuckerkranke Menschen kleiner waren und bereits fertig aufgezogen geliefert wurden.

Gerade als sein schlechtes Gewissen sich wieder meldete, stutzte er. Hatte er nicht ein Geräusch gehört? Es klang, als würde jemand unter einer schweren Last stöhnen. Das Stöhnen klang ganz nah. Plötzlich entdeckte Peter einen am Boden befestigten Eisendeckel. Den hatte er vorhin vor lauter Aufregung gar nicht bemerkt und war schnurstracks daran vorbei zum Regal gegangen. Nun stürzte Peter auf den Deckel zu und hielt die Luft an. Wenige Sekunden später hörte er das Stöhnen erneut – klar und deutlich. Sein Herz schlug inzwischen so heftig, als wollte es seinen Brustkorb sprengen. Er zitterte am ganzen Körper, und ihn packte eine ungute Ahnung.

Hastig zog er den Stift aus dem Riegel und stand auf. Mit beiden Händen ergriff er den Rand der schweren Metallplatte, warf sie zur Seite und blickte in einen dunklen Schacht. Die Öffnung war durch ein Gitter versperrt, an dem wiederum ein Vorhängeschloss hing.

„Verdammt!“, fluchte Peter ungewollt laut und zerrte hektisch an dem Schloss. Angestrengt starrte er durch die Gitterstäbe und versuchte, trotz der Dunkelheit etwas zu erkennen. Er hatte alles um sich herum vergessen: Er dachte nicht mehr daran, dass er illegal in ein abgelegenes Haus eingedrungen war und dass es niemanden gab, der wusste, wo er sich überhaupt aufhielt. Abermals rüttelte er wild an dem Gitter.

Da durchzuckte plötzlich ein kurzer, spitzer Schmerz seinen Schädel, und in Sekundenschnelle wurde es schwarz um ihn. Der Schlag war fast lautlos, präzise und knallhart aus dem Nichts gekommen. Bewusstlos brach Peter über dem Eisengitter zusammen. Das Blut durchnässte zuerst seine Haare, dann lief es über seine Schläfe und tropfte zuletzt durch die Gitterstäbe in die Finsternis des Schachts hinab.

Kein guter Tag

Der Tag hatte für Steve eigentlich gut begonnen. Die Fahrt mit Peter war unterhaltsam gewesen, und selbst Martin schien recht guter Laune zu sein. Er hatte sogar ohne großes Zögern eingewilligt, Peter den Dienstwagen der Redaktion auszuleihen, auch wenn er sich einen sarkastischen Kommentar über den Sherlock Holmes aus Bavaria nicht verkneifen konnte. Aber seit Steve sich von Peter verabschiedet hatte, ging es steil bergab, und Steve hätte den Tag am liebsten aus dem Kalender gestrichen.

Es begann mit dem Anruf eines erbosten Lesers, der angeblich schon fünf Mal einen Leserbrief an die Redaktion geschickt hatte, der jedoch immer noch nicht abgedruckt worden war. Obwohl Steve ihm mehrfach versicherte, sich um die Sache zu kümmern und den Brief diesmal umgehend für eine der nächsten Ausgaben in den Druck zu geben, gelang es ihm nicht, den Mann zu beruhigen. Da Steve aber nicht einfach auflegen konnte, musste er sich eine schier endlose Schimpftirade über die Ungerechtigkeit auf der Welt und die Korruption der Medien anhören. Kaum hatte er den Typen nach über zwanzig Minuten endlich besänftigt, kam Martin in sein Büro gestürzt. Seine gute Laune hatte sich mittlerweile in Wohlgefallen aufgelöst, und er rief Steve nur zu, er müsse unerwartet zu einem wichtigen Termin. Normalerweise wäre das kein Problem gewesen, hätte nicht eine halbe Stunde später ein entscheidendes Gespräch mit einem ihrer größten Anzeigenkunden angestanden. In letzter Zeit war es zu einigen Missverständnissen mit dem Marketingchef dieser Firma gekommen, die nun damit drohte, ihren Vertrag zu kündigen. Als Steve versuchte, Martin darauf anzusprechen, sagte der nur: „Du kriegst das schon hin!“

Es kam, wie Steve es befürchtet hatte. Der Kunde wirkte von Anfang an sehr zugeknöpft, als er feststellte, dass der

Redaktionschef es offenbar nicht für notwendig hielt, bei diesem Treffen persönlich anwesend zu sein. Fast eine Dreiviertelstunde lang wurde Steve mit den unterschiedlichsten Vorwürfen bombardiert, die jedoch außerhalb seines Zuständigkeitsbereichs lagen und zu denen er somit nichts sagen konnte. Dann versuchten die Kundenvertreter, ihm – quasi als Wiedergutmachung – Zusagen für bessere Konditionen und diverse Eingeständnisse zu entlocken. Doch auch diese konnte Steve nicht geben, weil er dazu schlichtweg nicht befugt war. Äußerst gereizt zogen die Leute schließlich ab, natürlich ohne die Vertragsverlängerung zu unterschreiben.

Steve war sich bewusst, welche Bedeutung dieser Kunde für die Redaktion hatte und dass ein Verlust der Anzeigenaufträge durchaus auch seinen Arbeitsplatz bedrohen könnte. Damit war seine Stimmung endgültig auf dem Tiefpunkt angelangt.

Als Martin dann am Nachmittag wieder in die Redaktion kam, marschierte er schnurstracks in sein Büro und knallte die Tür hinter sich zu. Anschließend hörte Steve ihn ohne Unterlass telefonieren und beschloss, ihm die schlechten Nachrichten erst nach dem Wochenende zu überbringen.

Als Steve gegen 20 Uhr von einem Kollegen zu Hause abgesetzt wurde, war er froh, diesen Tag endlich überstanden zu haben. Er schloss die Tür zu seiner Wohnung auf und zog sich sofort bequemere Kleidung an, dann breitete er die Zeitung auf dem Küchentisch aus. Während er gelangweilt durch die Seiten blätterte, schob er sich Hühnchen Kung Pao in den Mund, das er unterwegs von einem chinesischen Fast-Food-Laden mitgenommen hatte.

Obwohl Steve selbst für eine Zeitung arbeitete, fand er tagsüber kaum Zeit, Nachrichten zu lesen und sich auf dem Laufenden zu halten. Das stand erst nach Feierabend auf dem Programm. Beim Blättern stieß Steve ein kleiner Artikel über die Entführung dieses Senators ins Auge, und ihm fiel auf, wie schnell dieser Fall seinen Platz auf der Titelseite verloren hatte. Allerdings gab es laut dem Artikel keine neuen Erkenntnisse, so dass sich auch nicht viel Neues über den Fall schreiben ließ. Immerhin wurde darin kein Zusammenhang zum Bündnis hergestellt, stellte Steve erleichtert fest. Um die Vereinigung war es in letzter Zeit auffallend ruhig geworden. Nachdem Peter des Feldes verwiesen worden und Joe ohnehin aus dem Spiel war, fragte Steve sich, ob und wie lange die Organisation wohl weiter bestehen würde. Seit Joe ins Koma gefallen war, hatte es kein ordentliches Treffen mehr gegeben. Es gab auch keine Strategie für die Zukunft oder eine mögliche Neuausrichtung. Ebenso waren ihm keine Pläne für künftige Enthüllungsberichte oder andere Medienaktionen bekannt.

Das hätte Martin eigentlich in die Hand nehmen sollen, denn er war jetzt der führende Kopf des Bündnisses. Doch entweder fehlte es ihm am Interesse oder an der nötigen Zeit. In der kurzen Geschichte ihres Bestehens hatte die Gruppe zwar viel erreicht, aber falls nicht bald der Umschwung gelänge, würde alles genau so schnell wieder in sich zusammenfallen. Möglicherweise hielt Martin ja auch bewusst den Ball flach, damit das Bündnis nicht weiter mit den Mordfällen in Verbindung gebracht würde. Steve hoffte, dass dies der wirkliche Grund für die aktuelle Untätigkeit war, allerdings hätte Martin das prinzipiell mit Garret und ihm abstimmen sollen. Er nahm sich vor, Martin am nächsten Tag einmal darauf anzusprechen.

Manchmal, wenn Steve – so wie heute – allein in seinem Apartment saß, fiel ihm sein früheres Leben wieder ein, und er dachte an Megan. Seit der Scheidung und seinem Abgleiten in die Obdachlosigkeit hatte er nichts mehr von ihr gehört, und er fragte sich in diesen sentimentalen Momenten, was wohl aus ihr geworden war. Er hatte den Kontakt damals bewusst abreißen lassen, denn es wäre ihm zu peinlich gewesen, ihr von seinem Abstieg zu erzählen. Nun, da er zumindest wieder einen Job und ein festes Dach über dem Kopf hatte, würde er allerdings sehr gerne wieder einmal mit ihr sprechen.

Eigentlich waren sie ein tolles Paar gewesen, und nur seine Arbeitssituation hatte verhindert, dass aus ihnen eine glückliche Familie geworden war. Allerdings half diese Erkenntnis heute wenig. Megan war eine gutaussehende, intelligente Frau, die vermutlich wieder geheiratet und inzwischen zwei, drei Kinder hatte. Selbst wenn er ihre Telefonnummer herausfinden könnte, wäre es in seinen Augen unpassend, sich nach all den Jahren zu melden und einfach so in ihr Leben zu platzen.

Die einzige Frau, die nach Megan noch einmal einen Platz in seinem Herzen gefunden hatte, war Kathy gewesen, obwohl die beiden nur ein paar Stunden zusammen verbracht hatten.

Jetzt war wieder einer jener Momente, in denen Steve zu gerne jemanden an seiner Seite gehabt hätte. In der Vorweihnachtszeit spürte er die Einsamkeit stärker als sonst. Andererseits gingen diese Phasen immer schnell vorüber – schließlich hatte Steve sich mit seinem Leben arrangiert. Meist arbeitete er bis spät in den Abend hinein. Und wenn er dann geschafft nach Hause kam, reichte es gerade noch für einen schnellen Happen zu essen, bevor er wenig später vor dem Fernseher auf dem Sofa einschlief.

Mit einem energischen Kopfschütteln verscheuchte er diese Gedanken, denn sie machten ihn nur traurig. Um sich abzulenken, beschloss er, Peter anzurufen. Steve wählte die Nummer seines Handys und wiederholte die Wahl so lange, bis er schließlich müde wurde. Auf dem Weg ins Bett fragte er sich, was Peter um diese Zeit wohl noch Wichtiges zu tun hatte, dass er nicht ans Telefon ging.

Die Bekanntschaft

Langsam kam Peter wieder zu sich. Er fühlte sich wie nach einer durchzechten Nacht, wusste anfangs nicht, wo er sich befand und was passiert war. Instinktiv griff er an seinen schmerzenden Kopf und fühlte eine teils geronnene, teils noch klebrige Flüssigkeit zwischen den Fingern. Erschrocken zog er seine Hand zurück und versuchte zu erkennen, was das war. Aber es war zu dunkel, als dass er irgendetwas hätte sehen können. Als er sich erneut an den Kopf fasste, fühlte er eine Schwellung, und je weiter er tastete, umso fester wurde die zähe Flüssigkeit. Dann erreichten seine Finger etwas Krustiges, und ihm wurde bewusst, dass er wohl eine Platzwunde am Kopf und viel Blut verloren hatte. Die Kruste bedeckte eine etwa münzgroße Wunde, die mittlerweile nicht mehr blutete. Erst jetzt spürte er, dass ihm das Blut auch über die Wange gelaufen war. Und allmählich fiel ihm wieder ein, was passiert war: die Garage, die sterilen Nadeln und der Schacht – und als er sich über das Gitter gebeugt hatte, war ihm plötzlich schwarz vor Augen geworden. Sollte der schwere Deckel zurückgeklappt sein und ihn am Kopf getroffen haben?

Als Peter nach oben blickte, war das Gitter geschlossen. Durch die Stäbe hindurch erkannte er im schummrigen Licht die Decke eines Raums.

Ein erster Versuch, sich zu bewegen, bereitete weitaus mehr Schwierigkeiten als gedacht, denn sein Körper war auf eine merkwürdige Art und Weise eingekeilt. Erst jetzt merkte Peter, dass die Verletzung an seinem Kopf nicht das Einzige war, was ihm Schmerzen bereitete. Seine Rippen, ein Arm, beide Beine, einfach alles schien entweder aufgeschürft oder gestaucht zu sein. Er stöhnte laut vor Schmerz, als er weiter versuchte, sich in eine aufrechte Position zu bringen. Mit der linken Hand tastete er herum, um sich zu orientieren. Unter und vor ihm war kalter Beton. Dann zuckte Peter plötzlich zusammen.

Jemand hatte ihn am Arm gepackt. Zu Tode erschrocken wich er so gut er konnte zurück, drückte seinen Körper fest gegen die Wand und kniff die Augen zusammen. Langsam begann er, einen Umriss wahrzunehmen. Er drehte seinen Arm, um sich zu befreien, und der Griff lockerte sich etwas.

„Wer ist da?", flüsterte Peter heiser. Das Herz schlug ihm bis zum Hals. Direkt neben sich hörte er ein gequältes Röcheln und spürte einen menschlichen Körper. So eng, wie es hier unten war, hätte er den anderen eigentlich schon früher bemerken müssen, war aber viel zu beschäftigt mit sich selbst gewesen. Die Hand an seinem Arm hatte inzwischen losgelassen, doch stattdessen wurde er nun an der Schulter gepackt. Peter nahm seinen ganzen Mut zusammen und befreite sich von diesem neuerlichen Griff. Langsam gewöhnten sich seine Augen auch an die Dunkelheit, und er erkannte die Umrisse eines Gesichts. Tatsächlich steckte noch jemand mit ihm in diesem Schacht. Ein Mann.

Plötzlich erinnerte Peter sich auch wieder an das Stöhnen, das ihn überhaupt erst zu dem Gitter gelockt hatte. Da packte ihn abermals eine Hand und zog ihn nach unten. Dann spürte er einen heißen Atem an seinem Ohr.

Die Laute, die aus diesem Mund kamen, klangen heiser und verzweifelt, aber Worte konnte Peter nicht verstehen, so sehr er sich auch bemühte. Es war ein lautes Stöhnen oder unterdrücktes Heulen. Erst jetzt bemerkte Peter, dass der andere am ganzen Leib zitterte. Entweder war ihm furchtbar kalt – oder er litt schreckliche Schmerzen.

Undeutlich erkannte Peter, dass der zitternde Mann versuchte, ihm etwas zu zeigen. Hektisch deutete er auf seinen Mund und riss diesen dabei weit auf.

„Was willst du? Ich habe keine Ahnung, was …", begann Peter. Doch dann erstarrte er. Mit seiner freien Hand hatte der Typ etwas aus der Hosentasche hervorgezogen und hielt es Peter vor die Augen. Dieser griff nach dem kleinen unförmigen Teil. Es fühlte sich wabbelig an, kalt und undefinierbar.

Er konnte nicht erkennen, was es war. Doch durch das seltsame Verhalten des Mannes, der ganz offensichtlich in diesem Schacht gefangen gehalten wurde, stieg ein schauerlicher Verdacht in Peter empor.

Irgendjemand hatte diesem armen Teufel die Zunge herausgeschnitten und sie ihm als Andenken übergeben!

Vorahnung

Während er sich noch einmal umdrehte, schlug Steve halb benommen mit einem Arm nach dem Wecker, der an diesem Morgen schon zum dritten Mal klingelte. Als er endlich ein Auge öffnete und einen Blick auf die Uhrzeit warf, war er schlagartig hellwach. In fünfzehn Minuten würde Peter ihn abholen.

Mit einem Satz sprang er aus dem Bett, hastete ins Bad und stand exakt eine Viertelstunde später unten auf dem Parkplatz. Sonderlich schwer war es ihm nicht gefallen, so schnell fertig zu werden, denn er frühstückte wochentags ohnehin nicht zuhause. Den ersten Kaffee trank er üblicherweise im Büro, dazu aß er einen Bagel.

Inzwischen wartete er schon mehr als zehn Minuten und blickte immer häufiger auf seine Uhr. Von Peter war nach wie vor nichts zu sehen. Bisher hatte Steve ihn als sehr zuverlässigen Menschen kennen und schätzen gelernt. Und nur deshalb war er auch nicht verärgert, als weitere zehn Minuten später noch immer kein alter Ford in Sicht war. Im Gegenteil, Steve machte sich allmählich Sorgen, dass Peter sich trotz des GPS-Geräts erneut verfahren haben könnte und nun durch die Stadt irrte. Es war kalt an diesem Morgen, und Steve begann zu frieren.

Um kurz in der Redaktion Bescheid zu geben, dass er sich heute verspäten würde, suchte er in seiner Jackentasche nach dem Handy. Dabei fiel ihm ein, dass er es ja Peter überlassen hatte. Gestern war zwar niemand zu erreichen gewesen, aber heute sollte es im Wagen in Peters Reich- und Hörweite liegen.

Steve eilte also zurück ins Apartment und drückte auf seinem Telefon die Wahlwiederholungstaste. Anschließend lauschte er dem Freizeichen: zehnmal, zwanzigmal. Das Ganze wiederholte er noch zweimal, dann wählte er die Nummer der Redaktion und sagte einem Kollegen Bescheid, dass er in einer halben Stunde eintreffen würde. Inzwischen war es fast 9 Uhr und Peter bald eine Stunde zu spät. Steve konnte nicht mehr länger warten und rief sich ein Taxi. Sollte Peter doch noch den richtigen Weg finden, würde er sicher selbst darauf kommen, dass Steve schon anderweitig zur Arbeit gefahren war.

Nachdem er den Fahrer bezahlt und sich eine Quittung geben lassen hatte, ging Steve nicht direkt in die Redaktion. Er wollte erst nachschauen, ob der Ford vielleicht auf dem Parkplatz stand. Doch schon von weitem sah er, dass der Platz leer war. Steve machte also kehrt und überlegte fieberhaft, ob Peter wohl etwas zugestoßen war. In seinem Büro angekommen, galt sein erster Blick dem Telefondisplay. Das Licht blinkte.

„Na Gott sei Dank!", entfuhr es ihm. Vermutlich hatte Peter sich doch nur verirrt und versuchte längst, ihn telefonisch zu erreichen, um sich zur Redaktion lotsen zu lassen. Er hob den Hörer ab und drückte eine der Tasten.

„Sie haben zwei neue Nachrichten", teilte ihm eine freundliche Damenstimme mit, und Steve drückte die Raute-Taste, noch bevor die Anweisung dazu kam. Die erste Nachricht war von Martin. Er gab ihm nur kurz Bescheid, dass er bei einem Kundentermin sei und erst gegen Nachmittag ins Büro kommen würde.

Die zweite war von seinem neuen Freund, dem Abonnenten, der sich darüber beschwerte, dass sein Leserbrief auch in der aktuellen Ausgabe nicht gedruckt worden war. Nun drohte er, sein Zeitungsabo zu kündigen und die Redaktion anschließend zu verklagen. Steve wusste nicht, ob er über diesen Typen lachen oder weinen sollte. Allerdings hatte er momentan andere Sorgen und keine Zeit, weiter darüber nachzudenken.

Immerhin gab es einige Dinge, die keinen Aufschub duldeten, und er musste sich, ob er wollte oder nicht, zuerst einmal seiner Arbeit widmen. Er startete den Computer und begann, die dringendsten Mails zu bearbeiten. Kundentermine standen für heute keine an, und er war froh darüber, weil er unkonzentriert war und immer wieder versuchte, Peter auf dem Mobiltelefon zu erreichen – erfolglos. Um 16 Uhr reichte es ihm. Er musste etwas unternehmen.

Doch gerade als er die Polizei anrufen wollte, kam ihm eine andere Idee. Er hatte vor einigen Monaten von einem Service der Netzbetreiber gelesen, mit dem man ein vermisstes Telefon mittels Satellitenortung lokalisieren konnte. Aufgeregt rief Steve im Webbrowser die Seite seines Telefonserviceanbieters auf. Unter der Rubrik Hilfe & Support fand er den gesuchten Unterpunkt schnell und war auch schon beim Mobiltelefonfinder angelangt.

Aufgeregt meldete er sich unter seinen Zugangsdaten auf der Seite an und tippte mit zittrigen Fingern seine Mobilnummer ein. Auf dem Bildschirm erschien ein zirkulierendes Pfeilsymbol begleitet von der Nachricht *Suche Mobiltelefon*.

Nur wenige Sekunden später baute sich eine Grafik auf dem Bildschirm auf. Als die Seite etwa zu einem Drittel geladen war, erkannte Steve, dass es sich um eine Landkarte handelte, die einen Ausschnitt von Virginia und Washington D.C. zeigte. Seine Anspannung wuchs weiter, während er gebannt zusah, wie auch der Rest der Grafik auf dem Bildschirm erschien. *Mobiltelefon gefunden*, stand unscheinbar unterhalb der Karte, und ein roter Kreis blinkte auf. Dort also befand sich laut Satellitensystem sein Telefon.

Die eingekreiste Gegend lag nahe Leesburg, und Steve war sich nicht sicher, ob er der Information wirklich trauen sollte. In Leesburg war er zwar schon ein paar Mal gewesen, aber wenn Peter wie angekündigt zum Sightseeing nach Downtown Washington gefahren war, lag Leesburg in genau entgegengesetzter Richtung. Allerdings glaubte Steve sich zu erinnern, dass Peter etwas von einem Tankwart in Leesburg erzählt hatte, der ihn bei seiner Irrfahrt wieder auf den richtigen Weg gebracht hatte, und so war es nicht ganz ausgeschlossen, dass er doch noch einmal dorthin gefahren war.

Steve beschloss also, der Sache nachzugehen. Sollte er in Leesburg nicht fündig werden, konnte er die Polizei anschließend immer noch anrufen. Kurzentschlossen druckte er die Grafikseite aus und ging ins Büro nebenan, um sich das Auto eines Kollegen zu leihen, für einen Notfall, wie er sagte. Er versicherte, spätestens um 19 Uhr wieder zurück zu sein, was kein Problem war, weil die meisten Kollegen die Redaktion ohnehin nicht früher verließen.

Vom Towncenter aus war es ein Katzensprung zur Tollroad, auf der Steve teils aufgeregt, teils verärgert, vor allem aber äußerst irritiert Richtung Westen fuhr.

Die Lage spitzt sich zu

Ratlos saßen die beiden Männer auf dem kalten Boden ihres Verlieses. Anfangs hatte der Zungen- und damit Sprachlose versucht, ein paar Worte mit dem Finger an die Wand zu zeichnen, um sich zu verständigen. Aber es hatte nicht funktioniert. Seine Laute waren nicht zu identifizieren, und eine Kommunikation mit Handzeichen scheiterte an der Dunkelheit.

Der Mann litt offensichtlich immer noch unter starken Schmerzen, denn in regelmäßigen Abständen stöhnte er auf, und ein Schauer durchzuckte seinen Körper. Peter beschloss, ihn mit einfachen Fragen von seinen Schmerzen abzulenken.

„Seit wann sitzt du hier unten?"

Der andere streckte seine Hand aus und zeigte abwechselnd einmal drei, dann vier und zum Schluss fünf Finger in seine Richtung. Offenbar wusste er nicht genau, wie viele Tage vergangen waren.

„Weißt du, wer dich entführt hat und was er vorhat?"

Der Mann schüttelte den Kopf. Viele Erkenntnisse kamen bei diesem Monolog nicht rüber, aber es war immer noch besser, es auf diese Art zu versuchen, als einfach nur dazusitzen und zu warten.

Vor einer Weile hatte Peter versucht, aus dem Gefängnis auszubrechen. Er hatte sich aufgestellt, so dass er die Gitterstäbe über sich umfassen und dagegen drücken konnte. Sie ließen sich zwar ein paar Millimeter hin und her bewegen, aber ihm war schnell klar geworden, dass dieses Hindernis ohne Werkzeug nicht zu überwinden sein würde. Als er sah, dass das Vorhängeschloss wieder angebracht worden war, hatte das auch den letzten Zweifel ausgeräumt: Der Eisendeckel war es nicht gewesen, der ihn niedergeschlagen hatte.

Obwohl er noch nicht lange hier unten saß, hatte Peter jegliches Gefühl für Raum und Zeit verloren, und nur weil es langsam noch dunkler geworden war, wusste er, dass es Abend wurde. Die Männer hatten es inzwischen aufgegeben, sich zu verständigen, und in der Garage herrschte eine bedrückende Stille. Dann plötzlich hörten sie das Geräusch einer sich öffnenden Tür und zuckten zusammen.

Auf dem Boden über ihnen näherten sich Schritte, und als ob es etwas ändern würde, hielt Peter vor Anspannung den Atem an. Selbst der Verstümmelte hatte aufgehört zu stöhnen und presste sich schutzsuchend an Peter. Der ließ ihn nach kurzem Widerstand gewähren.

„Streck deine Arme raus!"

Peter versuchte, durch die Gitterstäbe etwas zu erkennen und blickte nach oben. In diesem Augenblick wurde der Strahl einer Lampe auf ihn gerichtet. Es fühlte sich an, als würde ein Laserstrahl in seine Pupillen gebohrt. Seine Augen waren mittlerweile an die Dunkelheit gewöhnt, und die plötzliche Helligkeit tat höllisch weh. Dennoch versuchte er, ruhig zu bleiben.

„Wen meinen Sie? Wir sind zu zweit hier unten", versuchte er so ruhig wie möglich ein Gespräch zu beginnen.

„Genau dich!", kam kurz und knapp in militärischem Tonfall zurück.

„Was haben Sie mit uns vor?"

Peter hatte keine Ahnung, woher er den Mut nahm, den Souveränen zu spielen. Es musste der Mut der Verzweiflung zu einer vielleicht letzten Chance sein.

„Schnauze, ich werde mich nicht wiederholen!"

Bei diesen Worten schwand Peters Hoffnung, eine Verhandlungsbasis aufbauen zu können, sofort wieder. Dennoch gab er nicht auf. Wollte er sich eine minimale Chance aufrechterhalten, durfte er den Typen nicht weiter erzürnen. In der Erwartung, gleich das kalte Metall von Handschellen oder etwas Ähnlichem um seine Handgelenke zu spüren, streckte er beide Arme durch die Gitterstäbe.

„Du darfst noch etwas mein Gast bleiben. Dein Kumpel dort unten wird einen kleinen Ausflug nach Downtown mit mir unternehmen, und dort wird sich der Ursprung der Unabhängigkeit in seiner Seele spiegeln!“

Danach folgte ein heiseres Lachen, und Peter versuchte abermals, ein Gespräch zu beginnen.

„Sir, was wollen Sie? Können wir etwas tun, damit Sie uns hier heraus lassen?“

Peter fiel auf, wie lächerlich seine Worte in dieser Situation wirkten. Nur hatte er keine bessere Idee.

„Es muss doch … aaahhhh!“

Noch bevor er die Frage zu Ende bringen konnte, schrie er vor Schmerz abrupt auf. Ihr Peiniger hatte seinen Arm gepackt und kurz darauf etwas Spitzes brutal hinein gerammt. Mit der anderen Hand griff Peter noch instinktiv nach den Gitterstäben, als er merkte, wie seine Knie nachgaben. Es dauerte nur wenige Sekunden, bis er das Bewusstsein verlor und nicht mehr merkte, wie er in sich zusammensackte.

Das Haus

Vor kurzem hatte Steve die gebührenpflichtige Straße verlassen und fuhr nun durch Leesburg. Seit seinem letzten Besuch hier war einige Zeit vergangen, und er hatte Mühe, sich mit der vom Mobiltelefonfinder ausgedruckten Karte zurechtzufinden. Nachdem er etliche Male falsch abgebogen war und irgendwann komplett die Orientierung verloren hatte, begegnete ihm glücklicherweise ein Fußgänger. Als Steve ihm die Karte zeigte, wusste der Mann gleich Bescheid, wo Steve hin wollte und konnte ihn auf die richtige Strecke lotsen.

Jetzt fuhr er auf einer ruhigen Landstraße in Richtung der auf der Karte markierten Stelle und hoffte, diese in Kürze zu erreichen. Abwechselnd blickte er auf die linke und rechte Seite, dann wieder auf die Straße vor ihm. Vereinzelt waren immer wieder Häuser zu sehen, die meisten von ihnen von üppiger Vegetation verdeckt. Auf dem Satellitenbild, das er sich ebenfalls ausgedruckt hatte, war auf dem betreffenden Grundstück eine lange, geschwungene Anfahrt zu erkennen. Das Haus selbst wirkte markant geformt und sollte leicht zu erkennen sein. Die benachbarten Gebäude standen zudem allesamt deutlich näher an der Straße. Während Steve versuchte, Karte und Straße gleichzeitig im Auge zu behalten, konnte er gerade noch den Ansatz einer Auffahrt im Augenwinkel erkennen, dann war er auch schon daran vorbeigefahren.

„Mist!", schimpfte er, war aber froh, das Haus vermutlich gefunden zu haben. Er fuhr noch ein wenig weiter und kam bereits an der nächsten Villa vorbei. Diese stand, wie im Plan vermerkt, deutlich näher an der Straße. Steve bog in die Einfahrt und drehte um. Während er die paar hundert Meter zurückfuhr, dachte er zum ersten Mal darüber nach, weshalb wohl der Satellit das Signal seines Telefons von diesem entlegenen Winkel empfangen hatte. Was um alles in der Welt sollte er überhaupt dem Hausbesitzer sagen, wenn dieser die Tür öffnete? „Guten Tag, ich kenne Sie nicht, aber können Sie mir bitte mein Mobiltelefon zurückgeben?“, sagte er halblaut vor sich hin und musste lachen. Dann tauchte unmittelbar vor ihm die geschotterte Einfahrt auf. Er setzte den Blinker und bog ein, ohne den Gedanken zu Ende geführt zu haben. Während er die Einfahrt hochfuhr und das Gebäude sah, beschlich ihn ein merkwürdiges Gefühl. Er glaubte, das Haus zu kennen.

Oben angekommen stieg er ohne zu zögern aus dem Auto, ging zur Haustür und klopfte. Ein Hund bellte wie wild, ansonsten passierte nichts. Als Steve die Sturmtür öffnete, wurde das Bellen lauter. Er klopfte erneut, und der Hund sprang jetzt, dem dumpfen Rumpeln nach zu urteilen, auf der anderen Seite gegen die Tür. Geöffnet wurde nicht. Steve trat ein paar Schritte zurück und sah sich um. Erst jetzt nahm er wahr, dass kein Auto vor dem Haus stand. Eins war sicher: Sollte Peter tatsächlich aus irgendwelchen Gründen hier stecken, musste auch der Ford in der Nähe sein, denn ein Bus oder eine Straßenbahn fuhren hier bestimmt nicht her.

Während Steve seinen Blick am Haus entlang schweifen ließ, bemerkte er das in die große Garagentür eingelassene Glasfenster. Er ging darauf zu und presste seine Nase dagegen. Erschrocken wich er einen Schritt zurück. Diffus, aber dennoch eindeutig sah er durch die schmutzigen Scheiben den Ford in der Garage stehen.

„Was zum Teufel …?“, entfuhr es ihm, und er rüttelte an dem Tor. Es war verschlossen. Er ging zurück zum Haupthaus, legte eine Hand an das Fenster und erkannte einen Tisch, mehrere Stühle und ein großes Regal. Dazwischen sprang ein großer, sichtlich erregter, dunkler Hund umher und bellte immer noch wie wild. Durch ein zweites Fenster blickte er in ein geräumiges Badezimmer, an einem dritten Fenster waren die Vorhänge vorgezogen. Doch nirgendwo im Haus brannte Licht.

Steve ging zurück zur Garage und bog dann um die Ecke. An der Rückseite fand er eine Tür und drehte an dem Griff. Zu seiner Überraschung ließ sie sich aufstoßen. Gespannt betrat er die Garage.

Aufgeregt wie er war, kam es ihm nicht einmal annähernd in den Sinn, dass er gerade in ein fremdes Haus eindrang. Schnurstracks ging er auf den Ford zu und betrachtete ihn. Kein Zweifel, es handelte sich um den Dienstwagen des Washington Blizzards. Ungläubig schüttelte Steve den Kopf. Als er am Türgriff zog, öffnete sich die Wagentür mit dem gewohnt lauten Knarren. Dann setzte sich Steve auf den Beifahrersitz und öffnete das Handschuhfach. Zum Glück lag hier noch die kleine Taschenlampe, die er immer für den Notfall dabei hatte. Und heute war nun wahrlich ein Notfall! Als nächstes schaute er in die Seitenablagen beider Türen, doch auch sie waren leer. Zuletzt fiel ihm noch das Fach unter der Mittelarmlehne ein. Er klappte die gepolsterte Ablage hoch und darin lag … sein Mobiltelefon. *Neun Anrufe in Abwesenheit* stand auf dem Display. Der Mobiltelefonfinder hatte ihm also den richtigen Weg gewiesen.

Was ging hier vor? Seine Gedanken begannen sich zu drehen. Es ergab alles keinen Sinn. Wie zur Hölle kam der Ford in diese Garage an einem Ort, der weiß Gott nicht im touristischen Zentrum der Welt lag? Und vor allem: Wo war Peter?

Verwirrt öffnete Steve die Tür des Fords und stieg wieder aus. Plötzlich lief ihm ein Schauer über den Rücken.

Verdammt, dachte er, dass ich nicht gleich drauf gekommen bin! Jemand muss den Wagen gestohlen haben, und ich bin in der Garage dieses Kriminellen gelandet. Nichts wie raus hier und zur Polizei. Sein Herz fing an zu rasen, als er sich Richtung Tür wandte.

Erwachen

Es war bereits das dritte Mal, dass Peter an diesem Tag erwachte. Heute Morgen in seinem Hotelbett, dann nach diesem fürchterlichen Schlag auf den Kopf, und zuletzt hatte der Typ ihm vermutlich irgendein Zeug gespritzt, das ihn ausgeknockt hatte. Sollte er heute ein weiteres Mal auf unnatürliche Art und Weise das Bewusstsein verlieren, könnte es für immer sein, fürchtete Peter. Dann drehte er langsam den Kopf. Es war pechschwarz um ihn herum.

„Hey, bist du noch da?“, fragte Peter in die Finsternis und tastete herum, ob der Zungenlose noch bei ihm war. Nichts, kein Rascheln, kein Stöhnen – er war allein.

Dann versuchte Peter, sich aufzurichten, merkte aber sofort, dass das nicht so einfach war, wie er es sich vorgestellt hatte. Was für ein Teufelszeug hat mir dieses Monster bloß verabreicht?, fragte er sich, weiterhin bemüht, in eine erträglichere Position zu kommen.

Da zuckte er plötzlich zusammen. Jemand schien die Garagentür geöffnet zu haben. Vermutlich der Hausbesitzer, der zurückkam, um auch ihn zu holen! Was hatte der dem Zungenlosen angetan? Lebte er noch? Die Gedanken flackerten wild durch sein Gehirn, und er bebte vor Angst. In seiner derzeitigen Verfassung war er jeder Attacke auf Gedeih und Verderb hilflos ausgeliefert.

Jetzt klang es, als ob eine Autotür geschlossen wurde. Vermutlich hatte der Typ ein Fahrzeug in der Garage geparkt, um ihn nach getaner Arbeit bequem abzutransportieren. Eine Welle der Panik überkam ihn.

„Lass mich hier raus, du mieses Schwein!“, brüllte Peter so laut er nur konnte. Sein Körper verkrampfte sich, dann sank er resigniert zurück in die Ecke. Über ihm war alles still. Doch zu seiner Überraschung hörte er wenige Augenblicke später, dass sich jemand an der eisernen Klappe seines

Gefängnisses zu schaffen machte. Mit einem ohrenbetäubenden Klirren fiel die Metalltür zur Seite. Der Lärm ließ Peter wieder etwas zur Besinnung kommen, und eine neue Angstattacke überkam ihn. Hätte ich doch bloß den Mund gehalten!, schalt er sich. Vielleicht wäre der Typ dann erst später gekommen, und bis dahin wäre ich in der Lage gewesen, mich doch noch zu wehren.

„Peter!", hörte er jemanden seinen Namen rufen. Er fragte sich, ob die Panik ihn gerade den Verstand verlieren ließ.

„Peter, bist du da unten?!"

Die Stimme klang vertraut.

„Mein Gott, Steve!"

Peter blickte nach oben und konnte zwar immer noch niemanden sehen, war sich aber sicher, Steves Stimme erkannt zu haben. Ein Gefühl der Erlösung machte sich in ihm breit.

„Mann, wie kommst du hier runter?"

„Hol mich hier raus!", schrie Peter, ohne auf die Frage einzugehen. Er wollte einfach nur raus aus diesem Loch.

„Das Gitter ist verriegelt. Ich sehe mich mal in der Garage um, ob ich einen Schlüssel oder Werkzeug zum Aufbrechen finde!"

Die Minuten, in denen er Steve auf und ab gehen hörte, kamen Peter vor wie Stunden.

„Schlüssel habe ich zwar keinen gefunden, aber Werkzeug gibt es hier mehr als genug. Außerdem war hier oben noch eine richtig gute Taschenlampe. Mach mal die Augen zu, ich leuchte jetzt runter."

Peter hielt sich schnell eine Hand vor die Augen. Kurz darauf wurde es hell im Schacht.

„Mein Gott, was ist das denn für ein Rattenloch?", rief Steve. „Und du siehst ja furchtbar aus! Ist das dein Blut … bist du verletzt?"

„Ist schon in Ordnung, halb so wild", erwiderte Peter, fragte sich aber, wie schlimm er wohl aussah, wenn Steve so geschockt reagierte.

„Wenn du meinst. Kannst du dich zur Seite drehen, damit du nicht von irgendwas getroffen wirst, wenn ich das Schloss aufbreche?"

„Mach mal, ich halte mir die Hände über den Kopf!"

Aus den Augenwinkeln sah Peter, wie Steve die Lampe auf den Boden legte. Dann hörte er einen Knall, und gleich darauf klirrte etwas.

„Mist!", fluchte Steve.

„Was ist?"

„Das Ding ist ziemlich stabil, und außerdem rutscht es weg, sobald ich dagegen schlage!"

„Pass um Himmels willen auf, dass der Typ dich nicht auch noch erwischt!"

„Keine Angst, außer seinem Köter ist niemand zu Hause! Aber ich schaue sicherheitshalber nochmal raus."

Nach einer kurzen Pause leuchtete Steve wieder in die Öffnung.

„Weit und breit keiner zu sehen! Und ich habe hier noch eine große Rohrzange gefunden, damit probiere ich jetzt mein Glück!"

Ein paar Minuten lang hörte Peter, wie Steve über ihm herumwerkelte und gelegentlich fluchte. Dann klirrte es, und etwas fiel mit lautem Scheppern zu Boden.

„Los komm schon! Beeil dich!"

Peter blickte wieder nach oben. Das Gitter war verschwunden. Peter lächelte erleichtert, stützte sich gegen die Wand und versuchte sich aufzurichten. Er stöhnte. Sein Körper gehorchte ihm einfach nicht.

„Du musst es irgendwie schaffen, auf die Beine zu kommen, dann kann ich dich vielleicht hochziehen!", feuerte Steve ihn an.

Nach einigen schmerzhaften Verrenkungen hatte Peter es ein paar Minuten später endlich geschafft. Vor Anstrengung und Schwäche zitterte er am ganzen Körper. Nur mit Hilfe der Betonwand konnte er das Gleichgewicht halten.

„Hier unten sind ein paar Metallstifte in der Wand, aber ich habe nicht genug Kraft, um mich hochzuziehen!"

„Warte!"

Steve war klar geworden, dass er Peter nur befreien konnte, wenn er selbst in den Schacht stieg. Es widerstrebte ihm zutiefst, sich freiwillig wie eine Maus in die Falle zu setzen. Er ging zurück zum Garagentor und blickte nervös durch die verschmierte Glasscheibe. Immer noch war niemand zu sehen. Halbwegs beruhigt, ging er wieder zum Schacht zurück, als ihm ein Kabel auffiel, das etwas schlampig an der Decke entlang verlegt war. Hastig folgte er dem Verlauf der Leitung, dann zuckte er erschrocken zusammen. Am Ende des Kabels war eine Art Verteiler angebracht, aus dem ein zweites Kabel hervorging. Eine der Leitungen verlief nach draußen und verschwand durch eine Bohrung in der Wand. Am Ende des anderen war auf einem Balken eine Webcam montiert. Die kleine Kamera im ovalen Plastikgehäuse war auf den Schacht ausgerichtet und konnte ungefähr ein Drittel der Garage erfassen.

„Verdammt!", rief Steve und warf abermals einen flüchtigen Blick durch das Fenster. Dann eilte er hinüber zum Schacht.

„Drück dich eng gegen die Wand. Ich komme runter!"

Steve hatte ein mulmiges Gefühl, als er zu Peter hinunter stieg. Was, wenn der Typ ausgerechnet in dem Augenblick zurückkehrte, wenn sie beide im Schacht saßen? Er musste einfach nur das Gitter zuwerfen, und sie hätten keine Chance, sich zu wehren. Möglicherweise hatte er ihn auch die ganze Zeit beobachtet und wartete nur auf diese Gelegenheit. Jetzt fiel ihm auch ein, dass er niemandem Bescheid gesagt hatte, wohin er gefahren war. Selbst wenn ihn sein Kollege aus der Redaktion vermisste, würde ihn hier garantiert niemand finden. Er atmete tief durch, um diese Gedanken zu verdrängen und sich auf Peters Rettung zu konzentrieren. Sekunden später stand er neben ihm im Schacht.

„Los, wir haben es eilig. Der Typ hat eine Webcam in der Garage installiert und weiß vermutlich, dass ich hier bin!"

Wortlos setzte Peter das linke Bein auf den ersten Metallstift und umklammerte mit beiden Händen den nächsten, der sich auf Brusthöhe befand. Seine Finger waren steif und kraftlos. Er spürte, wie sich zwei Hände um seine Hüfte legten und ihn kräftig nach oben schoben. Doch da rutschte Peters Hand ab, und er fiel nach hinten. Steve schrie laut auf, und gemeinsam knallten sie rücklings gegen die Betonwand. Ächzend rappelten sie sich wieder auf.

„Hör zu, ich weiß nicht wie, aber du musst alles geben und dich an diesen Stiften hochziehen, sonst sitzen wir in der Falle“, keuchte Steve.

„Ich gebe mein Bestes.“

„Pssst, sei mal leise.“

Die Männer hielten die Luft an und lauschten, ob von oben etwas zu hören war. Nach einigen Sekunden gab Steve Entwarnung: „Okay, noch scheint niemand hier zu sein. Vielleicht haben wir ja Glück.“

Abermals ergriff Peter einen Metallstift und setzte seinen Fuß auf den untersten. Steve schob von unten, und Peter stieg einen Schritt höher. Es kostete ihn all seine verfügbare Kraft, aber diesmal klappte es, und ein paar Minuten später rollte sich Peter über die Kante auf den Garagenboden. Steve folgte unmittelbar hinter ihm.

Er half Peter auf die Beine und stützte ihn. Dieser starrte in den Schacht hinunter und konnte nicht glauben, dass er nur einen Tag lang darin gesessen hatte. Es kam ihm vor wie eine Ewigkeit.

Sein ganzer Körper zitterte, und selbst mit Steves Unterstützung hatte er Mühe, stehen zu bleiben.

Wortlos zeigte Steve auf die Webcam an der Decke und zog ihn Richtung Tür.

„Wir haben keine Zeit zu verlieren! Er kann jeden Augenblick hier auftauchen!“

„Ich tu mein Bestes“, entgegnete Peter.

Er drückte Steve von sich und versuchte, eigenständig die nächsten Schritte zu machen. Dann blickte er sich noch einmal um und schüttelte den Kopf.

„Warte kurz!"

Mit wackeligen Beinen ging Peter ein Stück zurück, griff an die Decke und riss mit einem Ruck am Kabel den Verteiler herab. Die Bewegung war so heftig, dass die Webcam sich ebenfalls löste und zu Boden fiel. Hasserfüllt trat Peter auf das Plastikgehäuse, so dass es unter seinem Gewicht zersplitterte.

„Komm jetzt, bevor er doch noch hier auftaucht", mahnte Steve.

Er griff Peter erneut am Arm, und gemeinsam verließen sie die Garage. Wenig später saßen die beiden Männer in dem Auto, mit dem Steve gekommen war und rumpelten die Einfahrt hinunter. Erst als sie die Landstraße nach Leesburg erreicht hatten, wagten sie es das erste Mal aufzuatmen.

„Was ist mit dem Ford?", fragte Peter.

„Ich denke, um den wird sich die Polizei kümmern, sobald sie den Typen in Gewahrsam haben."

„Das heißt, wir fahren jetzt direkt zu einem Revier?"

„Klar, oder hast du einen anderen Vorschlag?"

Peter zuckte mit den Schultern.

„Kannst du nicht von hier aus anrufen?"

„Ich habe das Handy im Ford vergessen, aber in Leesburg finden wir sicher ein Polizeirevier. In der Zwischenzeit kannst du mir vielleicht erzählen, wie um alles in der Welt du in dieses Loch geraten bist!"

Peter schüttelte den Kopf und antwortete: „Ich fürchte, du würdest mir die Geschichte nicht glauben!"

Steve deutete ein Lächeln an.

„Versuch's!"

Aber Peter sagte stattdessen: „Erklär mich bitte nicht für verrückt, aber ich denke, wir sollten jetzt noch nicht zur Polizei fahren."

„Waaas?“, fragte Steve und schaute Peter verständnislos an.

„Ursprünglich war noch jemand mit mir in dem Schacht“, fuhr dieser fort, wurde aber von Steve unterbrochen.

„Die Sache wird ja immer verrückter. Was schlägst du vor, was wir als nächstes tun?“

„Kurz bevor du aufgetaucht bist, ist dieser Mitgefangene abgeholt worden. Wann genau, kann ich schlecht sagen, denn vorher hat der Typ mir etwas gespritzt, das mich außer Gefecht gesetzt hat.“

„Und warum sollen wir jetzt nicht zur Polizei fahren? Sicher werden die sich auch darum kümmern!“, wandte Steve ein.

„Jetzt lass mich endlich mal ausreden!“, rief Peter ärgerlich. „Man hatte ihm die Zunge herausgeschnitten, weshalb er nicht sprechen konnte, aber ich glaube ich weiß, wer dieser Mann war.“

Peter hielt inne, als wolle er Steve absichtlich auf die Folter spannen. Als der gereizt die Augenbrauen hochzog, fügte er wie beiläufig hinzu: „Ich bin mir sicher, dass es sich um den entführten Senator handelt!“

Dieser Satz schlug ein wie eine Bombe.

Wortlos setzte Steve den Blinker und trat hart auf die Bremse. Mit quietschenden Reifen kam der Wagen zum Stehen. Betont lässig ließ er das Lenkrad los und schaute Peter direkt in die Augen.

„Okay. Gehen wir einfach einmal davon aus, der Mann war wirklich der Senator, dann haben wir es ja wohl mit dem Killer zu tun. Wäre es dann nicht erst recht sinnvoll, sofort die Polizei einzuschalten, Mr. Sherlock Holmes?“, fauchte Steve.

Dass Peter es überhaupt in Betracht zog, nicht direkt zur Polizei zu fahren, machte ihn wütend.

„Da ist noch etwas“, sagte Peter ruhig, um Steve nicht noch weiter zu reizen. Nur so wäre der Senator zu retten.

„Bevor mich der Typ außer Gefecht gesetzt hat, erwähnte er noch etwas. Er wollte mit dem Senator einen Ausflug nach

Downtown machen. Zum Ursprung der Unabhängigkeit, und dieser würde sich in der Seele des Senators spiegeln. Ich bin mir nicht sicher, was er damit meinte, aber wenn wir nicht schnell etwas unternehmen, gibt es heute Nacht garantiert einen weiteren Toten."

Steve atmete gequält aus: „Ich verstehe nur Bahnhof."

„Nun, ich glaube nicht, dass der Killer Downtown Leesburg gemeint hat. Das würde wohl kaum spektakulär genug."

„Washington D.C.", platzte Steve hervor. „Aber was bedeutet dieses Gefasel vom Ursprung der Unabhängigkeit?"

„Das weiß ich auch nicht. Aber eines weiß ich sicher: Wenn es nicht ohnehin schon zu spät ist, einen weiteren Mord zu verhindern, dann müssen wir sofort handeln!"

Steve starrte hinaus in die Dunkelheit, die Worte ‚zu spät' und ‚sofort handeln' wirbelten durch seinen Kopf und weckten böse Erinnerungen. Bereits zweimal hatte er Menschen aus Untätigkeit verloren. Seine Frau Megan war damals zwar nicht gestorben, aber sie hatte ihn verlassen, während er tatenlos zugesehen hatte. Und an Kathys Tod fühlte er sich irgendwie mitschuldig. Hätte er sie nur davon abgehalten, zu den Männern in den Wagen zu steigen, wäre vermutlich alles anders gekommen.

„Was ist nun? Fahren wir? Mit jeder Sekunde sinkt die Überlebenschance des Senators!", unterbrach Peter seine Gedanken.

„Ich habe kein gutes Gefühl dabei, aber falls du Recht hast, würde ich mir ein Leben lang Vorwürfe machen, wenn wir nichts tun."

Steve klang resigniert, aber er wusste, wenn Peter Recht hatte, war es eine Chance. Eine Chance, nicht nur den Senator zu retten, sondern auch mit sich selbst ins Reine zu kommen.

Peter war nichts mehr davon anzumerken, dass er gerade noch in einem dunklen Schacht gefangen gewesen war. Jetzt sprühte er vor Energie.

„Hör zu, ich will die Gefahr nicht herunterspielen. Aber wenn wir zur Polizei gehen, müssen wir die erst einmal von dieser verrückten Geschichte überzeugen. Und das könnte dauern. Bis dahin ist es mit Sicherheit zu spät."

„Ist ja schon gut. Du hast mich überredet."

Steve legte den Sicherheitsgurt wieder an und drehte den Zündschlüssel. Er hatte seine Beherrschung zurückgewonnen, blickte kurz in den Rückspiegel und gab Gas.

Der Obelisk

Wenig später befanden sich die beiden Männer auf der Tollroad mit dem Ziel National Mall, Downtown Washington D.C.

„Wonach suchen wir eigentlich?"

Steve wirkte so konzentriert, als führen sie einen kurvigen Waldweg entlang, anstatt auf der schnurgeraden, mehrspurigen Straße.

„Den Ursprung der Unabhängigkeit", erwiderte Peter und räusperte sich. „Ehrlich gesagt habe ich keine Ahnung, was das sein soll. Klingt ziemlich philosophisch."

Steve reagierte nicht.

„Vermutlich meint er eine Gedenkstätte oder so. Irgendwas, das an ein wichtiges politisches Ereignis erinnert. Zumindest würde das dazu passen, dass er einen Politiker entführt hat."

„Dann fangen wir am besten beim Kapitol an", antwortete Steve. „Vielleicht stoßen wir da ja zumindest auf einen Hinweis!"

Peter nickte.

„Nachdem ich mich jetzt schon zu dieser Harakiriaktion überreden lassen habe, willst du mir nun zumindest erzählen, wie du in diesen Schacht da draußen gekommen bist?", fragte Steve und erhöhte die Geschwindigkeit.

„Na gut, …"

„Jetzt schieß endlich los!"

„Meine Neugierde natürlich! Nachdem ich dich gestern nach Hause gebracht hatte, bin ich zu Kathys Grab gefahren."

Peter sah Steve an und schien auf eine Reaktion zu warten. Dieser zuckte kurz und atmete tief ein, sagte aber nichts.

„Frag mich bitte nicht, was genau ich dort gesucht habe, ich weiß es selbst nicht", fuhr Peter fort. „Anschließend wusste ich jedenfalls nicht mehr, wie ich zum Hotel kommen sollte. Also fing ich an, mit dem GPS rumzuspielen. Es gibt in diesem Teil eine Funktion namens *Home*. Ich dachte, so käme ich wieder zu deinem Apartment und könnte von dort den Weg zurück finden. Also habe ich den Knopf gedrückt und bin den Anweisungen nachgefahren, bis ich plötzlich vor der Einfahrt stand. Da war es bereits dunkel. Jedenfalls war ich erst recht neugierig geworden und musste einfach herausfinden, wessen Adresse in dem GPS als Home gespeichert war. Ich schlich mich also auf das Grundstück und beobachtete aus sicherer Entfernung einen Mann in der Garage. Dabei schien mir, er würde einen Körper über den Boden zerren. Das Problem war nur, dass sein Köter mich gewittert hat und ich Hals über Kopf flüchten musste!"

Mit tonloser Stimme unterbrach ihn Steve: „Hast du sein Gesicht sehen können oder irgendetwas anderes an ihm erkannt?"

„Nein, ich war zu weit weg. Eigentlich wollte ich auch gar nicht nochmal zurückfahren, aber die Geschichte ging mir nicht mehr aus dem Kopf. Das Ergebnis meines zweiten Besuchs kennst du ja."

Steve schwieg immer noch. Nach einer Weile beschloss Peter, eine längst überfällige Frage zu stellen.

„Weißt du, wie die Adresse in das Navigationsgerät kam?"

„Nein, ich habe keine Ahnung. Aber ich werde dir etwas anderes erzählen."

Peter zog die Augenbrauen hoch.

„Es gab zu keinem Zeitpunkt einen Verdächtigen für die Mordfälle!"

„Wie bitte?"

Jetzt war es Peter, dem der Atem stockte.

„Und was sollte dann die Geschichte mit diesem Alexander Wehrmann?"

„Das war nur ein Vorwand."

„Ein Vorwand für was?", fragte Peter gereizt.

„Wie dir sicher bekannt ist, hängt der Erfolg aller Unternehmen oder Organisationen in erster Linie von ihrer Finanzkraft ab. So war und ist das auch beim Bündnis. Mittlerweile unterstützen uns einige durchaus betuchte Leute, die aber an unserem höheren Ziel nicht interessiert sind. Im Gegenteil, sie stehen vielmehr für das, was wir bekämpfen wollen und versuchen, unsere Arbeit für sich auszunutzen. Aber weil das Bündnis ohne ihr Geld keine Zukunft hat, müssen wir versuchen, Synergien zu schaffen, die sowohl den Zielen des Bündnisses dienen als auch denen der Investoren."

„Kannst du mir das Vorgeplänkel ersparen und auf den Punkt kommen?"

„Vor einiger Zeit kam über Joes Kontakte nach Europa eine Verbindung mit einem Großunternehmer zustande. Ich habe ihn nie kennen gelernt, denn so jemand spricht nicht mit Leuten meiner Einkommensklasse. Joe hat diesen Kontakt allein gepflegt und uns nur über den Stand der Dinge informiert. Dem Typ gehören zig Unternehmen in unterschiedlichen Branchen weltweit, und er müsste eigentlich auf unserer Beobachtungsliste stehen. Aus irgendeinem Grund wollte er aber das Bündnis fördern und darin investieren. Vermutlich, um einen Konkurrenten aus dem Feld zu schlagen. Er forderte jedenfalls von uns, dass das Bündnis ab sofort international auftreten sollte. Außerdem sagte er, ein Problem, das in der ganzen Welt existierte, ließe sich nicht mit einem regionalen Ansatz lösen. Anfangs fiel es uns schwer zu glauben, dass ein Mann in seiner Position und mit seinen Mitteln sich diesen Einfluss nicht vor Ort kaufen konnte, sondern uns dafür brauchen würde. Später erfuhren wir dann, wie komplex die Dinge eigentlich waren und wie katastrophal die Folgen wären, falls sein Name auch nur gerüchteweise mit derartigen Dingen in Verbindung gebracht würde."

„Was meinst du mit komplex und katastrophal? Geht das etwas präziser?"

„Gern, aber nicht jetzt, so viel Zeit haben wir nicht."

„Okay, dann erklär mir zumindest, wie ich hier ins Spiel komme!"

„Wir versuchen natürlich immer, einen groben Überblick über ähnliche Gruppierungen wie das Bündnis zu haben, auch in anderen Ländern. Im Zeitalter des Internets ist das ja keine große Sache mehr. Dadurch wussten wir auch von der Existenz der Arbeiterfront und von Alexander Wehrmann."

„Das ist keine Antwort auf meine Frage!"

„Im Zuge unserer Recherche sind wir auf ein paar deiner Arbeiten gestoßen. Da dieser Unternehmer übrigens auch aus Deutschland stammt, war es naheliegend, dich an Bord zu holen."

„Aha! Klingt ziemlich weit hergeholt", kommentierte Peter.

„Vielleicht, aber so war es. Immerhin hatten wir bis dahin keine Kontakte nach Deutschland, und irgendwo mussten wir ja anfangen!"

„Warum habt ihr die Arbeiterfront nicht direkt kontaktiert?"

„Das hatten wir ursprünglich vor. Allerdings haben wir bald gemerkt, dass deren Vorgehensweise nicht wirklich zu uns passte. Dennoch hatten sie etablierte Kanäle, die uns nützlich erschienen. Wir brauchten also jemanden, der mehr über die Gruppe herausfinden, aber nicht mit uns in Verbindung gebracht werden konnte. Du warst der perfekte Kandidat. Wir beschlossen, Garret nach Deutschland zu schicken, um dich anzulocken. Zugegebenermaßen war die Idee mit der Speicherkarte nicht die genialste, aber irgendwie mussten wir dein Interesse gewinnen, ohne dich direkt anzusprechen. Schließlich ging es um hochsensible Informationen, und bis wir wussten, wie du reagieren würdest, durfte nichts über das Bündnis bekannt werden. Dann kam es zu einer Panne. Garret sollte nur die Liste und ein fingiertes Lockdokument auf der Karte hinterlegen, hat es aber irgendwie geschafft, das ganze Verzeichnis zu kopieren. Uns blieb also keine andere Wahl, als in dein Apartment einzubrechen und die anderen Dateien zu löschen, in der Hoffnung, dass du sie bis dahin noch nicht geöffnet hattest. Übrigens war nicht einmal Garret in die wahren Hintergründe eingeweiht, und selbst ich habe das Ganze nur durch Zufall mitbekommen. So geheim war die Sache. Du brauchst also nicht beleidigt zu sein."

„Jetzt wird mir so einiges klar."

Peter hatte mit offenem Mund zugehört und musste die Neuigkeiten erst verdauen.

„Noch etwas", fuhr Steve fort. „Natürlich haben wir nicht mit Joes Unfall gerechnet und hängen momentan ziemlich in der Luft. Es gibt eine Vereinbarung, dass zumindest er und Martin ständig alle wichtigen Informationen untereinander austauschen sollten. Aber allein wegen seiner Position gibt es keinen vollwertigen Ersatz für Joe. Die Dinge geraten allmählich aus dem Ruder, denn Martin scheint der Situation nicht ganz gewachsen zu sein."

„Und die Morde?"

„Darüber wissen wir tatsächlich nicht mehr als du."

„Vielleicht kann ja zumindest dieses Problem heute Nacht aus der Welt geschafft werden."

In diesem Augenblick erreichten die beiden Männer Washington D.C., und während sie die Constitution Avenue entlang fuhren, sagte Peter: „Wir sollten jetzt die Augen offen halten, vielleicht fällt uns ja etwas auf."

Steve nickte. Zu dieser Uhr- und Jahreszeit wirkte die Stadt wie leergefegt. Hin und wieder schlief ein Obdachloser am Straßenrand, ansonsten zeigte sich keine Menschenseele. Peter beobachtete, wie der Wind die letzten Blätter über die Straße wehte und erkannte durch die kahlen Bäume und Sträucher einige der berühmten Bauwerke. Sie fuhren am Vietnam Memorial vorbei, dann am Washington Monument. Erst vor zwei Tagen hatte Steve ihn hier für seinen Besuch in der National Gallery of Art abgesetzt, und doch faszinierte ihn der Anblick wie beim ersten Mal. Der Obelisk, das Symbol der Unabhängigkeit der Vereinigten Staaten, dachte Peter – und erstarrte.

„Der Obelisk, der Obelisk", wiederholte er gedankenverloren.

„Stopp! Halt sofort an!"

Erschrocken machte Steve eine Vollbremsung und schaute Peter verdutzt an. Dieser wirkte wie in Trance und brummelte weiter vor sich hin „Das ist es, das muss es sein", während er nach dem Griff tastete, um die Tür zu öffnen. Gerade als er im Begriff war auszusteigen, packte Steve ihn an der Schulter.

„Was ist los, weihst du mich vielleicht mal ein, was du vorhast?"

„Das Washington Monument wurde zu Ehren von George Washington gebaut. Der wiederum verkörpert für viele die Unabhängigkeit der Vereinigten Staaten!"

Damit riss Peter sich los, sprang aus dem Wagen und lief auf die Grünfläche, die das Washington Monument umgab. Steve sah keine andere Möglichkeit, als ebenfalls auszusteigen und ihm zu folgen. Als er Peters offene Beifahrertür sah, wollte er ihr schon einen Stoß geben, um sie zu schließen, entschied sich dann aber dagegen. In regelmäßigen Abständen fuhren die ganze Nacht über Polizeistreifen durch die Stadt. Nicht genug, dass der Wagen an einer Stelle parkte, wo es strikt verboten war, stand auch noch die Tür weit offen. Das musste einfach das Misstrauen der Polizisten erregen, und sie würden sicherlich nachsehen, was hier vorging.

„Weiß der Teufel, für was es noch gut ist", sagte Steve zu sich selbst und rannte hinter Peter her.

Als er Peter endlich einholte und schwer atmend neben ihm stand, stützte dieser seine Hand gegen einen Fahnenmast und starrte an dem hell beleuchteten Bauwerk vorbei in den Himmel.

„Hast du was entdeckt?"

„Nein, aber es ist unglaublich, welche Ausstrahlung dieser Platz hat!"

Steve konnte diese Begeisterung überhaupt nicht teilen, denn sie standen hier immerhin auf dem Präsentierteller, und falls sich der Killer tatsächlich in der Nähe befand, wäre es nicht das geringste Problem, ihnen eine Kugel durch den Kopf zu jagen.

„Bist du eigentlich noch ganz bei Trost?", fauchte Steve. „Wenn du Sightseeing machen willst, such dir gefälligst eine andere Zeit und vor allem andere Umstände dafür aus!"

„Jetzt beruhige dich erst mal", entgegnete Peter leise. „Ich denke gerade darüber nach, welches Szenario sich dieser Verrückte wohl für seinen Mord hier ausgedacht hat und wonach wir suchen sollten." Obwohl Steve sich immer noch fürchtete, war es ihm fast peinlich, dass er so aufbrausend reagiert hatte, und er schwieg.

„Und noch etwas", legte Peter den Finger in die Wunde, „an deiner Stelle würde ich nicht so rumschreien, sonst hätten wir unseren Besuch hier gleich offiziell anmelden können."

„Ist ja schon gut, tut mir Leid", sagte Steve kleinlaut. „Und was machen wir jetzt?"

„Keine Ahnung. Vielleicht sollten wir einmal um das Ding herum gehen und schauen, ob uns etwas auffällt."

Die beiden Männer blickten sich immer wieder nervös um, während sie das Bauwerk umrundeten. Eine Minute später standen sie wieder an ihrer Ausgangsposition.

„Verdammt! Vielleicht habe ich mich doch getäuscht mit meiner Theorie", schimpfte Peter. „Lass uns zum Auto zurückgehen."

Steve nickte nur und verkniff sich einen spitzen Kommentar zu ihrem nächtlichen Ausflug.

„Wollen wir's jetzt am Kapitol versuchen?", fragte er stattdessen, als die beiden wieder im Auto saßen.

„Ich weiß zwar nicht warum, aber ich habe so ein Gefühl, dass wir hier gar nicht so falsch sind. Gib mir noch eine Chance."

Nach einer kurzen Pause fuhr er fort: „Kann man eigentlich das Gelände, auf dem der Obelisk steht, mit dem Auto umfahren?"

„Prinzipiell schon, aber ich habe keine Ahnung, wie nah wir dabei am Monument bleiben können."

„Egal, probieren wir es. Fahr los!", antwortete Peter konzentriert.

Steve sah auf die Uhr. Es war kurz vor Mitternacht. Er hatte seinem Kollegen versprochen, das Auto bis spätestens 19 Uhr zurückzubringen. Ob dieser inzwischen wohl bei der Polizei angerufen hatte? Dann startete er und fuhr los. Peter inspizierte jeden Busch, so gut das im Vorbeifahren möglich war. Er schreckte regelrecht auf, als Steve plötzlich rief: „Laust mich der Affe!"

„Was ist?"

„Erkennst du das Auto da vorne?"

„Nein, was ist damit?"

Steve hatte direkt hinter dem anderen Wagen gehalten und stieg aus. Dann marschierte er mit schnellen Schritten um das Fahrzeug, betrachtete es von allen Seiten und versuchte, durch ein Fenster ins Innere zu sehen.

Ungläubig schüttelte Steve den Kopf, als er sich wieder in den Fahrersitz setzte.

„Wir beide kennen den Besitzer dieses Wagens."

„Aha, und wer ist es?"

Ohne auf Peters Frage einzugehen, sprach Steve weiter: „Außerdem ist mir noch etwas eingefallen."

Als er sich Peter zuwandte, sah dieser, wie blass Steve geworden war.

„Ich hatte von Anfang an den Eindruck, das Haus, in dessen Garage du gefangen warst, schon einmal gesehen zu haben. Jetzt erinnere ich mich wieder!"

Peter starrte Steve mit großen Augen an und brachte nicht mehr hervor als „Spuck es aus!"

„In Martins Büro hängt ein Bild von dem Haus – von seinem Haus!"

„Und das Auto, nehme ich an, ist sein Auto", ergänzte Peter tonlos.

Einige Sekunden lang brachte keiner von beiden ein Wort hervor. Dann sagte Peter: „Sonderlich sympathisch war er mir ja nie, aber dass er ein Mörder sein soll, kann ich mir fast nicht vorstellen!" Nach einer kurzen Pause fuhr er fort: „Allerdings ist da noch etwas. Kurz bevor der Typ mir diese Spritze verabreicht hat, hat er ein paar Worte mit mir gesprochen. Jetzt wo du es sagst, fällt es mir wieder ein, dass ich kurz den Eindruck hatte, die Stimme würde wie die von Martin klingen. Allerdings bin ich dann direkt bewusstlos geworden und habe seitdem nicht mehr darüber nachgedacht."

Steve starrte auf das Fahrzeug vor ihnen, als er sagte: „Ich kann es noch immer nicht glauben. Wir sind zwar nie wirklich Freunde gewesen und haben uns auch privat nicht getroffen, aber immerhin hat er mich damals von der Straße geholt. Deshalb bin ich ihm eigentlich auf ewig zu Dank verpflichtet. Und ich dachte immer, dass er im Kern ein guter Mensch sei."

„Es ist wohl immer schwierig, sich so etwas vorzustellen, wobei wir ja noch nicht mal wissen, ob er tatsächlich in die Sache verwickelt ist. Falls doch, hoffe ich aber sehr, dass du nicht etwa vorhast, einen Mörder zu decken, oder?"

Peter sah Steve prüfend an.

„Natürlich nicht!"

„Gut, dann lass uns später weiter reden. Möglicherweise stirbt da draußen gerade ein Senator, und wir können es noch verhindern."

Die beiden Männer sprangen aus dem Wagen, Peter schloss die Tür hinter sich, während Steve seine abermals bewusst offen stehen ließ. Gerade als Steve Richtung Monument loseilen wollte, hielt Peter ihn am Arm zurück.

„Warte!“

„Was ist? Ich dachte,wir haben es eilig?“

„Wir haben das Gebiet rund um das Monument doch schon abgegrast und nichts gefunden. Nur, weil wir diesmal aus der anderen Richtung kommen, wird sich nichts daran ändern, dass dort niemand ist.“

Steve sah ihn verdutzt an.

„Du hast Recht, aber irgendwo in der Nähe hier muss er doch sein.“

Peter nickte.

„Ich glaube auch nicht, dass er sich allzu weit von seinem Wagen entfernt hat, schließlich hat er den Senator im Gepäck.“

„Hinter den Gedenksteinen des World War II Memorials gibt es zig Möglichkeiten, sich zu verstecken. Vielleicht hat er uns ja längst bemerkt und versteckt sich dort irgendwo“, flüsterte Steve.

Peter antwortete ebenso leise: „Möglich, aber hat dieses Memorial irgendwas mit dem Ursprung der Unabhängigkeit zu tun?“

„Keine Ahnung, vielleicht hat er das auch nur einfach dahingesagt!“

Steve wollte schon in Richtung der großen Gedenksteine aus Granit gehen.

„Warte, das war nicht alles, was er gesagt hat!“ Peter sah Steve durchdringend an. „Er hat außerdem erwähnt, dass sich dieser Ursprung in der Seele des Senators spiegeln wird.“

Er drehte sich um und zog Steve mit sich. In dieser Richtung lag der Reflecting Pool direkt vor ihnen und erstreckte sich weit in die Grasfläche hinaus.

„Das Washington Monument spiegelt sich im Reflecting Pool, daher der Name. Stand in einem Reiseführer.“

Er warf Steve einen vielsagenden Blick zu, der abwechselnd zu den beiden Sehenswürdigkeiten hinüber sah.

„Steve, verstehst du nicht?", fragte Peter ungeduldig. „Das Washington Monument steht als Symbol für die Unabhängigkeit der Vereinigten Staaten und spiegelt sich, wie du siehst, im Reflecting Pool! Ich glaube nicht, dass das Monument selbst der Ort ist, den wir suchen, sondern der überdimensionale Teich dort drüben!"

Steve antwortete nicht, sondern setzte sich wortlos in Bewegung. Peter folgte ihm. Fast geräuschlos schlichen die beiden Männer voran.

„Halte möglichst viel Abstand von den hohen Steinen und Mauern. Es wäre ein Leichtes, sich dahinter zu verstecken und uns aus dem Hinterhalt anzufallen", warnte Steve.

Kurz darauf erreichten sie den Rand des Pools und starrten gespannt darüber hinweg in die Dunkelheit.

„Der Pool ist mehr als sechshundert Meter lang und fünfzig Meter breit. Nehmen wir einmal an, dieser Verrückte hat mit *in der Seele spiegeln* gemeint, dass er den Senator darin ertränken will …", Peter zögerte, „und wir versuchen, einen Körper darin zu finden, dann haben wir gute Chancen, vorher selbst an Unterkühlung zu sterben. Außerdem ist es mittlerweile stockdunkel und …"

„Pssst!", unterbrach ihn Steve. „Da war ein Geräusch – es klang wie ein Plätschern. Ich glaube, es kam aus dieser Richtung."

Steve zeigte mit dem Finger aufs Wasser, und Peter folgte seinem Blick.

„Du hast Recht, da schwimmt was."

„Das ist ein Boot! Los, lass uns …"

Peter hörte ein dumpfes Geräusch, gleichzeitig stöhnte Steve auf und stürzte zu Boden. Alles passierte so schnell, dass Peter nicht sofort begriff, was passiert war. Instinktiv wirbelte er herum, und im selben Moment bekam auch er einen brutalen

Schlag gegen die Schläfe. Er schwankte, fiel aber im Gegensatz zu Steve nach hinten und damit in den Pool. Mit lautem Klatschen landete er auf der Wasseroberfläche. Das kalte Wasser, das innerhalb von Sekunden wie die Stiche von Tausenden von Nadeln durch die Kleidung und an seinen Körper drang, spürte er nicht mehr.

Die Geisel

Steve wusste weder, wo er war, noch wie lange er bereits die Besinnung verloren hatte. Die Geräusche um ihn herum und das Rütteln des Untergrunds deuteten allerdings darauf hin, dass er auf der Ladefläche eines Pick-up Trucks lag. Als er ein paar Zentimeter nach links rollte, stieß er gegen eine Seitenwand. Jemand hatte ihm einen Sack über den Kopf gestülpt, so dass er nichts sehen konnte. Außerdem hatte man ihn gefesselt, und sein Schädel brummte.

Zumindest lebte er noch! Er erinnerte sich, wie er mit Peter am Pool gestanden und nach dem Senator Ausschau gehalten hatte. Was danach passiert war, wusste er nicht.

Offenbar war er niedergeschlagen worden. Sollte es wirklich Martin gewesen sein? Aber wieso hatte der ihn mitgenommen?

Etwa eine halbe Stunde später hielt der Wagen an. Kurz darauf wurde eine Tür des Fahrzeugs geöffnet, jemand packte ihn an den Beinen und zog daran.

Steve fühlte sich zwar schwach, war aber nicht bereit, sich kampflos zu ergeben. Die Kapuze über seinem Kopf verhinderte, dass er sehen konnte, wo der andere sich befand. Während dieser weiter an ihm herum zerrte, zog Steve langsam, und so unauffällig wie möglich, seine zusammengeschnürten Beine etwas an.

„Los, du Penner, stell dich nicht so an. Steh auf!", fuhr ihn sein Peiniger an. Steve konnte nicht sagen, ob es Martins Stimme war.

Jedenfalls vermutete er den Mann jetzt genau vor sich und dachte: jetzt oder nie. Er trat zu so fest er nur konnte, bereute seinen Plan jedoch sofort. Der Tritt entpuppte sich als ungeahnt kraftlos und matt. Zu angeschlagen war er nach der Bewusstlosigkeit, und zu sehr engten ihn die Fesseln ein. Es war nicht mehr als ein lächerlicher Rempler gewesen, und der

Mann lachte unbarmherzig, bevor er ihm einen Faustschlag in den Magen versetzte. Anschließend zog er noch einmal heftig an Steves Beinen. Dieser rutschte wie ein nasser Sack von der Ladefläche und knallte auf den Boden. Er stöhnte vor Schmerz.

„Bevor du noch mal auf dumme Ideen kommst, verpasse ich dir lieber eine Ladung. Schlaf gut!“

Eine Sekunde später spürte Steve, wie eine Nadel in seine Armbeuge eindrang. Dann verlor er erneut das Bewusstsein.

Der Senator

Peter hustete wie verrückt und spuckte immer wieder Wasser. Er hatte Glück gehabt, denn das Becken des Reflecting Pools war an dieser Stelle nicht sehr tief, und als er registriert hatte, dass er Wasser anstatt Luft einatmete, war es ihm irgendwie gelungen, instinktiv den Kopf aus dem Wasser zu heben. Das hatte ihm sein Leben gerettet.

Nun kniete er im seichten Wasser und fragte sich, warum Steve ihm nicht half. Etwas ärgerlich schaute er in alle Richtungen, konnte ihn aber nirgendwo sehen. Als er hinter sich ein Auto starten hörte und sich umdrehte, war er schlagartig wieder bei Sinnen.

Martins Auto fuhr gerade los! Peter versuchte aufzuspringen, aber durch das kalte Wasser waren seine Gliedmaßen fast steif gefroren. Mühsam kroch er auf allen Vieren zum Beckenrand und stützte sich dort ab, um langsam auf die Beine zu kommen. Dann drehte er sich etwas und starrte auf die dunkle Wasseroberfläche, konnte aber nichts erkennen.

Plötzlich stieg Panik in ihm auf, und unter Aufbietung all seiner Kraft watete er zurück in den Pool. Dabei griff er immer wieder hektisch in das kalte Nass. Wo war Steve?

Ein paar Minuten später wurde ihm klar, dass er Steve in diesem riesigen See nie finden würde – zumindest nicht rechtzeitig. Außerdem zitterte er selbst am ganzen Körper. Er musste das Becken sofort verlassen, wenn er nicht an Unterkühlung sterben wollte. Während er über den Rand stieg, bemerkte er plötzlich eine Schleifspur im Rasen, und ihm wurde klar, dass er Steve ohnehin nicht mehr im Wasser suchen brauchte.

Ob der Killer ihn zurückgelassen hatte, weil er ihm egal war, oder weil er dachte, er würde ohnehin ertrinken, konnte Peter nicht sagen. Bei diesem Gedanken erinnerte er sich jedoch wieder an den Grund, der ihn und Steve ursprünglich hierher geführt hatte.

„Der Senator!“, entfuhr es ihm.

Peter stolperte ein Stück am Pool entlang und erkannte nun auf dem Wasser tatsächlich einen Holzkahn. Am Heck wehte im leichten Wind eine überdimensionale Flagge, auf der in großen Buchstaben KAPITALISMUS stand. Der Bug des Kahns lag merkwürdig tief im Wasser, und ein leises, regelmäßiges Gluckern war zu hören. Als das Boot sich ein wenig um die eigene Achse drehte, erhellte das Mondlicht einen Körper.

„Senator!“, schrie Peter. „Ich komme!“

Steif gefroren stakste Peter los, bis er auf Höhe des Kahns plötzlich der Länge nach hinschlug. Es war, als hätte ihm jemand ein Bein gestellt. Als Peter sich aufrappelte, sah er, dass er über ein Kabel gestolpert war. Ein Kabel? Verwirrt blickte er sich um und entdeckte … eine Video-Kamera! Die war direkt auf den Kahn gerichtet und sollte wohl den sprichwörtlichen Untergang des Kapitalismus für die Menschheit dokumentieren. Irre! Ob der Killer womöglich noch dafür gesorgt hatte, dass alle Welt den Tod des Senators live verfolgen konnte?

Obwohl er immer noch vor Kälte schlotterte, sprang Peter wieder in den Pool. Glücklicherweise war das Wasser auch hier nur kniehoch, und er kam relativ schnell vorwärts. Er versuchte, das Boot vor sich her an Land zu schieben. Doch als es sich keinen Meter bewegen ließ, merkte er, dass es verankert war. Mittlerweile war die Kälte bis in den letzten Winkel seines Körpers eingedrungen. Am liebsten hätte er laut aufgeschrien vor Schmerz.

Nur das Adrenalin trieb ihn noch an und hielt ihn bei Sinnen. Dennoch wurde ihm schwindelig, und Peter bekam Angst, erneut das Bewusstsein zu verlieren.

Er musste den Pool so schnell wie möglich verlassen! In wilder Verzweiflung zog er den Senator zu sich ins Wasser und hoffte, dass es noch nicht zu spät war.

Die Wahrheit

Als er versuchte, seine Umgebung zu ertasten, spürte Steve eine kalte Betonwand unter den Händen. Er öffnete die Augen, aber es blieb dunkel. Langsam versuchte er, seine Beine zu bewegen, doch es gelang ihm nicht. Er hatte den Eindruck, gelähmt zu sein. Eine Zeit lang war er sich nicht sicher, ob er bei Bewusstsein war oder nur einen Alptraum hatte.

Nach einer Weile bemerkte Steve einen schwachen Lichtstrahl, und als er den Kopf hob, sah er, dass der Raum über ihm erhellt war. Er träumte also nicht – aber ein Alptraum war es dennoch! Denn in diesem Moment wurde ihm schlagartig klar, wo er sich befand. Vor gerade mal ein paar Stunden hatte er Peter aus diesem Schacht befreit. Nun war er selbst darin gefangen.

Der Schacht war so eng, dass er Klaustrophobie bekam. Steve wollte einfach nicht glauben, dass er selbst hier gelandet war. An Beinen und Händen gefesselt, lehnte er wie ein Paket zusammengeschnürt an der Wand. Er fror.

Plötzlich wurden seine Hände nass, und er merkte, dass der gesamte Boden des Schachts von Wasser bedeckt war. Wo kam dieses verdammte Wasser her? Einige Minuten später reichte ihm das Wasser bereits bis zu den Fersen. Der Pegel stieg also! Hilfe suchend blickte Steve nach oben, wo das Eisengitter ihm den Weg in die Freiheit versperrte. Dann zuckte er zusammen.

„Willkommen in meinem Reich! Leider habe ich nicht viel Zeit, aber für etwas Spaß sollte es noch reichen. Ich wollte dich eigentlich als Geisel benutzen, aber du und dein Kumpel, ihr meint es offenbar gut mit mir und ward noch nicht bei der Polizei. Dadurch ist eine Flucht zwar nicht notwendig, dennoch werde ich rein vorsorglich eine Weile verreisen!“

Steve schwieg und überlegte, was er sagen sollte. Entsetzt beobachtete er den unaufhörlich steigenden Wasserspiegel.

„Peter und der Senator müssten mittlerweile das Zeitliche gesegnet haben", fuhr der Killer ungerührt fort.

Er lachte laut und arrogant. Trotz seiner Angst wurde Steve wütend. Er krampfte die Hände zusammen und wünschte sich, sie um den Hals des Typen legen zu können.

„Du hast Glück gehabt, noch einmal mein Gast sein zu dürfen."

Wieder lachte er heiser, und Steve senkte angewidert den Kopf.

„Warum …?", versuchte er zu schreien, aber seine Stimme versagte. Beim zweiten Versuch gelang es. „Warum hast du das alles getan? Das kann es doch nicht sein, was hinter den Idealen des Bündnisses steht, Martin!"

„Das Bündnis!"

Erneut lachte der Killer heiser, klang jedoch plötzlich aggressiv, als er zu Steve hinunter brüllte: „Das Bündnis ist eine Organisation für Schwächlinge! Ich glaube nicht, dass durch ein paar sinnlose Artikel von Idioten wie dir, durch Zeitungskampagnen oder schwachsinnige Demonstrationen in dieser Welt irgendetwas zu bewegen ist. Du, das Bündnis und all die anderen Sesselfurzer, ihr habt vielleicht etwas Staub aufgewirbelt, aber interessiert hat in Wirklichkeit niemanden, was ihr getan habt!"

Steve blickte wieder nach oben, konnte aber niemanden sehen. Er war sich nicht sicher, ob es wirklich Martin war, der mit ihm sprach. Mit seltsam sanfter Stimme fuhr dieser fort: „Aber du hast Recht, mein Lieber, die Machenschaften dieser Politiker und Manager waren natürlich nicht meine einzige Motivation." Er machte eine Pause, bevor er sagte: „Rache kann so zuckersüß sein."

„Rache? An wem musstest du dich rächen?"

Es fiel Steve immer schwerer zu sprechen. Das Wasser stieg ständig weiter und reichte ihm mittlerweile bis zu den Knien. Vermutlich war er längst stark unterkühlt, und die Frage war lediglich, ob er zuerst ertrinken würde oder das

Glück hatte, vorher aufgrund der Kälte das Bewusstsein zu verlieren.

„Rache an Kathy! Er hat sie geliebt! All die Jahre hat er sie vergöttert und umworben. Sie aber hatte nur eines im Sinn, ihren Kampf für die Gerechtigkeit auf der Welt und gegen die Korruption in einem ohnehin untergehenden System! Nichts sonst war wichtig für sie! Sein Werben und seine Bemühungen hat sie niemals ernst genommen und ihn immer nur hingehalten und sich über ihn lustig gemacht. Lange hätte er diese Erniedrigung nicht mehr ertragen!"

Er machte eine Pause, und Steve hörte, wie er tief aus- und einatmete. Martin musste total verrückt sein, wenn er in der dritten Person von sich sprach! Offensichtlich hatte er den Verstand verloren.

„Jetzt haben beide ihre Ruhe gefunden, nachdem ich jemanden beauftragt habe, sich um Kathy zu kümmern", fuhr er mit ruhiger Stimme fort.

„Du, du … hast sie umbringen lassen …?", stotterte Steve, und dieses Mal war es nicht nur vor Kälte. Die Dinge wirbelten wie verrückt durch seinen Kopf, und er konnte nicht glauben, was er gerade gehört hatte.

„Du mieses Schwein, … wie konntest du nur!? All diese Morde nur aus Enttäuschung über eine nicht erwiderte Liebe?"

Erneut hörte er das heisere Lachen.

„Du hast wirklich nichts verstanden. Diese Typen haben mit ihrem verantwortungslosen Handeln verhindert, dass Kathy ein normales Leben führen konnte – und seines damit fast ruiniert. Den Senator und diese nutzlosen Manager habe ich aus Achtung für Kathys Lebenswerk hingerichtet. Das war außerdem viel effektiver als ihre Schreibarbeit. Außerdem ist es meine Entschuldigung an sie – eine Entschuldigung für die verpassten Freuden des Lebens!" Wehmütig fügte er hinzu: „Glaub mir, mein Freund, er hat es verdient, nach allem, was er für mich getan hat."

Steve hörte, wie der Killer mit schweren Schritten auf und ab ging. Dann klang seine Stimme plötzlich ganz nah: „Und weißt du was? Ihr kleinen Wichte solltet mir dankbar sein! Immerhin habe ich euch ganz nebenbei einen enormen Gefallen getan und ein paar eurer Widersacher beseitigt. Eine perfekte Symbiose sozusagen!"

Steve gelang es noch einmal, für ein paar Sekunden den Kopf zu heben, und er sah das Gesicht des Verrückten direkt über ihm. Jetzt wusste er, dass jedes weitere Wort sinnlos gewesen wäre. Resigniert sank er in sich zusammen. Eines wollte er aber noch wissen und fragte mit letzter Anstrengung: „Was ist mit Joe? Hast du auch ihn auf dem Gewissen?"

„Der gute alte Joe. Ein Politiker mit einem guten Herz. Eine Rarität in der heutigen Zeit. Warum hätte ich ihm etwas antun sollen? Sie haben sich schließlich gut verstanden."

Wieder ertönte dieses widerliche Lachen, wie nur ein Psychopath es zustande bringen konnte.

„Leider waren in der letzten Zeit ihre Meinungen ziemlich auseinandergegangen."

Dann schwieg er, und Steve hatte nicht den Eindruck, als ob er noch etwas hinzufügen wollte.

„Also hast du auch ihn ermorden lassen?"

„Nein, er hatte Joe so viel zu verdanken. Allerdings kam es nicht ganz ungelegen, dass durch seinen Ausfall die Führungsposition im Bündnis frei wurde. Aber umgebracht hätte ich ihn nie. Soweit ich weiß, hatte er ganz andere Probleme. Ich weiß nicht, was passiert ist, bin mir aber fast sicher, dass die Handlanger vom CIA dahinter stecken."

Die letzten Worte hörte Steve schon nicht mehr. Auch die Flüche des Killers drangen nur noch gedämpft und wie durch einen dicken dunklen Schleier zu ihm durch. Die Bilder, die er nun vor seinem geistigen Auge sah, hatten weder etwas mit dem Killer noch mit dem Bündnis zu tun.

Steve erinnerte sich noch einmal an die Zeit, als er mit seinem ersten großen Projekt bei Biotech Consultants betraut worden war und wie stolz er sich nach dem erfolgreichen Abschluss gefühlt hatte.

Dann stand er mit ausgebreiteten Armen auf einer riesigen Wiese voller Mohnblumen. Eine Frau lief lachend auf ihn zu. Es war Megan, und sie hielt ein kleines Mädchen an der Hand – seine Tochter. Die drei fielen sich in die Arme, küssten sich und sprangen ausgelassen auf der Wiese umher. Steve nahm das Mädchen mit beiden Händen auf und hob sie hoch. Da erkannte er, dass sie Kathys Gesicht hatte.

Steves Körper glitt langsam an der Wand entlang unter die Wasseroberfläche. Noch einmal blitzte Megans Lächeln vor seinen Augen auf. Er stellte sich vor, wie er sie zärtlich in den Arm nahm und sie ihren Kopf an seine Schulter schmiegte. Das kalte Wasser erreichte in diesem Augenblick sein Gesicht und ließ ihn kurz aufschrecken. Dann schlug es in einer kleinen Welle über seinem Kopf zusammen, und er verlor endgültig das Bewusstsein.

Die Jagd

Peter hatte den leblosen Senator unter größten Mühen an Land gezogen und verzweifelt versucht, ihn wiederzubeleben. Aber vergeblich, der Senator war tot.

Peter sah ein, dass er dem Mann nicht mehr helfen konnte und erinnerte sich, dass es noch eine zweite Person gab, die seine Hilfe vermutlich dringend benötigte.

„Steve!" In seinen Bemühungen um den Senator hatte Peter seinen neuen Freund fast vergessen.

„Ich werde es nicht zulassen", flüsterte er und sprang entschlossen auf. Obwohl sein ganzer Körper vor Kälte schmerzte, war er erstaunlich schnell und erreichte wenig später das Auto. Seine nasse Hose und das Hemd riss er sich vom Leib, warf sie auf die Rückbank des Wagens und sprang in den Fahrersitz. Gut, dass Steve den Zündschlüssel stecken gelassen hatte! Während er mit quietschenden Reifen losfuhr, fragte er sich, wieso sich eigentlich noch keine Polizeistreife für das Auto interessiert hatte. Nach einem kurzen Blick auf seine Unterhose und den nackten Oberkörper hoffte er allerdings, dass sich das nicht ausgerechnet jetzt ändern würde.

Er raste über die nächtliche Straße und war kurze Zeit später auf der Tollroad in Richtung Leesburg unterwegs. Obwohl er die Heizung voll aufgedreht hatte, zitterte er noch immer vor Kälte.

Während Peter seinem Ziel entgegen raste, schwirrten allerlei Gedanken durch seinen Kopf. Martin konnte nicht damit gerechnet haben, verfolgt zu werden und war deshalb wohl nicht auf eine Flucht vorbereitet. Außerdem nahm dieser Bastard garantiert an, dass auch Peter tot war und er damit alle Zeit der Welt hatte. Bis die Leichen gefunden werden konnten, würden noch einige Stunden vergehen. Selbst wenn Martin also jetzt fliehen wollte, könnte er erst noch einige Dinge von zuhause holen. Peter war sich sicher, ihn in seinem Haus in Leesburg anzutreffen.

Er selbst war nicht bewaffnet und wusste auch nicht, wie er reagieren sollte, wenn Martin ihn angriff. Doch da er vor dem Treffen mit Alexander Wehrmann ähnliche Gedanken gehabt hatte und dann alles ganz anders gekommen war, beschloss Peter, die Sache auf sich zukommen zu lassen.

Da tauchte plötzlich die Abfahrt nach Leesburg vor ihm auf – und damit die Schranke. Verdammt! Woher sollte er jetzt das nötige Kleingeld nehmen? Auch in der Mittelkonsole lagen keine Münzen mehr. Er schloss also die Augen und gab Gas. Sein Fuß zitterte, dann krachte es, und eine Alarmglocke schrillte. Als Peter einen Blick in den Rückspiegel warf, sah er das letzte Teil der gelb-schwarzen Schranke zu Boden fallen. Noch vor wenigen Stunden hätte er jeden ausgelacht, der ihm so etwas zugetraut hätte. Aber heute Nacht war alles anders, und eine Schranke zu durchbrechen, war noch das geringste Übel, zu denen er bereit war. Er rechnete jeden Moment damit, eine Sirene zu hören oder von einem Einsatzfahrzeug verfolgt zu werden, aber nichts geschah.

Nur wenige Minuten später raste er durch Leesburg und wollte den Ort schon wieder verlassen, da passierte es doch noch. Als er am Ortsausgangsschild vorbei fuhr, ertönte neben ihm eine Sirene. Eine Verkehrskontrolle! Nur im Augenwinkel erkannte er einen Streifenwagen, doch das Blinklicht erhellte die gesamte Umgebung.

„Mist!", entfuhr es ihm. Alles vorbei! Im Rückspiegel konnte er erkennen, wie das Einsatzfahrzeug die Verfolgung aufnahm. Peter nahm den Fuß vom Gas und setzte den Blinker. Rasch kam der Polizeiwagen näher. Die Polizisten würden ihn festnehmen und auf der Station verhören. Wenn er ihnen überhaupt jemals glaubhaft machen konnte, was er hier tat, wäre Martin mit Sicherheit über alle Berge, und für Steve käme jede Hilfe zu spät. Er hatte versagt.

Als der Wagen zum Stillstand gekommen war, sah Peter im Seitenspiegel, wie ein Polizist mit der Hand an der Waffe auf ihn zukam. Da flackerte plötzlich das fahle Gesicht des toten Senators vor seinem geistigen Auge auf. Kurz darauf das von Steve, das nun ebenso farb- und leblos aussah.

Peter ballte verzweifelt die Fäuste, spannte das rechte Bein an und trat das Gaspedal bis zum Anschlag durch. Er wusste nicht, was in ihn gefahren war. Die Reifen drehten durch und hinterließen eine tiefschwarze Spur auf der Straße, als der Mercury wie ein wild gewordener Panther beschleunigte. Dadurch geriet der Wagen so sehr ins Schlingern, dass die Schüsse des Polizisten die Reifen verfehlten. Peter hatte zwar seine liebe Not, das Auto auf der Straße zu halten, aber langsam schien es, dass Dinge, die er bislang für unmöglich gehalten hatte, in dieser Nacht zur Gewohnheit wurden.

Kurz darauf näherte sich Peter der Auffahrt, die zu Martins Haus führte. Das Polizeiauto war schon wieder dicht hinter ihm, der Lärm der Sirene ohrenbetäubend. Doch Peter kümmerte sich nicht weiter darum und wollte gerade in die Einfahrt einbiegen, als im selben Moment ein Schatten daraus hervorschoss.

Es geschah zu schnell, als dass Peter hätte reagieren können. Unsanft wurde er in seinem Sitz hin und her geworfen, während sein Wagen sich zu drehen begann. Dann kam der Mercury zum Stehen, und Peter schüttelte sich. Gerade als er versuchte, sich wieder zu orientieren, zuckte er abermals zusammen. Direkt hinter ihm krachte es erneut. Dann verstummte die Polizeisirene, und es herrschte eine geradezu gespenstische Stille.

Hektisch öffnete Peter die Fahrertür. Jetzt sah er, was passiert war. Die Polizisten hatten wohl nicht gemerkt, was Peter vorhatte, und ihn genau in dem Moment eingeholt, als er abbog. Dabei war der Polizeiwagen an der Einfahrt vorbeigeschossen und hatte das unbeleuchtete Fahrzeug frontal gerammt.

Peters Knie zitterten. Langsam ging er auf den Blechhaufen zu. Nichts rührte sich dort. Dampf stieg empor, und es stank nach verbranntem Gummi. Dann erschrak er: Er erkannte den Wagen, den er zuvor am Washington Monument gesehen hatte – Martins Wagen. Die Seitenscheibe war geplatzt und in tausend Stücke zersprungen, so dass Peter freien Blick ins Innere hatte.

Das Gesicht des Fahrers wies unzählige Schnittwunden auf, seine Nase war deformiert und blutete. Der linke Arm war unnatürlich abgespreizt und verbogen. Er war bewusstlos, aber sein Brustkorb hob und senkte sich unrhythmisch. Seine Atmung glich einem Röcheln.

Das Bild, das sich Peter bot, war grausam, aber wirklich fassungslos machte ihn etwas anderes: Trotz der Entstellungen und des vielen Bluts, das der Killer im Gesicht verschmiert hatte, war Peter sich sicher, dass der Mann vor ihm nicht Martin war.

Sekunden

Peter sah hinüber zum Polizeiauto und atmete tief durch. Die Sirene war bei dem Aufprall offenbar kaputt gegangen, und die plötzliche Stille schmerzte fast in den Ohren. Das Blaulicht indes flackerte nach wie vor und tauchte die Umgebung in ein unwirkliches Licht, ermöglichte andererseits aber eine gute Sicht in der Dunkelheit. Ansonsten regte sich dort drüben immer noch nichts, und Peter hoffte, dass die Polizeibeamten den Unfall überlebt hatten. Dann glaubte er, in der Ferne das Geheul mehrerer Martinshörner zu hören, die sich schnell näherten. Die Beamten mussten Verstärkung gerufen haben, bevor sie in das Fahrzeug des Killers gerast waren.

Fast fühlte Peter sich schuldig, nicht hinüber zu eilen und den Polizisten erste Hilfe zu leisten. Aber auf seiner Prioritätenliste stand jemand anders an erster Stelle, und er durfte keine weitere Zeit verlieren. Hektisch beugte er sich über den immer noch röchelnden Killer in das total demolierte Auto, um zu sehen, ob Steve sich darin befand, sah aber zumindest auf dem Beifahrersitz keine weitere Person. Dann eilte Peter zum Heck des Wagens. Durch den Unfall war die Ladeklappe aufgesprungen und gab den Blick auf ein Chaos aus Aktenordnern, Werkzeugen und Kleidungsstücken frei, die die gesamte Ladefläche bedeckten. Allerdings sah Peter sofort, dass kein Körper darunter verborgen war. Nichts, keine Spur von Steve. Doch die Erleichterung darüber war nur von kurzer Dauer.

Peter konnte sich nicht vorstellen, dass der Killer einen Zeugen lebend zurücklassen würde. Hatte er sich womöglich getäuscht, als er annahm, der Killer hätte Steve mitgenommen? Lag er am Ende doch im Reflecting Pool und war längst ertrunken? Bei diesem Gedanken wurde ihm übel, er schüttelte sich und flüsterte: „Reiß dich endlich zusammen!“

Die Sirenen der Polizeiautos klangen inzwischen so nah, dass das erste Fahrzeug jeden Moment in der Kurve erscheinen musste.

Plötzlich fing Peter an zu rennen. Wie vom Teufel besessen jagte er die Einfahrt hoch. Und weil der Kiesweg nur schwach erhellt war, schlug er auf etwa halber Strecke der Länge nach hin. Als er hastig wieder aufstand, bemerkte er, dass er immer noch nur mit einer Unterhose bekleidet war. Doch weder sein Outfit kümmerte ihn, noch der Umstand, dass seine Hände und Knie bluteten.

Am Haus angekommen, atmete er schwer und sog die kalte Luft tief in seine brennenden Lungen. Es war dunkel hier oben, denn weder im Haus noch auf dem Hof brannte Licht, und das Flackern des Blaulichts reichte nicht bis hierher. Peter steuerte geradewegs auf den Seiteneingang der Garage zu. Beinahe wäre er mit dem Kopf gegen die Tür geknallt, denn er hatte sich heftig dagegen geworfen und nicht damit gerechnet, dass sie verschlossen war.

„Verdammt noch mal!", fluchte er, trat dann ohne zu zögern ein paar Schritte zurück und warf sein gesamtes Gewicht gegen die Holztür. Mit lautem Krachen brach die Tür aus dem Rahmen, flog ins Innere der Garage und landete dort auf dem Boden.

Peter betrat den Raum und tastete wild nach dem Lichtschalter. Als er ihn endlich fand, war das Licht grell und blendete ihn für einige Sekunden. Dann erkannte er den Raum und sah, dass alles aussah wie zuvor. Selbst der Ford stand noch am selben Fleck.

„Steve! Steve, wo bist du?", brüllte er aus Leibeskräften und rannte Richtung Metallgitter. Dabei wäre er fast über einen Schlauch gestolpert, der zu dem Schacht führte, aus dem Steve ihn erst vor ein paar Stunden befreit hatte. Ein Gartenschlauch! Panisch packte Peter den Schlauch und riss daran, während er mit einem Satz auf die Öffnung zueilte. Dann sackten Peters Knie ein.

Der Metalldeckel lag auf der Seite. So konnte er sehen, was sich unter dem Gitter befand. Apathisch zog er das letzte Stück des Schlauchs aus dem Schacht und ließ die Spritzdüse zu Boden gleiten. Jemand hatte das Wasser längst abgedreht, und er wusste in diesem Moment, warum. Peter glaubte, sein Herz würde aussetzen. Der Schacht war bis zum Rand mit Wasser gefüllt. Durch den Schmutz war das frische Wasser zwar getrübt, aber Peter ahnte, was sich dort unten befand. Ruhig und glatt wie ein Spiegel lag die Wasseroberfläche vor ihm – weder Luftblasen noch sonstige Bewegungen waren darin auszumachen.

Verzweifelt ließ Peter sich auf die Knie fallen und hob das ungesicherte Gitter hoch. Sein Gesicht spiegelte sich im Wasser. War er wirklich zu spät gekommen? Tränen rannen über seine Wangen. Wie kleine Perlen klatschten sie in das nasse Element und verschwanden darin.

Plötzlich verzog er das Gesicht zu einer wütenden Grimasse und erinnerte sich an einen Schwur, den er sich eines Tages selbst gegeben hatte. Niemals würde er aufgeben, egal wie aussichtslos die Lage auch sein sollte. Entschlossen sprang er in den Schacht und tauchte unter. Sofort spürte er den Körper, griff danach und zog ihn in einer fließenden Bewegung an die Oberfläche.

Schon zum zweiten Mal an diesem Tag barg er einen leblosen Körper aus dem Wasser. Wie in Trance hob Peter Steve hoch und schob ihn vor sich her über den Rand des Schachts, während er sich an den Eisenstiften ebenfalls nach oben zog.

Triefend nass und bewegungslos lag Steve vor ihm auf dem kalten Betonboden. Trotz der Hoffnungslosigkeit der Lage begann Peter sofort mit Wiederbelebungsversuchen.

„Nimm langsam die Hände hoch, und steh auf!"

Doch versunken in seine sinnlosen Wiederbelebungsversuche hörte Peter die Aufforderung nicht. Ein weiteres Mal presste er seine Hände auf das Brustbein von Steve, um ihn wieder ins Leben zurück zu holen, dann wurde er hart gepackt und zu Boden geschleudert. Jemand drehte ihn unsanft auf den Bauch. Peter wehrte sich nicht. Es klickte zweimal, dann schlossen sich die Handschellen auf seinem Rücken.

Apathisch starrte Peter auf Steve, der nur wenige Schritte neben ihm lag. Zwei in Notarztuniform gekleidete Männer eilten an ihm vorbei und knieten vor Steve nieder. Sie öffneten einen Koffer und machten sich routiniert an dem leblosen Körper zu schaffen, aber Peter konnte nicht erkennen, was sie taten. Ein Polizist hatte sich vor ihm aufgebaut und redete auf ihn ein. Peter verstand kein Wort und schloss die Augen. Es war, als hätte man ihm eine riesige Glasglocke übergestülpt.

„Da ist nichts mehr zu machen", hörte Peter einen der Männer sagen. Er öffnete noch einmal die Augen und sah, wie der gescheiterte Retter aufstand und den Kopf schüttelte. Dann forderten die Unterkühlung und die Strapazen der Nacht ihren Tribut, und Peters Kreislauf brach zusammen. Steve ist tot, dachte er wie in einer Endlosschleife immer und immer wieder, und es wurde dunkel um ihn.

Unerwarteter Besuch

Fast zwei Wochen waren vergangen seit jener Nacht, die Peter für immer in Erinnerung bleiben würde. Seinem entschlossenen Handeln war es letztlich zu verdanken, dass der Wahnsinn ein Ende hatte. Der Killer war zwar nicht lebend gefasst worden, seiner gerechten Strafe aber nicht entgangen. Beim Zusammenprall mit dem Polizeiauto hatte er sich starke innere Blutungen zugezogen und war noch am Unfallort gestorben.

Leider war er nicht der einzige, dessen Leben in dieser Nacht zu Ende ging. Zwei Menschen waren dem Killer zum Opfer gefallen, bevor Peter ihn gestellt hatte: der Senator und Steve. Meist dauert es viele Jahre, bis sich eine tiefe Freundschaft bildet, bei Steve und Peter hatten jedoch wenige Tage ausgereicht. Peters Herz verkrampfte sich bei dem Gedanken an den Mann, der ihm wenige Stunden vor seinem eigenen Tod noch das Leben gerettet hatte. Es gibt Situationen, die die Entstehung einer innigen Freundschaft um ein Vielfaches beschleunigen. Er schluckte und schob den Gedanken an Steve beiseite. Der Schock war verdaut, der Schmerz würde noch lange bleiben.

Peter selbst hatte Glück gehabt. Die Polizisten hatten den Grad der Unterkühlung und seine Erschöpfung anfangs nicht erkannt und ihn zu lange auf dem kalten Betonboden liegen gelassen. Erst als er das Bewusstsein verlor, wurden die Sanitäter auf ihn aufmerksam und versorgten ihn mit lebensrettenden Infusionen. Im Krankenhaus war er auf die Intensivstation gekommen, wo er die meiste Zeit schlief und man ihn in Ruhe ließ. Als er am dritten Tag dann auf ein normales Zimmer verlegt und vom Arzt für vernehmungsfähig erklärt worden war, ging das Theater los.

Zuerst hatten FBI und Polizei ihn mit Fragen bombardiert. Als sie fertig waren, wurden die Besuchseinschränkungen gelockert, und einige gewiefte Pressevertreter verschafften sich Zutritt zu seinem Zimmer. Er wusste nicht mehr, wie oft er die immer gleichen Fragen beantwortet hatte.

Am Morgen seiner Entlassung stand Peter am Fenster seines Krankenzimmers und blickte in den Park. Er wunderte sich wer das sein könnte, denn die Medien hatten das Interesse an ihm bereits wieder verloren, und am Tag zuvor war er von Belästigungen sogar ganz verschont geblieben. Dann klopfte es an der Tür. Neugierig drehte er sich um und rief: „Herein!" Als er den Besucher sah, traute er seinen Augen kaum. Es war Martin.

„Entschuldige, dass ich dich so früh am Morgen störe, aber ich habe noch etwas zu sagen."

Diesmal wirkte er nicht so dominant und hektisch, wie Peter ihn kannte. Eher schüchtern und verlegen. Peter wusste mittlerweile, dass er nichts mit den Morden zu tun gehabt hatte, war aber im ersten Augenblick dennoch erschrocken, sein Gesicht zu sehen.

„Ich hätte nicht gedacht, dich noch mal zu sehen", sagte er. „Aber komm erst mal rein, und setz dich."

Peter setzte sich auf sein Bett und überließ Martin den Stuhl.

„Du siehst schon wieder gut aus", versuchte Martin seine Nervosität zu überspielen.

„Danke, aber ich glaube nicht, dass du gekommen bist, um mir das zu sagen."

Martin rutschte auf dem Stuhl hin und her.

„Also gut, ich will mich bei dir entschuldigen." Peter sah ihn prüfend an und verzog keine Miene. „Es tut mir Leid, dass ich dich in die ganze Sache hineingezogen habe."

„Bei mir musst du dich nicht entschuldigen. Erstens lebe ich noch, und zweitens hast du mich ja zu nichts gezwungen. Außerdem konntest du ja nicht wissen, was dein Bruder im Schilde führte."

„Nein, ich wusste es nicht, hätte es aber vermutlich erkennen sollen. Schließlich war ich der einzige, mit dem er regelmäßig Kontakt hatte."

Peter schüttelte nachdenklich den Kopf.

„Weil wir jetzt darüber sprechen: Denkst du, dass er es war, der mich damals in Reston überfallen und mir das Messer an die Kehle gehalten hat?"

„Möglich, dass er jemanden engagiert hat. Vielleicht war es aber auch jemand von Regierungsseite. Wird wohl für immer ein Geheimnis bleiben."

„Vermutlich", sagte Peter nachdenklich und sah Martin dann wieder in die Augen.

„Was hast du eigentlich der Polizei erzählt?"

„Dass ich nichts wusste."

„Und sie haben dir geglaubt, obwohl er zwei Jahre in deinem Haus gewohnt hat?"

„Ich hatte es ihm schließlich zur Pflege überlassen und bin selbst so gut wie nie rausgefahren. Nachdem ich das Apartment nahe dem Büro gekauft hatte, gab es keinen Anlass für mich, aufs Land zu fahren. Ich habe sowieso sieben Tage die Woche gearbeitet."

„Wussten sie, dass er schizophren war?"

„Natürlich! Sie haben seinen Arzt stundenlang verhört. Aber auch der hatte die Situation für stabil gehalten."

Peter stand auf und ging wieder zum Fenster.

„Konnten ihm die Morde alle nachgewiesen werden?"

„Ich glaube, sie haben die DNA-Spuren der Opfer entweder in dem Schacht oder in seinem Auto gefunden. Nur die Sache mit diesem Heerhausen ist bislang ungeklärt."

„Du meinst in deinem Auto", Peter sah Martin fragend an.

„Eigentlich war es mein Auto, aber er hatte es sich die meiste Zeit ausgeliehen, und ich habe den Ford genutzt."

„Wie ist er eigentlich an eure Namensliste gekommen?"

„Ich habe sie ihm gegeben." Martin räusperte sich. „Na ja, ich dachte, da er ohnehin nicht arbeitet und auf meine Kosten lebt, kann er mir zumindest ein wenig zur Hand gehen und im Internet etwas über unsere Kandidaten recherchieren. Nie wäre ich darauf gekommen, was er damit anstellen könnte!"

„Und was genau hat er da recherchiert?"

„Na ja, teilweise hatten wir von Joes Kontakten vertrauliche Besprechungsprotokolle erhalten oder die Entwürfe von Pressemeldungen der Konzerne, wenn wieder irgendwelche Umstrukturierungen oder Entlassungen geplant waren. Diese Daten habe ich ihm gegeben, weil er herausfinden sollte, ob es in den Firmen schon ähnliche Vorfälle gegeben hatte, ob immer die gleiche Person für die Entscheidungen verantwortlich war und welche Folgen das alles für die Mitarbeiter und Zulieferfirmen hätte. Offenbar hat er sich über diese Ungerechtigkeit noch mehr aufgeregt als das Bündnis."

„Und dann hat er Selbstjustiz geübt?"

„Schizophrene können sich in einer Wahnphase völlig verwandeln. Man erkennt sie nicht wieder. Wenn ich mit ihm telefoniert habe, klang er immer ganz normal und überhaupt nicht verrückt. Aber ja, es stimmt wohl, dass er sich für einen gerechten Rächer hielt und einige Übeltäter zur Rechenschaft ziehen wollte. In einer Art Abschiedsbrief hat er die Menschen als naive Narren bezeichnet, die stumpf auf das Gesetz vertrauen und sich von korrupten Politikern und Wirtschaftsführern blenden lassen. Indem sie ständig nach Geld und Wohlstand streben, würden sie zu Sklaven des Systems."

„Er hat einen Abschiedsbrief hinterlassen? Das wusste ich gar nicht."

Dann blickte er zu Boden und fügte nach einer kurzen Pause hinzu: „Um ehrlich zu sein, hatte ich gedacht, du würdest hinter der ganzen Sache stecken."

Martin räusperte sich, sagte aber nichts.

„Es hätte alles gepasst. Steve hat gesagt, er habe ein Foto des Hauses in deinem Büro hängen sehen und sei auch schon einmal dort gewesen. Der Pick-up Truck gehörte ebenfalls dir. Durch Joes Ausfall wärst du wieder die Nummer eins des Bündnisses geworden, und …"

„Dass Joe das Bündnis geleitet hat, war für mich völlig in Ordnung!", warf Martin ein.

„Aber dein Bruder hat es offenbar anders gesehen?"

„Nun ja, Joe und ich hatten in der letzten Zeit Meinungsverschiedenheiten, aber ich glaube nicht, dass mein Bruder etwas mit Joes Zusammenbruch zu tun hatte."

„Aber es war doch wohl kein Zufall?"

„Das glaube ich auch nicht, aber du und Garret hattet doch erzählt, dass er bei der Pressekonferenz etwas gesagt hat wie *Der Präsident ist ein Lügner*, oder so. Vielleicht hat von Regierungsseite jemand Wind davon bekommen, dass Joe etwas ausplaudern wollte."

„Weißt du denn, wie es Joe jetzt geht?"

„Besser. Er wird es jedenfalls überleben."

„Und warum musste eigentlich Kathy sterben?"

„Das kann ich nur vermuten." Martin atmete tief durch und schluckte. „Ich …, ich war in Kathy verliebt. Aber sie wollte nichts von mir wissen. Und dass mich das ganz schön gekränkt hat, hat auch mein Bruder mitgekriegt. Er sagte einmal am Telefon etwas, das klang, als ob …, also ich fürchte, er …"

Weiter kam er nicht. In seinen Augen standen Tränen.

„Du meinst, er hat Kathy umbringen lassen, weil sie dich nicht liebte?", fragte Peter entgeistert.

Martin nickte. „Ich habe es nie glauben wollen, dass er dazu fähig war! Aber seit ich weiß, dass er die anderen Morde begangen hat, denke ich, dass er Kathy dafür bestrafen wollte, dass sie meine Liebe nicht erwidert hat. Ich war sein einziger Verwandter, sein einziger Freund."

In diesem Moment klopfte es erneut. „Mister Mormerin?"

„Ja?"

„Ihr Taxi steht bereit!"

„Danke, ich komme in zwei Minuten."

Martin stand auf, und sie gingen zur Tür. Dort wandte er sich Peter noch einmal zu: „Ich weiß nicht, was du den Typen vom FBI erzählst hast, aber …“, er zögerte und streckte Peter die Hand entgegen. „Danke, dass du das Bündnis aus der Geschichte rausgehalten hast!“

Peter lächelte kurz und ergriff Martins Hand. Dann wurde er wieder ernst: „Vermisst du ihn?“

Martin senkte den Kopf, öffnete die Tür und ging hinaus. An der Schwelle drehte er sich noch einmal um, und Peter sah, wie seine Augenlider zuckten.

„Es ist meine Schuld, er wusste die Dinge, von denen ich ihm erzählt hatte, nicht einzuordnen und wollte mir etwas zurückgeben.“

Er machte eine Pause, schluckte und sah an Peter vorbei in Richtung Fenster.

„Neben der Zeitung war es mein Lebensinhalt, mich um ihn zu kümmern. Er mag zwar ein Mörder gewesen sein, aber er war auch mein Bruder!“

Der Rückflug

Es war der 23. Dezember, als Peter endlich im Flugzeug saß. Als die Maschine von der Startbahn abhob, ließ Peter die Ereignisse der letzten Wochen Revue passieren.

Ein Gefühl des Triumphs hatte er trotz seiner maßgeblichen Beteiligung an der Aufklärung der Morde nie verspürt. Die Probleme der Gesellschaft waren dadurch nicht weniger geworden.

Wie so oft in den vergangenen Tagen dachte er auch an Steve. Dieser Mann hatte in seinem Leben viel erlebt und gelernt, auf was es wirklich ankam. Selbst mit seinem Tod hatte er Peter eine letzte Botschaft hinterlassen. Nämlich, dass die Zeit eines jeden Menschen auf Erden begrenzt ist und sie oft schneller vorbei ist, als man denkt. Deshalb sollte jeder immer daran denken, dass keine Verpflichtung der Welt wichtiger ist als die, für einen nahe stehenden Menschen da zu sein, wenn er einen braucht.

Während Peter im Krankenhaus lag, hatte er viel über Lisa nachgedacht. Als die Ärzte endlich ihr Okay für seine Entlassung gegeben hatten und der Termin für seine Ausreise auch von den zuständigen Staatsstellen freigegeben worden war, hatte er gewagt, Lisa anzurufen.

Wortkarg war sie gewesen, und dem Klang ihrer Stimme nach zu urteilen war sie beleidigt darüber, so lange nichts von ihm gehört zu haben. Doch als er ihr erzählte, dass er im Krankenhaus lag und ein paar Tage auf der Intensivstation verbracht hatte, war sie aus allen Wolken gefallen. Sie selbst hatte angeboten, Peter bei seiner Ankunft am 24. Dezember vom Flughafen abzuholen. Er wiederum hatte nur unter der Bedingung eingewilligt, an den darauf folgenden Feiertagen von ihr gepflegt zu werden. Nach den anfänglichen Schwierigkeiten war es, als hätte es nie eine Kontaktpause zwischen ihnen gegeben.

Peter drückte den Knopf an seiner Sitzlehne, lehnte sich zurück und schloss die Augen. Während er einschlief, erschien Lisas Gesicht vor ihm, die Konturen ihrer Lippen und das fröhliche Lachen.

Das wird das beste Weihnachtsfest meines Lebens, dachte er, und die Vorfreude darauf überdeckte für einen Moment die Trauer um Steve.

Epilog

Bethesda Naval Hospital – Hochsicherheitstrakt.

„Schön, dich wieder zu haben!", flüsterte sie und drückte seine Hand, als er die Augen aufschlug. Er versuchte ebenfalls zu lächeln, schlief aber gleich wieder ein.

Ihre blutleeren Lippen formten ein leichtes, zitterndes Lächeln, und Tränen begannen, über ihre Wangen zu fließen.

Sie blieb noch fast zwei Stunden neben seinem Bett sitzen, hielt weiterhin seine Hand und beobachtete, wie er friedlich dalag. Sein Gesicht sah entspannt aus, wie sie es seit Jahren nicht mehr gesehen hatte. Die Maschinen, welche ihn über die letzten Wochen hinweg am Leben gehalten hatten, versahen mit einem leichten, regelmäßigen Rauschen ihren Dienst und strahlten etwas Beruhigendes aus – keine Unregelmäßigkeit würde ihnen entgehen. Selbst der ständige Piepton störte dabei nicht. Als sie sich dann doch auf den Weg nach Hause machte, begegnete ihr auf dem Gang des Militärkrankenhauses der verantwortliche Arzt.

„Hallo Ms. Warner, wie geht es Ihnen?", fragte er mit einem vielsagenden Lächeln.

„Danke. Jetzt, da er aufgewacht ist, wieder gut!", entgegnete sie und nur ihr ausgeprägter Stolz bewahrte sie vor erneuten Tränen.

„Ja, da geht es uns allen gleich. Ich wünsche Ihnen noch einen schönen Abend!"

„Danke, Herr Doktor."

Der Arzt wollte gerade weitergehen, als sie ihn am Arm packte und ihm eindringlich in die Augen sah.

„Sie kennen meinen Mann, seine mentale Stärke und seinen Gesundheitszustand seit Jahren. Können Sie sich vorstellen, warum er das Zeug genommen hat und plötzlich Selbstmord begehen wollte?"

„Ich habe nicht die geringste Ahnung, Ms. Warner. Meines Erachtens passt so etwas überhaupt nicht zu Ihrem Mann. Ich kann mir nur vorstellen, dass er sich so unter Druck fühlte, dass selbst er die Kontrolle verloren hat."

„Gott sei Dank sieht es ja ganz so aus, dass er es uns bald persönlich erzählen kann. Und ich glaube nicht, dass er nach dieser Geschichte noch einmal in sein Amt zurückkehren wird."

Sie nickte dem Mann im weißen Kittel kurz zu, ließ seinen Arm los und ging mit der Haltung einer Lady den Gang hinunter Richtung Ausgang.

Über den Autor

Thomas U. Tajsich (Jahrgang 1969) ist im Hauptberuf Wirtschaftsinformatiker und in leitender Funktion bei mittleren bis großen internationalen Projekten im Bereich Logistik und IT tätig. Sein Studium absolvierte er in den USA, wo er acht Jahre lang lebte. Seit 2008 begleitet er außerdem seine Frau Sonja Tajsich als Manager und Medienverantwortlicher in die Weltspitze des Triathlonsports.

Danksagung

Tief empfundener Dank gilt den beiden Menschen, die mir die Kraft geben, so zu leben, wie ich es tue: meiner wunderbaren Frau Sonja, die mich mit ihrem Rückhalt sowie ihrer Disziplin und Leistung als Profisportlerin immer wieder motiviert weiterzumachen, auch wenn es schwierig ist, mich aber gleichzeitig bei Bedarf auch bremst. Und meiner Tochter Lisa, die es mit ihren zarten drei Jahren bestens versteht, sich selbst zu beschäftigen, wenn die vielen Arbeitsstunden einmal auf ihre Kosten gehen, und die trotzdem eins der fröhlichsten Kinder der Welt ist.

Außerdem möchte ich mich bei unseren Opas und Omas bedanken, die immer für uns da sind, wenn wir sie brauchen.

Mein besonderer Dank gilt meiner Verlegerin Nicole Luzar, die es überhaupt erst möglich gemacht hat, dass dieses Buch nun vor Ihnen liegt. Es hat Spaß gemacht, den Text gemeinsam in die jetzige Form zu bringen.

Boston Run – Der Marathon-Thriller

214 Seiten, 8,95 EUR, ISBN 978-3-941297-05-0

4

„Steve, Sie sind doch sportlich interessiert! Welcher der Läufer hält sich für Sie überraschend in der Spitzengruppe auf?", verlangte Rachel zu wissen.

„Keine Frage, die Nummer 368. Nach einem Sturz wie diesem wäre kaum ein Läufer zurück an die Spitze gestürmt. Zumindest nicht mit solcher Bravour!"

„In dem Fall sind wir uns also ausnahmsweise einmal einig! Fragt sich nur, wie uns dieses Wissen …", ließ Miss Parker ihren Satz unbeendet. Etwas an der Übertragung von Channel Five beanspruchte ihre völlige Aufmerksamkeit. Steve und Mike sahen ebenfalls zum Bildschirm, ohne jedoch den Grund für ihr Interesse erspähen zu können.

„Stopp! Spulen Sie das Band noch mal zurück!", befahl sie Mike.

„Äh, sorry, Miss Parker, das ist eine digitale Aufzeichnung. Da müssen wir nicht spulen."

„Mike, Sie machen mich wahnsinnig! Fahren Sie die Aufzeichnung zurück, und seien Sie still!"

Offensichtlich ließ Mike Lynch keinen Fettnapf aus. Richard, der am Steuer des Vans saß, musste schmunzeln. Zumindest konnte er seinen Mund so weit verziehen, wie es die Zigarette zwischen seinen Lippen zuließ. Richard hatte einmal an die alte Mär vom schlanken Raucher geglaubt. Und nicht bemerkt, wie ihn dieser Irrglaube immer weiter in die Abhängigkeit getrieben hatte. Vielleicht war es sogar jene fälschliche Annahme, die ihm selbst als Ausrede diente, um weiter rauchen zu dürfen und alle gut gemeinten Ratschläge von Freunden und Familie in den Wind zu schlagen. Es aß zu viel, er rauchte zu viel. Aber er lebte!

Hinten, im Font des Wagens – oder vielmehr der rollenden Festung – saßen Rachel Parker, Mike Lynch und Steve Jacobson und folgten den eben noch aufgezeichneten Fernsehbildern von Channel Five. Miss Parker hatte etwas auf den Bildern gesehen, was den anderen offenbar entgangen war.

„Da! Lassen Sie es wieder vorwärts laufen!“

Mike folgte dem Befehl seiner Vorgesetzten und drückte erneut auf Play. Sie alle drei sahen einen führenden, langsamer werdenden Läufer, der irgendwie in Gedanken versunken schien und dazu die Lippen bewegte.

„Singt der etwa?“, fragte Steve.

„Möglich – aber eher unwahrscheinlich.“

Rachel Parker verengte die Augen zu schmalen Schlitzen, als könne sie auf diese Weise mehr erkennen.

„Mike, wie lautet Ihre Differentialanalyse?“

Lynch räusperte sich, versuchte Zeit zu gewinnen. Rachel sah mit einem kurzen Seitenblick, wie seine Wangen rot anliefen.

„Äh – ich glaube, er spricht … “

„Mit wem?“, hakte Miss Parker gnadenlos nach.

Als guter Schüler wusste Mike Lynch immer genau, was die Lehrerin hören wollte. Nur war dies hier nicht mehr Teil seiner Ausbildung.

„Wahrscheinlich mit Johnson?“, antwortete er unsicher. Es klang so, als wäre er kein bisschen vom Inhalt seiner Worte überzeugt. Und seine ‚Lehrerin‘ war genauso wenig mit seiner Erwiderung zufrieden.

„Keine Vermutungen, Mike! Wie kommen Sie darauf, dass er ausgerechnet mit Johnson sprechen könnte?“

Doch Mike zuckte als Eingeständnis seiner Unwissenheit nur mit den Schultern. Steve wollte sofort einspringen, doch Miss Parker unterdrückte den bevorstehenden Einwurf mit einer knappen Geste. Lynchs kleine Feuerprobe war noch nicht vorüber.

„Wissen Sie, was ein JP-7 ist?“

Mikes Antwort kam, kaum dass Rachel ihre Frage zu Ende gesprochen hatte.

„Das JP-7 ist eine Sender-Empfänger-Einheit mit einer Reichweite von sieben Meilen.“

„Gut aufgesagt, Mike. Und wofür steht das JP?“

„Für Johnson-Phone, Miss Parker, … “

Mike Lynch ließ seinen Satz ohne jegliche Betonung ausklingen. Und Steve und Rachel sahen das sprichwörtliche Licht über Mikes Kopf aufleuchten.

„Johnsons Entwicklung ist mittlerweile fünf Jahre alt. Es könnte durchaus sein, dass aus dem JP-7 ein JP-10 geworden ist“, ergänzte Rachel.

„Vielleicht sogar ein JP-13“, fügte Richard von vorne hinzu und ließ sofort ein „Festhalten!“ folgen. Kaum hatte er das ausgesprochen, steuerte er den Van in eine scharfe Linkskurve. Zwar hatte der Regen über Boston etwas nachgelassen, doch noch immer lag ein feiner Wasserfilm auf den Straßen. Im Scheitelpunkt der Kurve brach das Heck aus, und der Wagen kam ins Rutschen. Offensichtlich war Richard Brunner die Richtungsänderung zu offensiv angegangen. Mit eiligem Gegenlenken brachte er den Wagen jedoch wieder unter Kontrolle.

„Nicht so hastig!“, forderte Steve daraufhin.

„Du machst deinen Job, ich meinen!“, konterte Richard leicht genervt und nahm einen tiefen Zug von seiner Pall Mall.

„Wo fahren wir eigentlich hin?“, fragte Mike dazwischen und trennte die verbalen Widersacher dadurch nicht ganz ungewollt. Rachel Parker stand daraufhin auf und ging durch den schmalen Gang nach vorn. Richard griff wortlos in die Seitentasche der Fahrertür und reichte Rachel einen Umgebungsplan von Boston.

„Das ist eine gute Frage“, begann Miss Parker, als sie sich wieder umdrehte, zugleich aber bei Richard stehen blieb. Da der hintere Raum des Vans durch die Bildschirme kaum erleuchtet wurde, konnten Mike und Steve nur die Silhouette ihrer Vorgesetzen im Gegenlicht der Fahrerkabine erkennen. Das durch die Frontscheibe einfallende Licht hüllte sie, gemischt mit dem

Rauch von Richards Zigarette, in eine Korona. Für Mike und Steve war es unmöglich, ihre Gesichtszüge zu erkennen, als sie fortfuhr: „Überraschen Sie mich, Mike, indem Sie mir durch rein logische Überlegung die Antwort auf Ihre eigene Frage präsentieren!"

Der Angesprochene schluckte kurz. Er war der Rookie – der Neuling – dieser kleinen Einheit. Aber er hatte es nicht ohne Grund überhaupt hierher geschafft! Miss Parker hätte ihn nicht genau auf diese Weise gefragt, wenn ihm nicht alle Hinweise zur Lösung des Problems bereits zur Verfügung stünden. Ergo musste er sich fragen, was sie bereits getan oder gesagt hatten, was mit dem Ziel ihres Einsatzes in Verbindung stehen könnte! Also begann er zu überlegen. Der Zielort würde sich sehr wahrscheinlich in der Nähe der Marathonstrecke befinden. Wie aber konnte er diese sechsundzwanzig Meilen weiter eingrenzen? Natürlich! Richard Brunner hatte vorhin eingeworfen, dass es ein JP-13 geben könnte. Ein Johnson-Phone mit einer Reichweite von dreizehn Meilen sollte sich genau in der Mitte der Strecke befinden, wollte es eine Kommunikation mit dem Läufer über die gesamte Strecke gewährleisten. Selbst wenn ein neueres JP eine größere Reichweite besäße, wäre die Mitte immer noch der strategisch günstigste Punkt. Es war so einfach!

„Wir müssen zum Mittelpunkt der Laufstrecke", sagte Mike nicht ohne Stolz.

„Sehr gut!", lobte Rachel ihn, nur um ihm sofort die nächste Aufgabe zu übertragen. „Rufen Sie Myers an! Er soll den Heli der State Police dorthin beordern."

Lynch wollte sofort zum Hörer greifen, als ihm einfiel, dass ihm eine wesentliche Information fehlte, um diesem Befehl Folge zu leisten.

„Was befindet sich an Meilenstein Dreizehn?"

Endlich durfte Steve sein Wissen einbringen: „Kurz hinter Meilenstein Zwölf beginnt das Gelände des Wellesley-College und grenzt auf der Länge von einer Meile an die Strecke. Das

College ist eine altehrwürdige Frauen-Bildungsstätte und zugleich berühmt-berüchtigt für den Screech-Tunnel!“

„Den was?“

Mike bemerkte, dass er über Boston noch eine Menge zu lernen hatte. Steve sah derweil fragend zu seiner Chefin.

„Fassen Sie sich kurz“, bewilligte sie ihm eine weitere Erläuterung.

„Die Studentinnen des College stehen zur rechten Seite der Strecke und feuern die Läufer laut kreischend an … Und es sind viele Studentinnen!“

Dabei zwinkerte er Mike zu.

„Okay, das reicht. Mike, rufen Sie Myers an!“

Rachel musste wieder das Zepter in die Hand nehmen und die Dinge vorantreiben. Anderenfalls drohte Steve sich in seinen Schlaumeiereien zu verlieren. Lynch gab den Befehl weiter, den Heli nach Wellesley zu schicken, und Rachel wandte sich erneut an Jacobson.

„Nummer 368 spricht, also …“

„… also scanne ich längst alle Frequenzen, um seinen Gesprächspartner zu finden, damit wir uns heimlich einklinken können.“

Miss Parker schürzte die Lippen, als sie Steve ihre Bewunderung aussprach.

„Sie können einen manchmal zur Weißglut bringen, aber Sie denken mit! Und das ist, was zählt!“

Sie wusste natürlich, dass jegliche Art von Lob nur erneutes Wasser auf Steves Mühlen der Selbstsicherheit gießen würde, aber ein wenig Motivation würde ihn noch zielstrebiger, noch interessierter, noch energischer machen. Und das war genau das, was sie heute von ihm wollte!

Die Uhr zeigte mittlerweile 10.30 Uhr. Es regnete weiterhin, doch dessen ungeachtet schickten sich die ersten Läufer an, den Ortsbereich von Framington zu verlassen. Auf Framington folgte Natick, und in Natick wechselte der Straßenname von der Waverly zur West Central Street.